DE LAATSTE ZOMER

Gemeentelijke Bibliotheek
Beveren
Uitleenpost
Kieldrecht

RAY

Van Kitty Ray verscheen eveneens:

HET VERBORGEN DAGBOEK

Kitty Ray

De laatste zomer

Gemeentelijke Bibliotheek
Beveren
Uitleenpost
Kieldrecht

 DE KERN

Oorspronkelijke titel: *Learning to Breathe*
Copyright © Kitty Ray
Copyright © 2004 voor deze uitgave:
Uitgeverij De Kern, De Fontein bv, Postbus 1, 3740 AA Baarn
Vertaling: Annelies Hazenberg
Omslagontwerp: Andrea Scharroo, Amsterdam
Omslagillustratie: Charles Neal, Fotostock bv
Zetwerk: v3-Services, Baarn
ISBN 90 325 0962 4
NUR 302

Niets uit deze uitgave mag worden verveelvoudigd en/of openbaar gemaakt door middel van druk, fotokopie, microfilm, elektronisch, door geluidsopname- of weergaveapparatuur, of op enige andere wijze, zonder voorafgaande schriftelijke toestemming van de uitgever.

Februari 2000

———◦◦◦◦———

'Waterslain' is een oud Suffolks woord. Het betekent nat land, land dat water vasthoudt en gedraineerd moet worden om het bruikbaar te maken. Degene die deze boerenhofstede heeft gebouwd, moet wel verstand van de gewoonten van de rivier hebben gehad. Weggestopt in een plooi van het terrein staan de gebouwen dicht opeengedrongen ruim boven hoogwaterpeil, aan het eind van een smalle landweg die tot een zandpad vol diepe karrensporen verpietert voordat ze het huis bereikt. Zelfs bij de grote overstroming van 1939 is het water niet zo hoog gekomen, hoewel delen van Ipswich, de hoofdstad van het graafschap, bijna anderhalve meter onder water kwamen te staan.

Het uitzicht vanuit de nette kamer bezit een sombere schoonheid: een piepklein hofje van bemoste flagstones, omringd door vuurstenen muren vol mosplekken, het enige overblijfsel van wat ooit een aangebouwd buitentoilet is geweest. Daarachter een roestig metalen hek, een steile helling en weiden zover het oog reikt. Langs de horizon stroomt een rivier onder een grijs-metalen hemel tussen bomenrijen door naar het zuiden.

Het huis galmt van leegte: het meubilair is verdwenen, lichte rechthoeken op de vloer geven aan waar ooit vrolijk gekleurde vloerkleden hebben gelegen, de ramen staren je wezenloos en gordijnloos aan, kale planken kraken mistroostig onder je voeten. Aanstaande maandag beginnen de bezichtigingen, en het eind van de maand komt alles – huis, schuur en weiden – onder de hamer.

De vertrekken zijn eerder knus dan ruim bemeten. Een lange keuken met een lage zoldering met zware balken, een donkere bijkeuken met een stenen vloer, een piepklein wc-tje, en aan de andere kant van de gang die van voor naar achter door het huis loopt, een zonnige zitkamer met uitzicht over de binnenhof naar de weiden en de rivier. Op de eerste verdieping, die door een dichte trap vanuit de keuken wordt bereikt, zitten aan weerszijden van een smalle overloop twee slaapkamers met een schuin plafond onder een uitstekende rieten dakrand. Diep in de vensterbank van het raam in de linkerkamer staat in eenvoudige fraaie hoofdletters de naam HANNAH gekerfd, en een datum, 4 JUNI 1953, terwijl aan de andere kant van de overloop een eerdere, minder professionele hand, ROSE PARFITT, 19 JULI 1923 heeft ingekrast.

Waterslain is nog geen week op de markt, maar voor dit soort vastgoed is altijd belangstelling en de makelaars hebben al een eerste bod van een gespecialiseerde projectontwikkelaar binnen. Hij wil de weide draineren, het huis moderniseren, en de schuur tot drie of vier dure appartementen ombouwen. In de verwachting een klapper te maken, doet hij zijn best een bestemmingswijziging los te krijgen.

Niemand wil deze oude schuren nog voor hun oorspronkelijke functie. Weldra zullen de enorme deuren, waardoor ooit de hoog opgetaste hooiwagens binnenrolden, van glas zijn voorzien. Kleurige geraniums, lobelia's en/of alyssums zullen in mandjes aan de oude muren hangen en aldus het platteland iets van een stadse buitenwijk verschaffen. Binnen zullen vides en slaapkamers met Veluxramen onder het majesteitelijke dak worden aangebracht en trappen worden gebouwd. Beneden komen gemetselde open haarden en rustieke keukens. Draineerbuizen zullen worden gelegd, de landweg wordt verbreed en met kuilen en al geasfalteerd.

Het huis is al jaren in verval, maar de laatste tijd is het proces versneld. In de keuken is roet uit de schoorsteen gevallen, in een van de slaapkamers is houtrot ingetreden, een groene aanslag breidt zich uit op het rieten dak en onder de vloeren ritselen ratten. Misschien zal het worden gekocht door een jong echtpaar, of door een gezin met kinderen. Dat is wat het huis nodig heeft om het in leven te houden, om te verhinderen dat het volledig instort. Zullen de nieuwe bewoners gevoelig zijn voor de geschiedenis ervan? Zullen ze voetstappen horen op de trap, spookachtig gefluister in de bijkeuken? Niet dat die een bijkeuken zal blijven natuurlijk, als de ontwikkelaar zijn zin krijgt. Dan wordt die een ruimte voor apparaten: de wasmachine, een droogtrommel, de boiler voor de centrale verwarming. 'Ach wat leuk,' zullen de mensen zeggen, wanneer de makelaar hun het gebarsten stenen aanrecht laat zien, de gietijzeren waterpomp die het nog doet, het houten afdruiprek. Maar het is niet waarschijnlijk dat ze deze tekenen van een voorbij tijdperk zullen willen behouden. Wie wil er tenslotte in een tijdlus leven?

1

1940

———◦◦◦———

$\mathcal{H}$et land onder het huis waar Rose Parfitt op een hete julidag in 1923 geboren werd, was sinds mensenheugenis niet meer gedraineerd en na langdurige regen trad de rivier die door de vallei slingerde, geregeld buiten haar oevers.

Niet meteen natuurlijk – *zijn* rivier was heel bijzonder, legde Tom met een verwaande uitdrukking op zijn gezicht Rose uit toen ze pasgewassen en in luiers gewikkeld in haar moeders armen lag. *Zijn* rivier kon haar adem wel achtenveertig uur inhouden alvorens die in een koude natte zucht te laten ontsnappen. 'Nou Tom, niet van die malle praat,' had Prue vermanend vanuit haar bed gezegd, en Tom had schaapachtig zijn mond gehouden. Maar later, toen Prue sliep, had hij koppig zijn pasgeboren dochtertje uit haar wieg ontvreemd en mee naar buiten genomen in de maneschijn. Hij had haar het uitzicht laten zien en met een kriebelende zucht in haar piepkleine, volmaakt gevormde oortje gefluisterd: 'Twee hele dagen. Hoe vind je dat, eh, Rosie?'

Wanneer de rivier haar vochtige adem liet ontsnappen, begon het water eerst langzaam sijpelend en dan in grote golven door de inhammen in de oever weg te stromen. Door de jaren heen had Tom met vaderlijke toegeeflijkheid gezien hoe het langzaam zwellend tij zich uitbreidde door de elzen- en wilgenbosjes die hij langs de oever had laten opschieten. Hoe het water onder het gammele houten hek door kroop dat zijn verwaarloosde stukje land van John

Catherwoods goed verzorgde akkers scheidde, de beek Paigle Beck tegemoet die de heuvel af gleed langs Walter Hendersons bedoeninkje. Diens Marsh End, met zijn met schimmelend riet gedekte stulpje, groezelige vijver, rommeltje aan uit ijzeren golfplaten opgetrokken bijgebouwtjes en miezerige lapje grasland, vormde naast Johns efficiënt beheerde leengoed een nog ergerlijker steen des aanstoots dan Waterslain. John droomde reeds lang van de dag waarop hij zijn buurman kon overhalen het boeltje aan hem te verkopen. Maar net als zijn vader vóór hem, bleef Walter koppig weerstand bieden aan alle verleidelijke aanbiedingen.

Waterslain was niet Toms eerste keuze geweest. Als meubelmaker met een beetje spaargeld was hij, toen hij naar Suffolk kwam, op zoek geweest naar een woning met bijgebouwen, een plek waar hij zijn werkplaats kon inrichten. Waterslains kathedraal, een schuur met het enorme gewelfde dak, de brede deuren van dubbele hoogte en de majesteitelijke dakgebinten, was namelijk veel te groot voor zijn doeleinden. Maar toen hij het eenmaal had gezien, eenmaal in die grootse lege ruimte had staan luisteren naar de fluisteringen en staan kijken naar de dansende stofdeeltjes in de wervelende luchtstroom, *moest* hij het hebben. 'Malle armoedzaaier die je bent,' had Prue plagend gezegd, toen hij probeerde het haar uit te leggen. Maar ze had wel beter geweten dan te proberen hem ervan af te brengen.

John Catherwood, Toms buurman op Holly Farm, zat hem nu al jaren achter de broek om iets aan het weiland te doen. Long Tye, dat deel van Johns terrein dat ten noorden van Waterslain lag, was een model van goed rentmeesterschap, met zijn verhoogde jaagpad en zorgvuldig onderhouden sloten. Het was gewoon misdadige verspilling, zei John, om goed land zo te verwaarlozen. Maar Tom wist dat de bezorgdheid van zijn vriend evenzeer op eigenbelang als op altruïsme berustte. De meeste jaren mocht John, wanneer de zomer droog genoeg was, van Tom het gras maaien voor hooi, maar wanneer de rivier hoog stond had het naastliggend Bottom Twenty van John daar last van, doordat de grond te sompig werd voor diens Cheviot-ooien. Toen Prue na drie miskramen ten slotte haar eerste, en naar blijken zou enige, zwangerschap volledig uit wist te dragen, had John aangeboden het probleem gratis en voor niets in orde te maken, in een poging Tom gewilliger te stemmen nu hij door belangrijker zaken in beslag werd genomen.

Maar Tom was zich door de jaren heen aan de onvoorspelbare wilde natuur buiten zijn deur gaan hechten. Hij had John al eens proberen uit te leggen wat hem in Waterslain had aangetrokken, maar het was snel duidelijk geworden dat zijn buurman niets zag in de weidse open ruimte van een oeroude schuur, noch in de veranderlijke stemmingen van een snelstromende rivier of de seizoensgebonden kleurveranderingen van verwaarloosd grasland. John schepte ergens anders genoegen in, in orde en overvloed, akkers rijpende gerst omzoomd door dichte heggen, volle hooibergen om de strengste winter te doorstaan, de geslaagde geboorte van een drieling uit zijn lievelings Cheviot-ooi. 'De vrouw vindt het allemaal best zoals het is,' zei Tom met een ferm afwijzen van zijn vriends royale aanbod. 'Houdt niet zo van verandering, die Prue van mij. Trouwens, hoe zou ik het Rose later moeten uitleggen dat ik je haar weiland heb laten bederven?'

Hij en John hadden hun bezittingen bij dezelfde faillissementsveiling gekocht, en waren er in dezelfde week in getrokken. Holly Farm lag anderhalve kilometer van het dorpje Nettlebed, Waterslain bijna drie. Prue en Betty, allebei pasgetrouwde meisjes uit de stad die moeite hadden zich aan het plattelandsleven aan te passen, waren al snel dikke vriendinnen geworden. Samen draafden ze door het laantje, wisselden ze huishoudtips uit en bespraken de eigenaardigheden van het huwelijksleven bij ontelbare kopjes thee en zelfgebakken cake. Onwillig zijn vrouw te delen, was Tom vanaf het begin kortaf en onmededeelzaam tegen Betty ('ronduit onhebbelijk,' wierp Prue hem eens voor de voeten), en alleen zijn vrouws voelbare afkeuring van zijn slechte manieren deed hem zijn protesten inslikken, wanneer ze door Betty voor een middagje winkelen naar Market Needing werd meegesleept of op bezoek ging op Holly Farm. Toen John kwam vertellen dat Betty haar eerste kind verwachtte, was Tom oprecht verheugd – voorzover het betekende dat hij Prue weer helemaal voor zich alleen zou hebben.

Hij was al in de dertig toen hij Prudence Jardine ten huwelijk vroeg, nog net geen jaar na de Eerste Wereldoorlog. 'Waar wachtte je toch op?' had Prue plagend gevraagd, maar hij had tijd nodig gehad om zich van de verschrikkingen van Passchendaele te herstellen. Als levenslang pacifist was hij in 1914 bij de geneeskundige troepen gegaan, maar hoewel hij niet had hoeven vechten, waren de gruwelen van de oorlog niet te ontlopen geweest. Iedere keer weer dat het granaatvuur ophield en de dragers met de brancards naar het front werden geroepen om de gewonden op te halen, zag hij de gevolgen van de slachting van nabij. Hij had het keiharde bestaan gezien dat de soldaten in de loopgraven leidden, uit eerste hand de effecten van fosforgas ervaren. Toen hij tegen eind 1917 als oorlogsinvalide naar huis werd gestuurd, was het Prue die hem verpleegde en weer op de been hielp. Prue die hem bij zijn verstand hielp blijven, toen hij bang was gek te worden van de nachtmerries. Als paar vormden ze een wonderlijke combinatie: Tom, een reus met een stierennek, enorme handen overdekt met sproeten, en een dikke bos stugge rode krullen, en Prue, een klein teer vogeltje met sluik bruin haar. Prues kruin kwam maar net tot de borstkas van haar geliefde, maar ze leek zich niets aan te trekken van de glimlachjes die zij tweeën opriepen, wanneer ze hand in hand over het ziekenhuisterrein kuierden. Prue scheen zich trouwens nooit ergens veel van aan te trekken. Het was juist die uitstraling van serene rust, waardoor Tom zich in eerste instantie tot haar aangetrokken had gevoeld.

Niettemin was het moeilijk voor haar geweest Betty al binnen drie jaar haar gezin te zien voltooien – een dochter, Alice, daarna een zoon, Henry – terwijl zij er maar niet in slaagde om een zwangerschap tot het einde toe uit te dragen. Vier lange jaren moest Prue op Rose wachten, ondanks de gebeden die ze elke zondag in de kerk opzond. De drie miskramen waren een groot verdriet voor haar en Tom geweest. Maar Tom had het nog het moeilijkst met de hevige jaloezie die hem binnen enkele dagen na Rose' geboorte besprong: de woedende nijd die opwelde wanneer Prue de baby aan haar borst legde, de bijtende ergernis wanneer ze hem op een schattige bijzonderheid van haar kleine pop wees, de frustratie wanneer

11

ze uit zijn bed wegglipte bij een nauwelijks hoorbaar kreetje uit de wieg. Het vergalde zijn blijdschap en deed hem heimelijk terugwensen naar vroeger, toen Prue exclusief van hem was.

En toen, in de herfst van 1929, vatte Prue een simpel koutje. Het sloeg op haar longen, ging bliksemsnel over in longontsteking en binnen een week was ze er niet meer. Het kwam Tom als zo'n monsterachtige onrechtvaardigheid voor, omdat juist *zijn* longen, blijvend door het gifgas aangetast, dag en nacht piepten als een lekkende blaasbalg. En al was Rose zo aanhankelijk en lief als een ouder zich maar kon wensen, toch was de manier waarop zij hem altijd maar aan haar dode moeder herinnerde, bijna te veel om te dragen.

Het was nu elf jaar na Prues overlijden. Soms leek het Tom nog maar gisteren, soms een mensenleven geleden dat hij haar rappe voeten op de trap hoorde of luisterde naar haar gezang, terwijl ze druk in de weer was met het huishouden. De eerste weken na haar dood was hij blij geweest dat hij niet was ingegaan op Johns aanbieding om het weiland te draineren. In die periode leek alles, inclusief de zorg voor zijn dochtertje, zinloos. Alleen de rivier en het immer veranderende weideland hadden hem voor de zwartste wanhoop behoed. Bezorgd om haar welzijn, had Betty Catherwood Rose meegenomen naar Holly Farm ('... voor een paar daagjes maar, Tom, tot je wat meer jezelf bent...').

Langzaam, smartelijk, had Tom, zo niet in Prues dood berust, dan toch tenminste haar Maker Zijn aandeel erin iets meer vergeven. Hij had zich door zijn hevigste rouw heen geworsteld door zichzelf overdag te verdoven met zware lichamelijke arbeid om 's nachts althans enkele uren te kunnen slapen. En al lukte het hem nooit helemaal om evenveel van zijn dochtertje te houden als Prue zou hebben gewild, hij leerde mettertijd haar aanwezigheid beter verdragen.

Tot dit nieuwe conflict, ternauwernood twintig jaar na de oorlog die een einde aan alle oorlogen heette te maken. Het herinnerde hem weer aan zijn verdriet, deed het in een stortvloed terugkeren.

2

*B*etty Catherwood parkeerde het vrachtwagentje op straat en zocht, langs de legertrucks die vier rijen dik op het stationsplein stonden, haar weg naar de loketten. Op het sportveld naast de spoorweg was een zeildoeken stad in opbouw. Bij het kolendepot hing een groepje rokende soldaten rond bij een half in elkaar gezet stuk luchtdoelgeschut.

Het perron was één deinende massa kakikleurige uniformen, helmen en alle andere parafernalia van een zich verplaatsend leger. De stationschef kreeg Betty's uniform van de vrouwelijke vrijwilligersorganisatie in het oog en zwaaide naar haar door zijn kantoorraam.

'Een chaos, mrs. Catherwood,' waren zijn eerste woorden, toen ze binnenstapte. 'Het gaat zo al de hele ochtend en er komen er met elke trein meer. Ik heb geen idee hoe ik zo een dienstrooster aan moet houden. Hoeveel evacués verwacht u vandaag?'

'Acht, mr. Quinton.' Betty raadpleegde haar klembord. 'Drie jongens en vijf meisjes.' Ze had hen al gesignaleerd: twee kleine figuurtjes die uit een derdeklaswagon stuiterden, gevolgd door een derde, dan een vierde, met bungelende labels aan hun revers en gasmaskers over hun schouder. Ze hielden goedkope kartonnen koffers en haveloze tassen tegen hun borst geklemd.

'Ah...' mr. Quinton bette zijn transpirerend gezicht met een zakdoek en tuurde in de menigte, 'daar zul je uw stel hebben. We moesten maar eens aan de slag, lijkt me.'

Betty liep achter hem aan het overvolle perron weer op. Ze telde de kinderen: vijf, zes, zeven... *verdikkie*, dacht ze, bukkend voor een bundel spaden die via een raam werd uitgeladen, waarom was er toch altijd één onvindbaar? Voor haar uit liep mr. Quinton langs de trein, overal deuren dichtkwakkend. De overwegwachter drentelde ongeduldig heen en weer, in afwachting van het sein dat hij met zijn groene vlag kon zwaaien. Ze versnelde haar pas tot een holletje en bereikte haar groep net op het moment dat het laatste kind in de coupédeur verscheen, over zijn eigen voeten struikelde en van het trapje tuimelde.

'Hoepsakee,' zei mr. Quinton goedgemutst, terwijl hij de jongen met een zwaai overeind hielp, 'je mag wel eens wat meer met die dingen oefenen, jong.' *Krukken!* dacht Betty. Waarom moest er altijd *eentje* bij zijn?

Deze groep was de derde die Nettlebed sinds het begin van het jaar toegewezen had gekregen. De meeste bezoekers uit de eerste groep waren binnen enkele weken alweer haastig naar Londen teruggekeerd, overtuigd veiliger te zijn in hun eigen bed dan in de wijde open ruimten van East Anglia. Maar sinds begin deze maand de laatste groepen binnenkwamen, was praktisch elk vrij bed in het dorp ingenomen door kinderen met snotneuzen en grauwe gezichtjes uit Bethnal Green, Stoke Newington, Whitechapel of Bermondsey. Betty was hard bezig door de vrienden en buren heen te raken bij wie ze hen kon onderbrengen. Ze had zelfs een moeder met vijf kinderen die weggebombardeerd waren uit hun huis in Stepney, in Silverlea moeten proppen, een van de twee arbeidershuisjes van Holly Farm aan Church Lane. Dat had *eindeloze* problemen gegeven met Johns veeknecht George en zijn vrouw Ida, die ernaast woonden in Lindenlea en zich de grofgebekte Londense manieren van de vluchtelingen van dichtbij moesten laten welgevallen.

'Goed, kinderen,' zei ze op kordate toon, 'hoe eerder we weten wie wie is, hoe eerder we jullie allemaal naar jullie nieuwe tehuis kunnen brengen.'

Reuben, heette de jongen met de krukken: 'Lechitowski' dreunde hij onwillig op, toen Betty tevergeefs probeerde het onuitspreekbare uit te spreken. Hij zou duidelijk een probleem worden. Hij bleef het hele stationsplein over steeds bij de anderen achter. Tegen de tijd dat Betty een passerende soldaat had aangeklampt om hem in het vrachtwagentje te hijsen, had ze zich bij de feiten neergelegd. Sinds Fred als vermist bij Duinkerken was opgegeven, had Joyce Metler haar gesmeekt om een grote sterke jongen om in de bakkerszaak te helpen. Aan deze knaap, op papier precies wat ze zocht, zou Joyce echter niets hebben.

Ze had het vorig jaar, toen de eerste golf evacueetjes in het dorp aankwam, met schade en schande geleerd hoe uiterst belangrijk het was om bij elk kind het juiste gastgezin te zoeken. Neem Billy Elms, die was naar Nettlebed gekomen met een gevarieerde vocabulaire van de meest gore soort en een indrukwekkende, zij het dikwijls voor de verkeerde dingen aangewende, vaardigheid met de katapult. Zijn kortstondige verblijf bij miss Larkin van het postkantoor was een ramp geweest. Maar eenmaal ondergebracht bij Walter Henderson, die het joch onmiddellijk de handen vol had gegeven aan het voeren van de kippen, het mengen van varkensvoer, het binnen de perken houden van de rattenpopulatie met zijn katapult, was de jonge Billy toch bijna een mens geworden. Met de tien shilling en sixpence die Walter per week voor Billy's onderhoud kreeg, had hij zich wat extra's kunnen veroorloven, zodat beide partijen er wel bij voeren. Het was gewoon een kwestie, had Betty toentertijd tegen de inkwartieringsambtenaar gezegd, van de juiste *habitat* voor de arme zieltjes vinden. Déze knaap ging haar voor een heel ander soort opgave plaatsen.

Toen ze de paperassen nog eens doorbladerde, zag Betty haar vermoedens bevestigd: er stond niets in de instructies, niet de geringste *aanduiding* dat ze vermoedelijk moeite zou hebben om iemand over te halen hem in huis te nemen. 'Schapen,' zei ze kribbig, toen een van de andere kinderen zich met een zwaar Cockneyaccent beklaagde over de poepstank. 'Poep ruik je elke dag op het boerenland, dus je kunt er maar beter aan wennen!'

Ze moest George uit de hakselschuur halen, waar hij rapen voor de stieren aan het vermalen was, om de jongen uit de vrachtwagen te tillen. Haar groeiende irritatie bedwingend, dirigeerde ze haar protégés het erf over naar de keuken, deelde hompen brood en kaas uit, en belde het inkwartieringshoofd.

'Wat is dat nou voor een naam, Lecki... nou ja, wat het ook mag zijn,' liet ze haar verontwaardiging blijken. 'Vindt u niet dat u wel even had mogen zeggen dat hij...' hier liet ze haar stem wat dalen om de jongen het niet aan de andere kant van de kamer te laten horen, '...*invalide* is?'

De vrouw was een en al verontschuldiging, maar bleef vaag. De jongen was een Pool, die naar Engeland was gestuurd om te proberen hem van zijn tbc te laten genezen. Het sanatorium waarin hij opgenomen was geweest, werd ontruimd om onderdak te bieden aan een brandwondencentrum. Zijn enige familielid in Engeland, een nicht, lag na een luchtaanval in het ziekenhuis en zou waarschijnlijk sterven. Haar man wilde de jongen niet in huis nemen, en hij kon nergens anders heen. 'Gezien de situatie in Europa,' zei ze op klaaglijke toon, 'kan ik hem moeilijk naar Polen terugsturen, waar of niet? Maar ik weet zeker dat u een uitstekende oplossing zult vinden, mrs. Catherwood. Per slot van rekening is het alleen maar een kwestie van het vinden van de juiste *habitat* voor de arme zieltjes, waar of niet? Dus als u het niet heel erg vindt, ik heb het op dit moment echt *vreselijk* druk...' Daarna hing ze op. Kokend van machteloze woede vroeg Betty zich af waarom ze er ooit eigenlijk in had toegestemd coördinator Vluchtelingenopvang voor Nettlebed te worden, aangezien niemand er maar in de *verste verte* dankbaar voor was.

Ze stond te peinzend wat ze doen moest, toen John verscheen uit West Meadow. Daar had hij met Henry de laatste aardappelen van de eerste oogst gerooid. 'Zou Tom niks zijn?' opperde hij met een blik op de jongen, die naar zijn soep zat te staren, terwijl de anderen gillend van opwinding om de keukentafel renden. 'Het zou hem goed doen ook eens een keertje zijn steentje bij te dragen. Bovendien heeft hij die kamer op de begane grond, wat je absoluut hebben moet, met die krukken en zo.'

'Na*tuur*lijk,' zei Betty, het idee met opluchting begroetend, 'ik snap niet dat ik daar zelf niet aan gedacht heb!' John bleef wat met de jongen praten, terwijl zij de rest van haar protégés bij elkaar riep. Ze propte hen in de Morris, twee op het bankje voorin en vijf achterin, en reed de heuvel naar het dorp op, de definitieve beslissing tot later uitstellend.

Haar dag werd er meteen weer een stuk minder op: toen ze Church Lane opdraaide, werd ze bij Lindenlea tot staan gebracht door Ida Partridge, die zich onmiddellijk in een litanie van klachten over haar nieuwe buren stortte.

'Ik en George hebbe geen minuut rus gehad vanaf dat ze d'r benne,' zei ze haar hoofd door Betty's raampje stekend, 'met d'r lui gerammel en gebons en gevloek, en vraog maor nie hoe die koters de plee achterlaote. Het is allemaol al erg genog met onze Marge middenin de rottigheid in Norwich en dan al helemaol de jonges (Ida's zonen, Bob en Eddie, waren in februari onder de wapenen gegaan, zodat John arbeidskrachten te weinig had *net* toen het plantseizoen begon) die van hot naor haor worre gestuurd. De Heer alleen mag weten of d'r nog eentje heel thuus sel komme.' Alsof ik, dacht Betty terwijl ze wegreed, zelf niet meer dan genoeg aan mijn hoofd heb. Eind vorig jaar was Alice bij de Wrens gegaan. Ze had zich prompt aangemeld voor een project dat zo geheim was, dat ze haar eigen *moeder* niet eens mocht vertellen wat ze uitvoerde. En dan Henry niet te vergeten, die thuis liep te ijsberen als een leeuw in een kooi.

Ze was nog geen twintig meter verder of ze werd aangeschoten door Bernard Jarrett. Zijn gebruikelijke plechtstatigheid als voorzitter van de parochieraad was nog eens tien keer zo erg was geworden door zijn recente aanstelling tot controleur op de naleving van de verduisteringsvoorschriften. Hij wilde weten wat ze van plan was aan Billy Elms te doen, 'die alweer op mijn kat heeft loper. schieten, mrs. Catherwood. Ik moet er nu toch echt op *staan* dat u eens met mr. Henderson over hem praat. *Tenzij* u liever heeft dat ik de hele zaak bij agent Brownlow aankaart, natuurlijk...?'

En zo ging het tot in de avond door. Toen Betty haar kwam vertellen dat ze het toegezegde hulpje toch niet kon leveren, raakte Joyce Metler zo van streek dat ze in tranen uitbarstte. Toen Betty de laatste jongen bij Sue Burkiss op Pear Tree Farm afzette, klom een van de meisjes uit de auto en bleef tien minuten in en uit een plas gier springen. Tegen de tijd dat ze voor Fallowend stopte, had Molly Roberts, Sues zuster, het wachten opgegeven en was weggegaan met achterlating van een briefje: *Moeder niet in orde. Zet kind maar af bij Sue als u wilt. Dan pik ik het op de terugweg op. Bedankt.* Dat betekende een omweg van drie kilometer terug naar Pear Tree Farm, waar Sue geen moeite deed haar ongenoegen te verhullen. En op elk adres waren er administratieve dingen te regelen, vragen te beantwoorden, moest ze advies geven over wat mocht en wat niet, naar welke school het kind moest, neten, bedplassen, zakgeld. Aan het eind van de dag was Betty bijna even moe en geprikkeld als haar schaapjes.

Terwijl ze kriskras door het dorp reed, groeide haar twijfel over de jongen die ze had achtergelaten. Tom had nog maar net langdurig geharrewar achter de rug met de plaatselijke landbouwcommissie. Hij had hardnekkig verzet geboden tegen de instructies om zijn malle uiterwaard om te ploegen. De impasse was onverwachts in Toms voordeel beslecht, toen een nieuwe, tamelijk onervaren inspecteur met een aanmaning was gearriveerd om te ontdekken dat de steen des aanstoots bijna een halve meter onder water stond. Betty was terstond het laantje door gerend in de hoop haar buurman in een inschikkelijke stemming aan te treffen. 'Nee,' was echter Toms knorrige begroeting geweest, 'hoe vaak moet ik het je nog vertellen. Ik wil niks met wat voor evacués ook te maken hebben!'

Toen ze eindelijk naar huis reed, nam ze een besluit: ze zou de koe morgen wel bij de horens vatten. Ze was te vermoeid om vanavond nog met Tom in de clinch te gaan.

Ze liet de Morris op het erf staan, zocht behoedzaam haar weg over de kinderhoofdjes en liep door de achterdeur naar binnen. Op de schoorsteenmantel sloeg de klok tien uur. Ze knipte het licht aan en bleef even tegen de muur geleund naar het wegsterven van de laatste tinkelende tonen staan luisteren. De anderen waren al naar bed gegaan. Alleen Bess, Henry's niet meer zo jonge zwarte labrador, hield de wacht, op haar gebruikelijke plekje uitgestrekt met haar rug tegen het fornuis. John had het vuur opgestookt, de verduistering aangebracht, en daarna de olielamp aangestoken. Op tafel had hij een briefje achtergelaten, dat met een glas melk op zijn plaats gehouden werd: *Heb onze gast in de laarzenkamer neergelegd. Die jongen is geen gemakkelijke!* Betty trok haar handschoenen uit en wreef haar koude handen. Ze bukte om de hond een klopje te geven die kwispelend was opgestaan om haar te begroeten. 'Dit wordt toch echt *te* erg, Bess,' beklaagde ze zich, de speld uit haar hoed trekkend, 'iemand had toch zo netjes kunnen zijn ons te *waarschuwen* dat hij kwam. En ik weet nog steeds niet of hij wel het beste af is op Waterslain.'

Ze liet zich in de dichtstbijzijnde stoel vallen en dacht na, terwijl de hond zich bij haar voeten op de grond liet zakken. 'Ik zou hem hier houden, natuurlijk, als we niet al tot aan de hanenbalken vol zaten. Hier word ik zó boos van.' Ze pakte het glas melk op, nam een paar gretige teugen, trok dan een gezicht bij de zure smaak. 'Nou ja, nu is het toch te laat om er nog iets aan te doen, hè, meissie? Laten we ons er morgen maar druk om maken.'

Ze kwam vermoeid overeind, goot de rest van de melk in de geschilferde emaillen bak bij de provisiekast en bleef staan toekijken hoe Bess erheen sjokte om deze onverwachte traktatie op te likken. 'Niet dat ik niet op Tom *gesteld* ben, natuurlijk, maar waarom moet die rare vent toch altijd zo *moeilijk* zijn?'

Ze had Prue vast wel honderd keer gewaarschuwd dat ze zichzelf ermee had, als ze maar steeds aan Toms eigenaardige kuren toegaf. Anders dan John, die je met een beetje duwen en trekken gewoonlijk wel op het juiste spoor kreeg, was Tom, zelfs al voordat Prues beschavende invloed op hem was weggevallen, voor verder iedereen *volslagen* onhanteerbaar geweest. Het had dan ook niet veel zin om Rose voor haar karretje te spannen. Betty was de tel kwijt geraakt van het aantal keren dat ze Tom terechtgewezen had over de manier waarop hij het kind negeerde, maar het had nooit ook maar iets uitgemaakt.

'Dus,' zei ze, zich stijfjes vooroverbuigend om Bess nog even achter de oren te krabben, 'zal ik het joch morgen gewoon mee moeten nemen naar Waterslain. En maar duimen dat Tom van gedachten verandert, als hij hem ziet?' Ze keek voor het laatst de stille keuken nog eens rond. Binnen enkele uren zou het hier weer een en al lawaaierige drukte worden. De logeetjes die Holly Farm op dit moment onderdak bood – de achtjarige tweeling Jack en Sammy, die het bed in Alice' kamer deelden, Ruby, Marlene en de kleine Nettie, die kop aan staart als sardientjes in de op een na mooiste slaapkamer naast die van Henry sliepen – zouden er rondrennen, alvorens aan de wandeling naar school te beginnen. John zou even komen uitpuffen na het melken, heen en weer drentelen op zijn sokken en nieuwe energie opdoen met wat in reuzel gedoopt brood. Daarna zou hij in zijn laarzen stappen om bij de schapen te gaan kijken, terwijl George, de enig overgebleven fulltime werknemer op Holly Farm, zich om de kalveren bekommerde. Henry, nog geen achttien maar nu al vijf centimeter langer dan zijn vader, zou slaperig aan tafel hangen, thee drinken en naar de bokkensprongen van de jongere kinderen kijken. Hij zou zijn taak van die dag, het schoonmaken van de sloten en het knippen van de heggen tussen Ten Acre en Top Field, tot het laatst uitstellen. Alleen Alice ontbrak.

Betty had niet meer dan de allervaagste aanduiding van haar dochter los kunnen krijgen over wat ze deed. 'Och, je weet wel,' zei ze luchtig, wanneer Betty haar er tijdens hun wekelijkse telefoontje naar vroeg, 'routinedingetjes, dossierwerk, typen, dat soort dingen, niks wat u interessant zou vinden, Mam.' Het weinige wat Betty dan *wel* te weten was gekomen, had ze van Alice' huisbazin; ze werkte zestien uur per dag, had de vrouw haar in vertrouwen meegedeeld, en haalde tegelijk allerlei goocheltoeren uit met een heel legertje bewonderaars, al dan niet geüniformeerd. Ze was het afgelopen half jaar maar twee keer thuis geweest, maar Betty kon de Huisvrouwenvereniging tenminste met opgeheven hoofd tegemoet treden: *haar* dochter nam deel aan de oorlogsinspanning. Als ze nou alleen maar eens een aardige jongeman tegenkwam en een geregeld bestaan ging leiden...

Alice was als kind al een kleine lastpak geweest die voortdurend Betty's gezag aanvocht. Ze had de kansen die de oorlog bood, met beide handen aangegrepen. Sinds haar vertrek uit huis had ze wel een dozijn vriendjes gehad en weer laten vallen, en drie huwelijks-aanzoeken afgeslagen. Betty begon al te wanhopen of ze *ooit* een normaal leven zou gaan leiden. 'Als je niet oppast,' had ze haar tij-dens het laatste telefoontje gewaarschuwd, 'blijf je nog over, en dan trek je je de haren uit je hoofd!' En nu kreeg ze gewoon de zenuwen van Henry, die haar als kind nooit enig verdriet had bezorgd. Hij werd steeds rustelozer en verlangde ernaar 'iets te *doen*' zoals hij het verwoordde. Daarmee bedoelde hij: iets in de oorlog. 'Gebruik je verstand toch, lieverd,' wees ze hem bijna dagelijks terecht. 'Je bent nog veel te jong, en waarom denk je dat jongens uit de boe-renbedrijven zijn vrijgesteld? Je vader zit al genoeg omhoog zonder dat hij jou ook nog kwijtraakt!' Maar ze had het vervelende gevoel dat Henry niet meer luisterde. Hij zou naar de landbouwschool gaan, maar dat had hij uitgesteld om zijn vader te kunnen helpen. Johns aanvraag voor een behoorlijke hulpkracht had zijn frustratie alleen maar doen toenemen. Gelukkig deed Rose al het mogelijke om het gat op te vullen, dat door Bobs en Eddies afwezigheid was veroorzaakt. Betty vermoedde dat haar zoon alleen door zijn te-genzin om Rose achter te laten, met wie hij nu drie jaar ging, ervan weerhouden werd om iets onbesuisds te doen.

Betty draaide het kousje omlaag, zodat de lamp uitging, en liep de zwakverlichte gang op. Bij de laarzenkamer bleef ze even staan, misschien moest ze even bij de jongen kijken om zich ervan te ver-gewissen dat alles goed met hem was? Ze bleef een ogenblik staan luisteren, rechtte dan haar rug en liep door naar de trap. Daar was morgen nog tijd genoeg voor...

In de laarzenkamer lag Reuben Lechitowski op zijn rug in het niets te staren. Zijn been deed pijn van de ongewone inspanning van de dag, maar toen hij zijn gewicht verplaatste in een poging een wat gemakkelijker houding te vinden, kraakte en wiebelde het canvas vouwbed angstaanjagend onder hem. Hij verstijfde, bang dat het om zou kiepen: dan zou hij niet weer van de grond op kun-nen staan. Hij sloot even zijn ogen, deed ze snel weer open, en wap-perde met zijn hand voor zijn gezicht. Hij kon de luchtstroom langs zijn wangen voelen strijken, maar zijn eigen vingers niet zien. Het was volkomen donker, de zoveelste nieuwe ervaring in deze lange vermoeiende dag.

Hij tilde zijn hoofd wat op en luisterde, maar er was geen sprake van het gebruikelijke hoesten en snuffen, en van het gekraak van beddenveren, als zijn medepatiëntjes zich in hun slaap bewogen in hun ijzeren bedden. Bij het horen van lichte voetstappen buiten de deur hees hij zich moeizaam omhoog. Mrs. Catherwood, raadde hij, terug van het afleveren van alle evacués. Hij had haar man best aardig gevonden, die lang en mager was met een zwierige grijsbruine snor en helderblauwe ogen die in een zee van rimpeltjes verdwenen, wanneer hij lachte. Maar mrs. C., met haar stijf gepermanent peper-en-zouthaar, zware boezem en bazige manier van doen, herinnerde hem op onaangename wijze aan Zuster Maitland. Hij vergat ook niet dat ze hem een invalide had genoemd. Was dat de reden dat ze hem had achtergelaten, vroeg hij zich af, toen ze de anderen naar hun nieuwe onderkomens bracht? Had niemand hem willen hebben vanwege zijn invaliditeit? Ze had boos geklonken, toen ze het aan de telefoon over hem had. Maar wanneer ze rechtstreeks tegen hem praatte, glimlachte ze voortdurend. Ook sprak ze dan harder, en heel langzaam, alsof hij niet alleen mank maar ook doof en onnozel was. Hij was geschokt geweest door de manier waarop ze het had gezegd, *invalide*, alsof het iets grotesks en afschuwelijks was om invalide te zijn. Vastgesnoerd op een bed en omringd door anderen in dezelfde situatie had hij gemakkelijker kunnen voorwenden dat hij alleen maar ziek was, dat ze op een dag een geneeswijze voor tuberculose zouden vinden en hij dan net zo rechtop het ziekenhuis uit zou lopen als elke andere jongen.

'Je hebt nog geboft,' had dr. Sugarman tegen hem gezegd, toen de pijn en de eenzaamheid bijna niet te dragen waren en hij de afdeling de hele nacht wakker had gehouden met zijn gekreun. 'Als het in je longen was gaan zitten, zou je nu dood zijn.' Hij was toen nog maar net zeven jaar en Maria, die met dr. Sugarman was getrouwd, had voor hem moeten vertalen, omdat hij geen woord Engels sprak. Zij was zijn moeders niet en had hem op de onthutsend lange reis uit Warschau vergezeld.

Het was toen al te laat om de zaken nog te herstellen; de tbc, door de huisarts niet onderkend en niet behandeld, had zich al stevig in zijn lichaam genesteld. Het aangetaste weefsel zou moeten worden weggesneden om verdere uitbreiding van de ziekte te voorkomen. Dr. Sugerman opereerde enkele dagen later, waarbij hij grote happen spierweefsel en pezen uit Reubens rechterdij verwijderde en het gewricht vastzette in de heup, zodat hij het nauwelijks kon bewegen. Toen was zijn pijn verminderd. Hij kreeg bedrust voorgeschreven, volgens dr. Sugerman de beste behandeling. Vervolgens had hij zeven jaar op zijn rug gelegen, starend naar de veranderende patroontjes op het plafond. Zijn wereld, die tot dan toe had bestaan uit alle kleur, lawaai en beweging van een grote Europese stad, verschrompelde tot die van een groezelig ziekenhuiszaaltje in een naargeestig Victoriaans sanatorium in zuid-Londen.

Wanneer het mooi weer was, gooiden de verpleegsters de openslaande deuren aan het eind van de zaal open. Ze reden de patiëntjes het natuurstenen terras op, waar een wijdere wereld van groene gazons en hoge buxushagen voor hen openging. Dan hees Reuben zich op zijn ellebogen overeind en ademde met zijn hoofd achterover zuurstof in met lange teugen. Na de bedompte ziekenzaal smaakte die zo bedwelmend, zo opwindend dat hij bijna kon geloven dat er een ijskoude vloeistof zijn longen binnenstroomde in plaats van lucht. Maar dat alles was opgehouden toen de bombardementen begonnen. Tijdens zo'n nachtelijke aanval waren alle ruiten uit hun sponningen geblazen. De dichtstbijzijnde bedden werden onder de glasscherven bedolven en de halve tuin was verwoest. De hoofdzuster had het daarna te gevaarlijk gevonden om de zieken nog naar buiten te rijden, voor het geval dat Herr Hitlers *Luftwaffe* hen vanuit de lucht in de gaten kreeg en besloot een voorbeeld met hen te stellen.

Hij was die ochtend om vijf uur wakker geschrokken, doordat Zuster Hammond over hem heen gebogen stond met een dikke vinger tegen haar lippen om eventuele vragen voor te zijn. Ze had hem geholpen zich aan te kleden, zijn weinige bezittingen in een koffertje gepakt en hem meegewenkt, de zaal uit, langs de rij sluimerende kinderen met wie hij de afgelopen zeven jaar zijn leven had gedeeld. Pas toen hij wiebelig op zijn nieuwe krukken in het heldere licht in Zuster Maitlands kantoortje stond, mocht hij wat zeggen.

'Ik snap er niks van,' had hij verontrust gezegd. 'Wat gebeurt er? Waar stuurt u me heen? Ga ik naar huis?'

'Tja, Reuben,' begon de hoofdzuster van de paperassen op haar bureau opkijkend, 'ik heb goed nieuws voor je: vandaag ga je ons verlaten. Dr. Sugarman heeft geregeld dat je naar buiten gaat, ver van al deze vreselijke bombardementen vandaan! Het is een hele eer voor je, weet je. Je bent de eerste van je afdeling die weg mag. Nou? Ben je niet blij?'

Hij knikte gehoorzaam. Als zevenjarige was hij weggerukt uit alles wat hem vertrouwd was om aan een pijnlijke operatie te worden onderworpen. Vervolgens was hij vastgesnoerd op een bed, en aan zijn lot overgelaten te midden van een tiental vreemde jongens, van wie hij er geen een kon verstaan. Niet zo vreemd dat Reuben na zijn aankomst in het ziekenhuis als eerste had geleerd om zijn gevoelens te onderdrukken. Zo had hij voorkomen dat eenzaamheid en angst hem de baas waren geworden.

De krukken hinderden hem, waardoor hij zich moeilijk kon concentreren op wat de hoofdzuster zei. Hij had er nog geen drie weken mee geoefend en ze schuurden in zijn oksels, ondanks het extra kussentje dat Zuster Jamison erop had vastgezet.

'Ga ik naar Maria toe?' vroeg hij.

Hoofdzuster Maitland en Zuster Hammond wisselden een blik. 'Nee,' zei de hoofdzuster, papieren ordenend. 'Dat zal niet kunnen, vrees ik. Je nicht is... of eigenlijk, de omstandigheden... Nee.'

Hij kreeg niet eens de kans om afscheid van zijn vrienden op de zaal te nemen.

De reis naar Suffolk ging voorbij in een verwarde aaneenschakeling van vreemd klinkende plaatsen. *'Manor Park!'* *'Goodmayes!'* *'Romford!'* scandeerden zijn mede-evacueetjes bij elk station, en toen het spelletje hen ten slotte begon te vervelen en het hem lukte even in te slapen, schrok hij vrijwel meteen weer wakker van geschreeuw: '*De zee! De zee!*' toen hij opkeek, zag hij dat de trein voortdenderde door weidse moerassen, nevelige verten van staalgrijs water bespikkeld met eilandjes van lichtgekleurde graspollen. Boven de spoorlijn tolde een zwerm zeemeeuwen door de lucht, krijsend met schorre, vreemde stem. Ondanks de smook van de locomotief rook de lucht naar zout water, vis en weidse lege ruimten, verkwikkender dan alles wat Reuben ooit geroken had. Beter zelfs dan tijdens die vaag herinnerde wandelingen in het Lazienkipark met Mama, thuis in Warschau, toen hij nog een kleine jongen was. Als bedwelmd hees hij zich met moeite overeind en stak zijn hoofd naar buiten om dat heerlijks met grote teugen in te ademen. Totdat zijn ogen zo erg traanden dat hij haast niets meer kon zien.

Na de moerassen kwamen groene velden en grazende koeien, vers geploegde aarde, nu en dan een glimp van nog meer water, steile oevers, groepen bramen- en hazelstruiken en verspreid liggende huizen met rieten daken. Omdat hij geen seconde van al dit nieuwe wilde missen, bleef Reuben de rest van de reis wiebelig op zijn krukken steunend staan kijken. Lang nadat ze hun bestemming hadden bereikt, kon hij het ritmisch ratelen van de wielen nog in zijn hoofd na horen galmen: *tjoeketjoek, tjoeketjoek, tjoeketjoek, tjoeketjoek...*

Hij veranderde weer van houding op het wankele vreemde bed en sperde zijn ogen zo ver mogelijk open in een poging de duisternis te doorboren. Toen dit niet lukte, sloot hij zijn ogen weer en probeerde zich te herinneren hoe het leven *voor* het ziekenhuis was geweest.

Nu ben ik in de flat aan de Siennastraat. Mama zet bloemen in een vaas, en Halinka oefent haar toonladders op de piano. Tatus zit aan zijn schrijftafel aantekeningen voor zijn college te maken, terwijl Zosia op het tapijt met haar pop zit te spelen en haar aan- en uitkleedt...

Zoals al duizenden keren eerder probeerde hij zich zijn moeders stem voor de geest te halen. Niet dat hij nu nog veel zou verstaan van wat ze zei. Zijn Engels – opgepikt van Albie en de andere jongens op de zaal, van de verpleegsters, en van de bezoekers – was nu ruim toereikend. Maar de afgelopen zeven jaar was zijn moedertaal onverbiddelijk uit zijn geheugen weggezakt. Hij kende nog maar een handvol woorden en zinnetjes, die koppig in de donkerste, stoffigste hoekjes van zijn geest waren blijven hangen.

Het was nu al bijna zes weken geleden dat nicht Maria hem voor het laatst had opgezocht. Iedere keer dat hij naar haar vroeg, luidde het antwoord hetzelfde: 'Met mrs. Sugarman gaat het niet zo heel goed...' Maar niemand wilde hem vertellen wat er met haar was, of wanneer ze weer zou kunnen komen. Maria was zijn enige schakel met zijn ouderlijk huis en tot nu toe was ze altijd gekomen, de eerste maandag van elke maand, weer of geen weer, ze had niet één keer overgeslagen. Ze had hem Mama's brieven voorgelezen, eerst in het Pools, later, toen ze zag hoe hij zich inspande om met de jongens om zich heen te kunnen praten, begon ze ze te vertalen. 'We zullen voortaan altijd samen Engels spreken,' had ze aangekondigd, 'zo zul je het vlugger leren.' Met haar hulp had hij de inhoud van de brieven onuitwisbaar in zijn geheugen vastgelegd.

... *Vandaag is Zosia'tje voor het eerst naar school gegaan. Ze vond het erg leuk, maar ze wil weten wanneer haar broer weer thuiskomt, omdat ze hem wil laten zien wat voor moois ze heeft geverfd...*

... *Halinka laat je groeten en hoopt dat je niet te veel pijn hebt. Tatus is blij te horen dat je al Engels leert...*

... *Hierbij iets voor deze bijzondere dag* (een doosje dadels voor zijn verjaardag, heerlijk kleverig, met een plaatje van palmbomen op het deksel en een splinterend houten vorkje erin). *Denk wanneer je ze opeet maar aan je Mama en Tatus en je liefhebbende zusjes...*

Toen kwam de voorlaatste zomer plotseling een heel andere soort brief... *Het is een hele geruststelling om te weten dat je veilig in Engeland bent met alles wat er nu gebeurt. Niet alleen die verschrikkingen in Niemcy, maar ook in Oostenrijk en Tsjecho-Slowakije. Onze angsten om ons arme Polska worden met de dag groter...*

Nu waren er al bijna een jaar geen brieven meer gekomen. En hoewel Maria maar steeds bleef zeggen dat hij zich geen zorgen moest maken, kon hij zien dat zij dat zelf wel deed.

Nu wilde niemand hem zeggen wat er met Maria aan de hand was en hij was weer onderweg naar een nieuwe plek, naar nog meer onbekenden. Hoe moest hij het redden zonder Maria's hulp?

De zusters hadden geprobeerd het oorlogsnieuws van hem weg te houden. Soms echter bracht mrs. Brown, de onderwijzeres die de jongens elke week een paar uur lezen en schrijven kwam bijbrengen, de dagbladen mee. Dan las Albie vol goede bedoelingen hardop artikelen uit *The Times* voor. 'Hee, Leckie, moet je horen! *... Volgens gisterochtend binnengekomen berichten is Warschau gebombardeerd...* (met een foto erbij van een straat die Reuben niet herkende, en nog een van kinderen die loopgraven groeven en wier gezichten hij gretig bestudeerde of er iemand bij was die hij kende)... da's rot, zeg!' Er was een artikel over de bombardementen op Krakov, allemaal vette koppen: *Het Moedige Polen; Polen biedt dapper verzet; Hevige gevechten aan het oostfront.* Charlie Higgs vond een artikel onder de kop *Nazi's bombarderen burgers* en las aarzelend en met veel uitspraakfouten een lijst voor van de voor bestraffing geselecteerde steden en stadjes: *Warschau en voorsteden, Bialystok, Czestochowa, Gdynia, Lodz, Poznan, Skierniewice, Tomaszow, Wilno, Zdunska* en nog een tiental andere. Peter Alyn vergastte hem op een stuk over de luchtaanvallen op Warschau: *... over de 1500 doden, vele duizenden gewonden... ook de betere woonwijken en de arbeidersbuurten zwaar getroffen door moedwillige bombardementen...* Toen stuitte Albie net na de jaarwisseling op een korte alinea, ergens op een binnenpagina weggestopt die angstaanjagender was dan de hele rest bijeen: *Professor Bialobrzeski, als docent natuurkunde verbonden aan de universiteit van Warschau, wordt door de Duitse bezetter geëxecuteerd.* Tatus werkte bij de universiteit van Warschau. Reuben had de foto van zijn familie kort na zijn aankomst in Engeland in zijn koffer gevonden, door Mama erin gestopt. Hij kon zich de gezichten erop op elk willekeurig moment voor de geest halen, maar Halinka zou nu zestien zijn, en Zosia bijna elf. Zou hij hen op straat nog herkennen, of hen zo voorbijlopen, zijn eigen bloedverwanten? Stel dat Mama en Tatus al dood waren? Stel dat ze allemaal al dood waren, uit dit leven weggewist alsof ze nooit hadden bestaan? Hij proefde de vertrouwde scherpe smaak van angst in zijn mond, en bleef roerloos liggen wachten op de gezegende verlossing van de slaap...

3

'Nee,' zei Tom met een boze blik naar Betty vanachter zijn werkbank. 'Ik heb het je al eens gezegd, ik wil *niet* hebben dat Prues
kamer overhoop wordt gehaald door...'

'...en ik heb *jou* al gezegd,' viel Betty hem in de rede, 'dat verder
niemand in het dorp hem kan nemen.'

'Nee,' herhaalde Tom, 'ik ga mijn vrouws spullen niet door een of
ander klein schoffie laten ontwijden.'

Betty keek woedend terug. 'Wat stel je dan voor dat ik met hem
doe?' vroeg ze, een hevige aanvechting om haar vriend een draai
om zijn oren te geven onderdrukkend, 'gezien het feit dat hij geen
familie heeft en nergens anders heen kan?'

'Mijn probleem niet.' Tom liep langs de werkbank heen en weer
om zijn beitel te slijpen. Het metaal snerpte zo doordringend tegen
de steen, dat Betty het in haar tanden voelde. 'Hij kan vast wel naar
een of ander ziekenhuis.'

'Ik zeg je toch, dat kan hij niet!' Betty liep naar de deur, waarbij
ze wolkjes zaagsel en houtkrullen op deed waaien en de kippen in
alle richtingen verjoeg. 'Als jij hem niet neemt, moet hij naar een
van die vreselijke interneringskampen,' – onwaar natuurlijk, maar
dat wist Tom niet – 'en dan heb jij dat de rest van je leven op je
geweten.' Ze draaide zich nog even om, om haar troefkaart uit te
spelen: 'Waar zou jij na de dood van die arme Prue zijn geweest, als
ik Rose niet had willen nemen?' Toen beende ze weg.

28

Tom wierp haar een nijdige blik na. Na Prues overlijden had Betty bijna vijf jaar voor Rose gezorgd. Zij en John hadden niet meer voor zijn dochter kunnen doen als ze hun eigen kind was geweest. Ze hadden haar meegenomen naar Holly Farm toen hij zelfs haar aanblik niet kon verdragen. Ze hadden haar daar gehouden in de tijd dat hij nauwelijks voor zichzelf kon zorgen, laat staan voor haar, zodat ze gevoed en gekleed werd en naar school ging. Ze had erop gestaan dat Tom haar elke dag even zag, of hij wilde of niet, al was het maar vijf minuten: '... opdat het arme schaap niet vergeet wie haar echte vader is.'

John had allerlei klusjes voor hem gevonden, zoals wagenwielen herstellen: 'Ik zit er echt om verlegen, kerel, je weet dat ik het anders niet vragen zou...', of stoelen: 'Ik zou het de knecht wel laten doen, maar die heeft deze week al genoeg op zijn bord...'; deuren opknappen die niet hoefden te worden opgeknapt, nog prima aan de steel zittend gereedschap opnieuw vastzetten, Tom betalend voor werk dat zijn eigen mensen net zo goed hadden kunnen doen. De Catherwoods hadden niet alleen de zorg voor Rose op zich genomen, ook de zorg voor hem, vooral Betty, die hem complete maaltijden bracht en erbij bleef staan om erop toe te zien dat hij ze opat, die waste, schoonmaakte, hem opporde om zijn bestaan voort te zetten, terwijl hij alleen maar zijn vrouw de vergetelheid in wilde volgen. Soms draafde ze het laantje wel vier keer per dag op en neer, ondanks haar eigen huishouding en gezin. Ze had Rose een huishouden leren voeren, het kind om alle dingen leren denken die hij vergat, zoals het voeren van de kippen en het bestellen van de kolen, beletten dat het vuur in het fornuis uitging, koken, schoonmaken, boodschappen doen, de rekeningen betalen.

Soms vroeg hij zich af of hij en Rose zich niet beter hadden gered, als Betty hen gewoon op eigen kracht zo goed mogelijk voort had laten ploeteren. Tegen de tijd dat Rose na vijf lange jaren uiteindelijk thuiskwam, was ze zo'n ernstig persoontje geworden, dat zo naar goedkeuring snakte, dat het hem alleen maar des te meer pijn deed. Alles deed ze op Betty's manier: vanaf de was op maandag tot het bakken op zaterdag, het schrobben van de keukenvloer, het opmaken van de bedden, zelfs het zetten van zijn ochtendthee. Zo herinnerde ze hem eraan hoeveel beter haar moeder alles had gedaan. Sindsdien had het schuldgevoel tegenover Prue, dat hij als vader had gefaald, hem niet meer verlaten.

Hij herinnerde zich het groepje kinderen dat hij kortgeleden had zien rondhangen op de dorpsbrink. Dat ellendige joch van Elms die op Marsh End was ondergebracht en voorbijgangers obscene taal naar het hoofd wierp en onbeschofte gebaren maakte. Hij werd steeds omringd door meelopers, dorpsjongens die meededen met de evacués, spuwend en vloekend in navolging van hun leider. Prue zou toch juist willen dat hij Rose tegen dat soort beschermde, en niet dat hij het in huis haalde? Of hij haar iets verschuldigd was of niet, Betty had het recht niet hem in zijn eigen huis te komen vertellen wat hij wel of niet moest doen.

'Betty...' Zijn beitel neerkwakkend op de werkbank liep hij haar met grote stappen achterna het zonlicht in, 'als je nou eens lang genoeg bleef staan om te *luisteren...*'

Ze stond hem op het pad op te wachten. 'Mooi zo,' zei ze kordaat, alsof het allemaal geregeld was, 'laten we eerst Rose even opzoeken, dan haal ik daarna dat joch uit de auto.'

Waarom moest hij toch altijd zo *dwars* zijn? dacht Betty boos bij zichzelf, toen ze langs het moestuintje vol onkruid marcheerde – alweer een voorbeeld van zijn onwil om iets aan de oorlogsinspanning bij te dragen. Met een blik over haar schouder vergewiste ze zich ervan dat hij nog meeliep. Hoe belachelijk dat ze in de begintijd Prue nog had *benijd,* omdat ze Tom met één enkele blik in het gareel kon terugkrijgen, terwijl zij, Betty, nog grote moeite had aan Johns eigenaardigheden te wennen. Ze kon Tom in zichzelf horen mopperen en wist dat ze hem nog niet over de streep had. Ze troostte zich met de gedachte dat ze op Rose' steun kon rekenen. Rose was volgzaam, gewillig, je kon van haar op aan, veel meer, moest Betty toegeven, dan op haar eigen dochter Alice. Door alles wat zij Rose had geleerd, met als eerste grondbeginsel: *In een goedgeorganiseerd huishouden zijn vaste regels alles,* had Rose het na haar definitieve terugkeer naar Waterslain om voor haar vader

30

te gaan zorgen kunnen redden. Neem vandaag. Vandaag was het zaterdag, en aangezien zaterdag bakdag was, zou Rose in de keuken zijn, bezig haar huisvrouwelijke taken te vervullen, zoals zij, Betty, het haar had geleerd...

Doordat ze de hele week op Holly Farm had meegewerkt bij het uitplanten van de winterkool, het rooien van de aardappelen, en het melken 's avonds, was Rose met haar eigen huishoudelijk werk steeds verder achteropgeraakt. De moestuin was een puinhoop, de keukenvloer moest worden gedaan, het deeg voor de komende week had niet behoorlijk willen rijzen en de eerste serie broden was in het midden ingezakt en zo hard als steen uit de oven gekomen. En nu kon ze geen scones maken, omdat Pa het laatste flintertje boter (hoe moest je ook in vredesnaam toe zien te komen met een half ons boter en twee ons margarine per week) bij het ontbijt op zijn geroosterd brood had gesmeerd. Ze was vroeg opgestaan om de konijnenpastei te maken, die ze Walter Henderson had beloofd. Daarom had ze de hele ochtend gewacht op Billy Elms met de nieuwe hennetjes die Walter haar voor de pastei had toegezegd; ter vervanging van die de vos had gegrepen, toen Pa vorige week was vergeten ze op te sluiten. En het laatste wat ze nu wilde, net toen ze de tweede lading brood in de oven schoof, was tante Betty's stijf gepermanente hoofd langs het raam te zien deinen. Vlug zette ze de afkoelende plaat mislukte broden in de bijkeuken en was net op tijd terug om haar onverwachte gast te begroeten. 'Het ruikt hier lekker, meiske,' zei Betty, met een opgetrokken wenkbrauw over Rose' broek. ('*Zo* onvrouwelijk, liefje,' had ze gezegd, toen Rose hem voor het eerst aan had. Ze was alleen akkoord gegaan, omdat Rose mest moest scheppen, de melkstal schoonspuiten, piepers rooien.) Achter Betty kwam Tom binnen met een gezicht dat op onweer stond.

'Morgen, tante Betty,' zei Rose met een plichtmatig kusje op haar bepoederde wang. 'Thee?'

'Groetjes van Alice –' Betty was even afgeleid door de keukenvloer, 'Tom, wat heb ik nou gezegd over je voeten vegen? Nou zal die arme Rose die tegels weer helemaal opnieuw moeten doen – al-

31

weer een jongeman de laan uitgestuurd, vertelde ze, een luitenant-ter-zee maar liefst, deze keer. Ze maakt het toch echt *te* bont!'

Rose luisterde maar half, terwijl ze de ketel op het vuur zette en de theebus pakte. Soms wanneer tante Betty het maar steeds over Alice' veroveringen had, vermoedde ze dat ze het expres deed, om haar nog eens duidelijk te maken dat Rose maar bofte met Henry, haar eerste en enige vriendje.

Alice was alles wat Rose dolgraag wilde zijn: lang, wereldwijs, elegant, overlopend van zelfvertrouwen. Van haar vader had ze haar lange benen, van haar moeder haar volle bos glanzend kas-tanjerode haar. Haar diepliggende hazelnootbruine ogen, haar aanstekelijke giecheltje en al vroeg verworven talent om mannen om haar vinger te winden, waren echter helemaal van haarzelf. Het was een voortdurende bron van frustratie voor Betty dat Alice tot dusver niet de geringste neiging tot het zoeken van een echtgenoot aan de dag had gelegd. Alice had Rose voor haar vertrek uit huis zelfs aangeraden om zich een tijdje te vermaken en goed rond te kijken voordat het te laat was: 'Anders, Rosie, ga je al meteen in zee met de eerste jongen die je ooit gekust hebt. En dat zou toch doodzonde zijn, wanneer er zoveel zijn om uit te kiezen, ook al *is* het mijn broertje...' Een hondsbrutale aansporing tot rebellie, die dwars tegen Betty's langgekoesterde plannen voor Rose' toekomst inging.

'Moet je horen, liefje.' Betty draafde bedrijvig in de keuken rond, haalde theekopjes uit het buffet, zette de theepot te warmen op de rand van het fornuis. 'Ik heb Tom net verteld van het evacueetje dat ik nu moet onderbrengen, *zo* moeilijk met dat manke been en alles, en over hoe me opeens te binnen schoot dat het de *ideale* oplossing...'

'*Betty,*' gromde Tom vanuit de deur.

'...zou zijn als hij hier kwam,' ging Betty doodrustig voort. 'Dus is Tom ermee akkoord gegaan, hè, Tom?' Tom opende zijn mond om te protesteren, sloot hem weer, kreeg een stralende glimlach ter beloning, 'om het kereltje te bekijken. Dus zullen we nu naar buiten gaan om even kennis te maken, terwijl de thee staat te trekken?'

Van Pa's gezicht was heel duidelijk af te lezen dat hij nergens mee had ingestemd. Nog maar een paar weken geleden had Rose, in haar verlangen een steentje bij te dragen, geprobeerd hem tot het opnemen van een evacué over te halen. 'We zouden een klein meisje kunnen nemen,' had ze gepleit, 'ik zal al het werk doen, Pa, dat beloof ik je. Ze zou een kampeerbed op mijn kamer kunnen krijgen en ik zal erop letten dat je geen last van haar hebt.' 'Nee,' had Pa op scherpe toon gezegd, 'hoe vaak moet ik je nog vertellen dat ik geen vreemden in dit huis wil!' en ze had het onderwerp met grote tegenzin laten vallen. Wat kon tante Betty voor evacué hebben gevonden, vroeg Rose zich af, dat ze zo zeker wist hem op andere gedachten te kunnen brengen? En haar handen afvegend haastte ze zich achter hen aan naar buiten, de frisse herfstochtend in, en het hobbelige pad naar het voorerf over.

'Hij is veertien,' vertelde Betty onder het lopen. Maar de jongen die moeizaam zijn evenwicht bewarend op een paar houten krukken bij de Morris stond, leek veel te klein voor veertien. Hij was ook akelig mager, een en al bottige schouders, scherpe neus en spitse kin. Zijn rechterbeen stond krom, de voet bereikte de grond maar net ondanks de lompe verhoogde schoen die hij droeg, en zijn huid zag onnatuurlijk bleek.

Hij zag er uit als een kwijnende plant die te lang in het donker had gestaan, en Toms protesten bestierven hem op de lippen.

Hij had deze jongen, of net zo een, al eerder gezien. Hij kende hem, wist alleen al door naar hem te kijken wat hij dacht, wat hij voelde, omdat hij op die leeftijd precies zo was geweest...

Tom Parfitt was de jongste zoon van een geslaagde bankier uit de Londense City. Op zijn twaalfde was hij 1,80 meter lang en bezat hij de bouw van een beroepsbokser. Zowel op kostschool, waar hij moeite had gehad jongens die half zo groot waren als hij bij te houden, als thuis was hij zich al vroeg bewust geweest dat hij nooit zou passen in de wereld waarin hij geboren was. Hij werd overschaduwd door zijn slimmere, knappere broers en was een voortdurende bron van teleurstelling voor zijn vader. Hij was zijn tienerjaren doorgeworsteld in een lange stuip van schaamte, belachelijk gemaakt om zijn lengte, om zijn enorme handen en voeten, om zijn magere studieprestaties. Tegen de tijd dat hij als tweeëntwintigjarige voor het laatst zijn familie de rug had toegekeerd, had hij zich al neergelegd bij het vooruitzicht van een leven vol mislukkingen. Alleen Prues weldadige invloed had, samen met de ontdekking van een bijzonder talent, de littekens van die eerste jaren dicht kunnen doen trekken. En nu, staand tegenover dit nietige kneusje met die kromme schoudertjes, die vijandige tartende blik waaruit zo pijnlijk duidelijk het besef van zijn fysieke tekortkomingen sprak, wist Tom plotseling volkomen zeker wat hij doen moest.

'Juist.' Hij schuifelde enigszins met zijn figuur verlegen met zijn voeten, schraapte zijn keel. 'Hij kan beter beneden slapen met dat been. Ik zal eerst de nette kamer in orde moeten maken.'

'Mooi zo!' Betty zond in stilte een dankgebedje omhoog. 'Ik zal even zijn koffer pakken, en dan laat ik het verder aan jullie over.' 'Reuben, dit is mr. Parfitt. Hij zal je laten zien waar je gaat slapen. Tom, dit is Reuben, Leck – Leckitow...'

De jongen wierp haar van onder zware zwarte wenkbrauwen een boze blik toe. 'Le*chi*tov*ski,' snauwde hij, 'en ik blijf niet lang.'

Tom gaf de jongen een aarzelend klopje op zijn schouder, als hij dit ging doen moest hij het goed aanpakken. Maar Reuben Lechitovski deinsde terug bij het onverwachte fysieke contact en strompelde vervolgens nadrukkelijk bij hem vandaan. Van zijn stuk gebracht door de afwijzing liep Tom snel naar huis terug, het aan Betty overlatend om het sjofele koffertje van de jongen van de achterbank te pakken. Ze gaf het aan Rose, samen met de doos waar zijn gasmasker in zat en een velletje papier waarop ze het weinige had neergekalkt, wat ze van zijn geschiedenis wist.

'Tante Betty,' begon Rose, 'hoe moet ik...?' Maar het was al te laat. Betty klom weer in haar auto. Die sloeg hoestend en kuchend aan en draaide daarop langzaam het erf af en het laantje op, een dun sliertje rook achterlatend. Rose haalde diep adem, draaide zich om en stak haar hand uit.

De jongen greep zijn krukken steviger vast en beantwoordde haar welkomstglimlach met een woedende blik. Idioot, schold ze zichzelf in gedachten uit, om te verwachten dat hij haar een hand zou kunnen geven, terwijl hij duidelijk maar net staande kon blijven. 'O,' stotterde ze met een rode kleur van schaamte, 'neem me niet kwalijk, ik ben... eh... ik ben Rose. Ik heb jouw naam niet helemaal...?'

'Reuben. Lechitowski.'

'Reuben.' Dat was het gemakkelijke deel. 'Lecki-?'

'Niet Leck, Le*ch*.'

'Leck.'

'Le*ch*!'

Ze maakte hem alleen maar bozer, dat zag ze wel. 'Le*ch*,' zei ze zorgvuldig na, geen harde 'k' zoals tante Betty het had uitgesproken, meer een blazend geluid achter in haar keel, als een zacht spinnende poes.

'Lechitovski.'

'Lechitovski.' Zijn gezicht verzachtte zich iets, en nu mocht ze toch wel even tevreden over zichzelf zijn. Ze had het tenminste min of meer goed gekregen. 'Wil je nu je kamer zien?' vroeg ze. Ze pakte zijn spullen op en liep naar de keuken, langzaam zodat hij haar bij kon houden. Ze vroeg zich af waarom Pa zo gemakkelijk was bezweken. Hoe zou hij er tegen kunnen dat Reuben in Ma's kamer zat, waar zonder tante Betty's tussenkomst ('Moet je de smeerboel hier toch *zien*!' had ze gefoeterd, toen ze de dag dat ze Rose naar Waterslain terugbracht de nette kamer binnenmarcheerde. 'Je moest je *schamen*, Tom Parfitt!') zelfs zij, zijn eigen dochter, niet binnen had gemogen. Nu nog, meer dan tien jaar na Ma's overlijden, mocht ze er nog maar enkele uren per week in, voor een poets- en boenbeurt en om het vertrek te luchten.

Op haar negende had ze een ingelijste foto van haar moeder gevonden, weggestopt in een la: een mollige, leuk uitziende vrouw met hetzelfde zachte krulhaar en dezelfde ogen als zij. Daarna sloop ze er regelmatig binnen wanneer Pa aan het werk was in de schuur, gretig de kans aangrijpend om meer tijd in Prues schimmige aanwezigheid door te brengen, totdat ze op een dag in slaap was gevallen op de divan en Pa haar had betrapt. De schok om hem bij het wakker worden over haar heen gebogen te zien staan – niet dat hij had geschreeuwd of zo, maar hij zag wit van woede en hij had haar niet de minste twijfel gelaten dat ze iets absoluut onvergeeflijks had gedaan – had haar nog dagenlang uit de buurt van de kamer doen blijven. Maar na een tijdje had ze, toen er geen straf volgde en geen verbod op haar wekelijkse schoonmaakbezigheden, haar ontdekkingsreizen hervat, waarbij ze er wel op lette dat Pa veilig uit de buurt was. Ze keek in haar moeders dossier met knipsels: vergeelde recepten met rare namen als *Broeder, Gehakte Galantine, Macaroni Timbale*; handige Tips voor het Verwijderen van Haarolievlekken uit Antimakassars, het Aanbrengen van Warme Kompressen. Ze rommelde in het naaimandje, een warboel van klosjes garen, half opgebruikte strengetjes borduurzij en losse spelden en naalden. In het buffet had ze nog een paar grijswollen sokken gevonden met de stopnaald er nog in, en een stapel spelletjes in dozen: een schaakspel, halma, damschijven, ganzenbord. Die herinnerden haar aan een vaag verleden, toen ze geknield op het voddenkleed de dobbelstenen gooide en dan de pionnen verschoof bij het flakkerend schijnsel van het kolenvuur, terwijl Ma vanuit haar armstoel de hokjes aftelde: 'Twee, drie, vier, vijf...'

Na een tijdje stapte ze van rondsnuffelen over op lenen. Ze werkte van de ene kant van de boekenplank naar de andere, steeds de boeken verzettend, opdat ze het uitgekozen exemplaar mee naar boven kon smokkelen. Maar zelfs in de stukgelezen bijbel, waarin op het schutblad *Prudence Jardine, belijdenis, 27 maart 1902* stond, had ze haar onbekende moeder niet kunnen achterhalen. *Wat* had Pa toch in Reuben Lechitowski gezien, vroeg ze zich opnieuw af, waardoor hij op zo'n verbluffende manier was omgezwaaid?

Tom was de keuken en de gang door gestampt. De nette kamer was Prues eigen domein geweest, de plek waar ze zich terugtrok voor een beetje rust en stilte. Hier zat ze te naaien, te breien, erwten te doppen, of wanneer alle huishoudelijke taken waren gedaan, gewoon maar een beetje de tijd te verlummelen met naar de voorbijdrijvende wolken te kijken. Kort nadat ze het huis hadden betrokken, had Tom in de gevelmuur een deur met glazen ruiten gezet, zodat ze zich op mooie dagen met haar naaiwerk op de geplaveide binnenplaats kon installeren, op de houten bank die hij voor haar plezier had gemaakt. Wanneer hij klaar was voor de dag maakte hij thee en nam die mee naar buiten om in een vertrouwelijk zwijgen bij zijn vrouw te blijven zitten tot het te donker werd om nog iets te kunnen zien.

Dat waren de ogenblikken, van voor Rose' geboorte, die hij het ergste miste: de momenten dat hij na een drukke dag met zijn rug tegen de door de zon verwarmde muur zat te luisteren naar het bedrijvig tikken van Prues naalden bij het breien van vestjes of sokjes, die ze weer weg zou geven als haar hoop opnieuw de bodem werd ingeslagen. Of hij verbaasde zich over de snelheid waarmee haar naald heen en weer flitste bij het stoppen van zijn sokken, of bewonderde haar vingervlugheid wanneer ze kussens borduurde of de aardappelen schilde. Hij putte kracht uit haar serene rust, terwijl hij achterovergeleund naar scherende en tuimelende vleermuizen boven de wei keek. Op de dag dat hij zijn vrouw begroef, had hij de deur naar dat alles dichtgetrokken. Hij kon haar afwezigheid in die kamer, die ze zozeer tot de hare had gemaakt, niet verdragen.

Hij had Rose er een keertje betrapt, niet lang na haar definitieve terugkeer, in diepe slaap op het bed. Ze was zozeer Prues evenbeeld dat het hem door het hart sneed. Naderhand, toen hij wat gekalmeerd was, had hij haar zijn spijt willen betuigen, willen zeggen dat hij haar niet had willen laten schrikken, maar hij had de woorden niet kunnen vinden. Daarna was het steeds moeilijker geworden om het goed te maken. Dus had hij in plaats daarvan de andere kant op gekeken. Hij had geduld dat ze de kamer bleef binnengaan, er stof afnam en de meubels opwreef, ordende en opruimde. Hij had gedaan of hij niets zag toen ze Prues boeken leende. Zolang ze in de nette kamer op zoek ging naar haar moeder, zeurde ze hém tenminste niet over haar aan het hoofd, zodat hij zich een heel klein beetje minder schuldig kon voelen over het feit dat hij niet met haar kon praten. Hij duwde de deur open en bleef staan, overspoeld door pijnlijke herinneringen. Prue was hier overal.

37

Hoe kon hij het in zijn hoofd hebben gehaald om zich door Betty te laten ompraten deze bokkige jongen in huis te nemen, alleen maar omdat die hem herinnerde aan hemzelf op dezelfde leeftijd? Hij zou in Prues stoel gaan zitten, onder haar quilt slapen, aan haar spullen komen...

'Moet ik hier slapen?' Tom sprong op van schrik toen de jongen langs hem heen de kamer in stommelde, recht op het dressoir en Prues rieten naaimandje af.

'Niet aankomen!' zei Tom op scherpe toon.

Reuben bleef gevaarlijk wiebelend staan. 'Waarom niet?'

'Omdat...' Tom tastte rond naar een overtuigend argument. 'Omdat ik het zeg.'

'Dat is geen reden.'

'Meer dan genoeg reden!' grauwde Tom, zijn stekels opzettend. 'Doe nou maar gewoon wat je gezegd wordt.'

Nu had de jongen Prues naaimachine in het oog gekregen, een glanzend zwart monster van gietijzer met het woord *Singer* in gouden letters in de voorkant gedreven en in zijn eigen eiken tafeltje ingelaten. 'Wat is dat?'

'Naaimachine.'

'Hoe werkt ie?' Reuben zwaaide op zijn krukken naar voren, zijn benig gezicht oplichtend van gretige nieuwsgierigheid.

'Het is een trapnaaimachine.'

'Wat is dat, een trapnaaimachine? Laat eens zien!'

Zijn groeiende ergernis verdringend kwam Tom onwillig door de kamer aanstommelen, zette zijn laars op de voetplaat en duwde die heen en weer. 'Zó, zie je wel?'

De naald ratelde luidruchtig in zijn metalen bed op en neer. 'Hoe deed u dat?' wilde Reuben weten, steeds dichterbij schuivend totdat hij zo dicht naast Tom stond dat deze zijn adem op zijn hand kon voelen.

Hij kon hem ook ruiken, die onmiskenbare ziekenhuislucht: een heel specifieke mengeling van ontsmettingsmiddel, bleekmiddel, goedkope carbolzeep. Het was al meer dan twintig jaar geleden dat Tom die had ingeademd, maar hij werd er dadelijk door in de tijd teruggevoerd. Hij lag op een bobbelige matras naar adem te snakken, hij droomde van Passchendaele, luisterde naar Prues voetstappen, klemde haar hand vast terwijl ze over zijn voorhoofd streek en murmelde: 'Stil maar, het is niets Tom, lieverd, gewoon weer een nachtmerrie...'

'Doe het nog eens!' commandeerde de jongen, terwijl zijn blik van voetblad naar hefboom gleed, van tandrad naar wiel, van wiel naar naald, zijn voorhoofd gefronst van concentratie. 'Toe nou! Hoe laat u dat dingetje bewegen zonder het aan te raken?'

'Dat dondert nou niet!' Tom schuifelde zijwaarts weg, weg van die zure, zo beladen lucht. Hij kon het nu bijna proeven: zweet, ranzig schapenvet – altijd dezelfde rotlucht, wat er die dag ook op het menu stond – oude urine, stront. Hij hield zijn adem in en probeerde de beelden die zijn hoofd binnenstroomden af te weren: modder, gas, koudvuur, rottende lijken. Waar bleef Rose nou goddorie! Wat dacht ze voor spelletje te spelen, om hem dit alleen op te laten knappen?

'Pa?'

Opluchting golfde door hem heen. Daar stond ze dan eindelijk in de deuropening, met een stapel beddengoed in wankel evenwicht op Reubens koffer en zijn gasmasker bungelend aan haar arm.

'Ah, daar ben je,' begroette hij haar op energieke toon. 'Als jij nu eens aan Reuben laat zien hoe en wat... dan zet ik de ketel alvast op.'

Toen hij langs haar heen ontsnapte mompelde hij binnensmonds: '*Stinkt*. In bad, zodra je hem de boel gewezen hebt, ja?'

Rose knikte. De meeste evacués hadden hoofdluis, had tante Betty haar gewaarschuwd, al betwijfelde ze of deze norse knaap het op prijs zou stellen als zijn dikke stugge zwarte haar op neten werd nagekeken. Hij stond bij Ma's naaimachine en liet zijn krukken het gewicht van zijn slechte been opvangen, terwijl hij met zijn andere voet vruchteloos op het pedaal duwde. Hij keek nauwelijks op, toen ze hem aansprak.

'Reuben?'

'Wat?'

'Ik doe je gasmasker in het buffet. We hebben het gewoonlijk alleen bij ons wanneer we naar Ipswich gaan. Hoeveel dekens denk je dat je nodig hebt, twee of drie?'

'Weet niet. Laat eens zien hoe je dit ding laat werken?'

'Zo dadelijk.' Ze kwakte zijn spullen op tafel neer, trok het bed weg van de muur, haalde de lappendeken eraf en zocht een laken uit. 'Ik maak eerst even je bed op.'

Hij bestudeerde een ogenblik zwijgend het mechanisme, terwijl ze achter hem de dekens uitschudde. 'Je vader zegt dat het is om mee te naaien. Wat naai je er dan mee?'

'Zomen, naden, dat soort dingen. Hier.' Rose zwaaide het bovenlaken over het onderlaken, pakte dan een van de kussenslopen en stak hem die toe. 'Dat is een met de machine genaaide zoom, zie je wel?'

Reuben bekeek de steekjes aandachtig, de sloop telkens weer omkerend, gaf hem dan terug. Hij keek toe hoe ze hem opensloeg en het kussen erin deed en moest denken aan het eindeloos verwisselen van het beddengoed in het sanatorium. Niet dat dit meisje eruit zag alsof het haar veel zou kunnen schelen als hij er een rommeltje van maakte. Zuster Maitland zou nooit akkoord gaan met die slordig ingestopte hoeken, de vrolijk gekleurde lappendeken losjes over de dekens gemikt. Ze zou ook geen goed woord overhebben voor die mannelijke broek, de ontbrekende manchetknoop aan de bloes van het meisje, de witte veeg, van meel zeker, op haar neus.

Ze was niet veel ouder dan hij, dacht Reuben, ze had niets van Zuster Jamiesons tijdens twintig jaar in de verpleging verkregen kribbigheid, noch van Zuster Hanleys bazige manier van doen. Zijn blik opvangend glimlachte ze, en hij voegde 'leuk om te zien' aan haar charmes toe, vooral wanneer ze haar haar zo achter haar oren wegstreek, in een vruchteloze poging het uit haar ogen te houden.

'Zo,' haar stem was ook prettig, bedaard en zacht, met een heel licht zangerig accent, 'voor mekaar.' Ze gaf het kussen een laatste klopje, liet het op zijn plek vallen en stapte achteruit om haar werk te bewonderen. *Heel* leuk, verbeterde Reuben in gedachten, terugdenkend aan Zuster Hammonds deegachtige gezicht.

'Het moet wel moeilijk voor je zijn, zo ver van je familie vandaan,' begon ze, de wat ongemakkelijke stilte verbrekend. 'Heb je nog broers of zusjes?'

'Zusjes,' zei hij, 'twee.'

'Ouder? Jonger?'

'Sofia – Zosia, noemen we haar – is tien, en Halinka is zestien.'

'Je zult ze wel ontzettend missen.'

Reuben haalde zijn schouders op. Zonder Maria, de enige die hem aan thuis herinnerde, gleden ze met de dag verder buiten zijn bereik. 'Hoe oud ben jij?' wilde hij weten.

'Zeventien. En op wie lijk je, op je moeder of op je vader?'

Reuben bekeek in gedachten hun gezichten nog eens, die voorgoed in zijn geheugen waren vastgelegd zoals ze er zeven jaar geleden hadden uitgezien.

'Mama,' zei hij. 'Ik lijk op Mama. Halinka lijkt op Tatus.' Hij keek even naar zijn koffer, waar hij die ochtend de gekreukelde foto uit zijn broekzak in terug had gelegd om verdere beschadiging te voorkomen. Hij zou die aan haar kunnen laten zien, ten bewijze dat hij geen gewone wees zonder familie was, zoals sommige van de andere evacueetjes.

'Tatus?'

'Mijn vader. Ik heb een fo-' hij brak af. Nee, dacht hij, terugdenkend aan dat mens van Catherwood, gisteren, dat hem *invalide* noemde, toen ze dacht dat hij het niet hoorde. Hij moest Tatus maar voor zichzelf houden, anders zou dit aardige, leuke meisje hen met elkaar vergelijken en hem nog zieliger vinden. De kamer rondkijkend om haar aandacht af te leiden, viel zijn oog op het rieten naaimandje. Hij hobbelde terug naar het dressoir, zette zijn krukken tegen de muur, en trok het mandje naar zich toe.

'Nee,' zei Rose snel naar voren stappend, 'daar moet je niet...' Maar ze was te laat. Hij trok zijn handen druipend van de kleuren uit de mand: rood, blauw, groen, roze, paars, geel in alle mogelijke tinten, en bleef toen op de tussen zijn vingers neerdansende regenboog neerstaren. *Zo zagen Mama's strengen borduurzij eruit...*

'O,' herhaalde Rose nerveus, ' daar moet je niet aankomen! Doe terug, vlug. Pa zal woedend zijn als hij je ziet.'

'Waarom? Is dit van hem?'

'Nee, van mijn moeder.'

'Je moeder? Waar is ze dan? Kan zij me laten zien hoe je de machine moet gebruiken?'

'Nee,' zei Rose.

'Waarom niet?'

'Omdat ze dood is.'

'O.' Beduusd viel Reuben terug op een zakelijke toon: 'Hoe is ze dan gestorven?'

'Longontsteking,' zei Rose. 'Toen ik zes was. Leg dat nou in hemelsnaam terug voordat Pa je ziet.'

Ze was te laat, hij was er al, stond breeduit in de deur.

De borduurzij ophoudend vroeg Reuben brutaal: 'Werkt de machine hier ook mee?'

'Nee,' zei Tom kortaf. 'Hij is niet voor borduurwerk bedoeld. Doe nou wat Rose zegt en leg dat terug!' Hij moest hem het verdomde ding maar demonstreren, dacht hij, eerder zou het jong duidelijk geen rust kennen. De strengen zijde uit Reubens handen grissend, gooide hij ze terug in het mandje, rommelde daarna wat rond tot hij een klosje garen en een met wit garen omwonden spoeltje vond. 'Nou,' beval hij ermee naar de machine lopend, 'kijk nu goed...'

Ziend hoe Reuben, het donker hoofd diep gebogen, toekeek terwijl Pa hem geduldig voordeed hoe hij de draad moest spannen, voelde Rose een felle steek van rancune. Niet één keer had hij aangeboden om *haar* te laten zien hoe ze ermee om moest gaan. En toen ze hardop zei: 'Ik zal maar eens gaan kijken of het water al kookt, hè?', keek hij niet eens op, maakte alleen een wegwuivend gebaar met zijn hand, alsof hij wilde zeggen, stoor nou niet, en praatte toen door.

'Het ligt niet aan jou, Rose,' zei oom John altijd tegen haar, wanneer ze alweer in tranen bij tante Betty terugkeerde na het zoveelste afschuwelijke bezoek aan Waterslain. 'Je moet niet denken dat hij alleen jou niet om zich heen kan hebben. Dat heeft hij met ons allemaal.'

'Dat wordt wel beter,' troostte hij haar, wanneer ze klaaglijk vroeg waarom Pa zich afwendde wanneer ze probeerde hem te kussen. 'De tijd is een grote heelmeester, weet je.' Maar de tijd had Pa nooit geheeld en ze probeerde al heel lang niet meer hem te kussen. Ze kon er niet tegen dat hij terugdeinsde, wanneer ze op haar tenen probeerde zijn wang te bereiken.

Met het vorderen van de dag groeiden haar gekrenktheid en verbijstering. Toen ze de zinken badkuip had klaargezet – in de bijkeuken, om Reuben wat privacy te geven – en met heet water had gevuld, weigerde de jongen in bad te gaan. In plaats van te zeggen dat ze de boel maar moest zien te regelen, knoopte Pa zijn vestje los, rolde zijn mouwen op en nam de touwtjes in handen. Hij greep de knaap in zijn nekvel en sleepte hem mee de bijkeuken in, met een beslist gebaar de deur voor haar neus dichtduwend. Zo kon zij de verbrande korst van de vergeten tweede serie broden gaan krabben tegen een achtergrond van luid gespetter en geplets van water, doorspekt met verontwaardigde kreten van protest, zoals 'Au! Blijf van me af!' van Reuben, en 'Zit *stil*, klein mormel dat je bent, of we liggen er straks allebei in!' van Pa. Opnieuw vroeg Rose zich af wat er aan Reuben *was* dat Pa opeens zo'n belangstelling had.

Wat het ook was, het bleef goed verborgen. 'Moest hem in het water tillen,' beklaagde Tom zich toen ze ten slotte in wolken waterdamp gehuld tevoorschijn kwamen. 'Die aap wou z'n been niet ver genoeg buigen om over de rand te stappen.' Hij was doornat en Reuben, die roze van het boenen volledig verdronk in een pyjama van Tom, keek als een donderwolk. Rose schonk thee in, sneed het jammerlijk mislukte brood, zette jam uit de moestuin van Holly Farm op tafel en ging met haar rug tegen het warme fornuis zitten. Terwijl ze nipte van haar thee, probeerde ze zich te herinneren wanneer ze Pa voor het laatst zo actief en geanimeerd had gezien.

'Wat is dat?' vroeg Reuben met zijn mond vol brood met jam, terwijl Tom zijn vestje dichtknoopte over het droge overhemd dat Rose voor hem had gehaald, en zijn horlogeketting weer vastmaakte.

'M'n horloge. Heb je nog nooit een horloge gezien?'

De jongen was onmiddellijk beledigd. 'Tuurlijk wel! Ik bedoelde de ketting, ja?'

Tom haalde het fraaie zilveren savonethorloge uit zijn zak, woog het in zijn handpalm en hield het Reuben voor. 'Zie je dit?' vroeg hij, op een deuk in het deksel wijzend. 'Dit heeft me ooit eens het leven gered, dit horloge.'

Rose had het verhaal al eens gehoord: een van de weinige herinneringen die ze aan haar moeder had, was die keer dat ze bij het vuur in de keuken op haar moeders schoot had gezeten, terwijl Pa het verhaal vertelde. Ma had hem geplaagd, wist ze nog, en haar op haar knie op en neer laten stuiteren en lachend tegen haar gezegd: 'Zie je nou wat een onhandige grote lummel je vader is?'

'Ik struikelde,' zat Tom nu weer tegen Reuben te vertellen, 'viel over m'n eigen voeten, terwijl ik een beitel pakte.'

'Wat is een beitel?'

'Val me niet in de rede. Ik was toen tweeëntwintig en het was mijn eerste dag als leerjongen.'

'Wat is een leerjongen?'

'Dat ben je als je bij een ambachtsman in de leer bent.'

'En toen, wat gebeurde er toen?'

Tom veegde met een vereelte duim over de deuk in het deksel. 'Viel er pats bovenop,' zei hij, op zijn borstkas kloppend. 'Kreeg de beitel recht tegen m'n borst, en de voorman werd spierwit, dacht dat ie me al had vermoord, nog voordat ik begonnen was. Maar het horloge heeft de klap compleet opgevangen.'

Reuben stak onverwachts een hand uit en pakte het horloge uit Toms hand. Hij draaide het om en om, wreef met een benige vinger over het ingedeukte metaal, frunnikte aan de knop, schoof zijn vingernagel onder de rand en wipte de kast open, zodat de bedrijvig heen en weer bewegende radertjes en veertjes zichtbaar werden. Hij hief zijn hoofd met een lepe blik naar Tom op, als om te zeggen: 'Zie je wel? Ik ben niet zo dom als je denkt.' En voor het eerst sinds zijn aankomst vertrok zijn mond zich tot iets wat in de buurt van een glimlach kwam.

'Mooi hè?' zei Tom op aanmoedigende toon, buitengemeen ingenomen met zichzelf. 'Zie je hoe soepel het allemaal loopt?' En toen hij deze keer zijn hand uitstak om Reuben een klopje op zijn schouder te geven liet de jongen hem begaan. Opnieuw voelde Rose even jaloezie, en daarna schaamde ze zich dat ze deze vreemde, defensieve jongen de troostende aanraking misgunde die zij het grootste deel van haar leven had moeten missen.

Zodra Tom zijn thee op had, zette hij Rose aan het wassen van Reubens onfris riekende kleren, die hij in een plas zeepwater had achtergelaten. Toen nam hij de jongen mee naar de schuur, om de paar meter wachtend om hem de gelegenheid te geven zijn krukken los te maken uit de plooien van de geleende pyjama. Daar zette hij hem op een kruk en begon hem de verschillen te laten zien tussen het gereedschap voor het grove en voor het fijne werk, tussen een groefschaaf en een groefvijl, en een oneindige variëteit aan beitels en gutsen.

Het frustreerde Tom al heel lang dat niemand – behalve natuurlijk zijn allerliefste Prue – ooit begrip had gehad voor de bijna mystieke manier waarop hij tegen zijn uitverkoren ambacht aankeek. Neem John Catherwood, zijn oudste vriend; de eerste keer dat hij, jaren geleden al, had geprobeerd uit te leggen wat het werken met hout voor hem betekende, had John met beleefd onbegrip geluisterd. Tom was gaan stotteren en hakkelen en toen maar over iets anders begonnen, hevig opgelaten over zijn onvermogen zich te uiten. En nu hing dit gemelijke, spichtige kind aan zijn lippen, heftig knikkend, terwijl hij de zeldzame vreugde beschreef die hij beleefde wanneer een goed uitgewerkt stuk lindehout onder zijn beitel tot leven kwam. Toen hij Reuben een stuk iepenhout vol knoesten in de handen legde en de jongen het zo eerbiedig aannam alsof het een kostbaar juweel betrof, kwamen de woorden met hetzelfde gemak uit zijn mond gerold als waarmee hij de schaaf over een plank goed uitgewerkt grenen bewoog.

'Zie je hoe fijn en regelmatig perenhout is? En moet je nu dat stuk Amerikaans eiken zien. Zie je hoeveel losser de nerf is... Laat hier je vingers eens over gaan. Een fijn gevoel, hè: moerbei, een droom om te snijden en het hout is vlak na het zagen helgeel. Moet je het verschil in gewicht tussen deze twee eens voelen. Dit is goed droog en dit is wat we groen noemen, daarin loopt het sap nog door de aderen.'

Reuben luisterde gretig, zo ver voorover hangend op zijn kruk dat Tom twee keer een arm moest uitsteken om hem tegen te houden, anders was hij er helemaal vanaf gegleden. En toen hij Toms lange guts in zijn handen kreeg gedrukt, hield hij die vast alsof hij ervoor in de wieg was gelegd. Tom grijnsde hem breed toe, zo verheugd alsof hij een onverwacht geschenk gekregen had, en kreeg als beloning een trage onwillige glimlach terug.

Rose liet het badwater wegstromen in de afvoer in de vloer en hing de teil terug aan zijn haak, waste Reubens kleren in de gootsteen in de bijkeuken, haalde ze door de mangel en hing ze boven het fornuis te drogen. Daarop haalde ze de broden tevoorschijn die ze voor Betty had verstopt, nu doorweekt zowel als ingezakt, en ruimde de keuken op. En steeds moest ze denken aan Pa's hand op Reubens schouder en bleef ze zich afvragen waarom hij nooit met zo'n nonchalante affectie met háár had kunnen omgaan...?

'In je eentje, zie ik,' begroette Betty haar toen ze zich de volgende morgen bij de Catherwoods voegde voor de wandeling naar de kerk. 'En hoe redt Tom het met zijn kleine vreemdeling?'

'Verbluffend goed,' zei Rose. 'Hij heeft Reuben zelfs aangeboden hem te laten zien hoe hij een kist voor zijn spullen moet maken.'

Ze had hen gebogen over de werkbank achtergelaten, met hun hoofden dicht bijeen, terwijl Pa de techniek van het schaven demonstreerde op een restje hout. Opnieuw was ze bevangen geweest door die verontrustende mengeling van blijdschap dat Pa het zo vlug goed met Reuben leek te kunnen vinden, en jaloezie dat hij zo ontspannen kon zijn in het gezelschap van deze vreemde manke jongen, terwijl hij zich er de meeste dagen maar nauwelijks toe kon brengen op haar aanwezigheid te reageren...

De evacueetjes op Holly Farm, drie kleine meisjes wier namen Rose nooit kon onthouden en de tweeling Jack en Sammy, hadden haar aankomst aangekondigd met veel gejoel en bokkensprongen van uitgelaten pret, maar Henry had haar afwezig begroet. Toen het gezelschap op weg ging naar het dorp, liep hij met grote stappen vooruit. John lette op de kinderen en Betty vroeg Rose uit over Reubens eerste dag op Waterslain. Het was een opluchting voor Rose, toen ze zich bij de andere kerkgangers voegden die vanuit alle hoeken van het dorp bij de kerk bijeenkwamen. Betty werd afgeleid door Maggie Tindall, die wilde weten wanneer de volgende vergadering van de Huisvrouwenvereniging was, en vroeg of Betty tijd had met haar de dozen met tweedehandskleding uit te zoeken voor de evacués.

Met een steelse blik naar Henry, die met een sombere blik naast haar in de kerkbank van de Catherwoods hing, bedacht Rose hoe gespannen hij eruitzag. Sinds de dag dat Charlie Cottle, zijn beste vriend, in het leger was gegaan, was hij humeurig geweest, geprikkeld. Neem de afgelopen week. Hoewel het niets voor hem was om veel over zijn diepste zielenroerselen te praten, had hij haar afgelopen dinsdag, toen ze hand in hand op de achterste rij in de bioscoop zaten, zomaar verteld dat hij van haar hield. Vervolgens had ze de hele woensdagochtend hooibalen met hem gesjouwd, zonder meer dan een stuk of tien woorden uit hem te kunnen krijgen. Het was verwarrend, enerverend; de vreugdevolle gloed die haar bij zijn gefluisterde liefdesverklaring had doortrokken – de eerste keer dat hij het ooit gezegd had – had haar zich bemind, begerenswaardig doen voelen. Achteraf had ze zich echter afgevraagd of hij het nou echt gemeend had, of dat hij wellicht sentimenteel geworden was door de film: ze hadden hun keus laten vallen op Marlene Dietrich en Gary Cooper in *Morocco,* en Henry was gebiologeerd geweest door miss Dietrichs zwoele charmes. Nu in de kerk kon ze zijn gespannenheid zelfs door haar dikke wollen jas heen voelen, terwijl dominee Glasswell de gemeente opriep tot een gebed voor Colin Burton, al maanden geleden uit Duinkerken geëvacueerd maar nog maar net ontslagen uit het ziekenhuis, zonder zijn rechterarm; voor de zoons van George Partridge, Bob en Eddy, voor Simon Robert, Dan Prettiman, William Thompson – in maart neergeschoten boven de Ruhr en nog steeds vermist – voor Alf Tindall, Archie King, en Richard Browning. De lijst werd met de week langer, en met de week groeide ook zijn frustratie dat hij niet net als de andere mannen uit het dorp zijn steentje mocht bijdragen.

'Gaat het wel met je?' fluisterde ze, toen ze uit hun geknielde houding overeind kwamen. Maar hij trok alleen maar een gezicht tegen haar, nam zijn plaats op de bank weer in en staarde met een onbewogen gezicht voor zich uit.

Na afloop maakte hij zich zonder op haar te wachten uit de voeten naar de vestiaire. Tegen de tijd dat ze zich had kunnen losmaken van dominee Glasswell, die alles wilde horen over 'die ongelukkige jongen die jullie volgens mrs. Catherwood zo hartelijk hebben opgenomen,' was hij al verdwenen. Weifelend tussen het verlangen hem gauw achterna te gaan om hem wat op te vrolijken, en de noodzaak om thuis te gaan kijken of Pa het allemaal redde, begroette Rose haar oom John met opluchting, toen deze haar van haar goedbedoelende ondervrager kwam verlossen.

'En,' zei hij tegen haar, haar arm door de zijne trekkend en een klopje op haar hand gevend, 'ik heb nog geen kans gehad het je eerder te vragen: hoe is het vanmorgen met mijn Rosie? Nog helemaal heel?'

'Mm. Pa is op dit moment met Reuben in de schuur, laat hem de werkplaats zien.'

'Nee maar, daar sta ik van te kijken!' zei John met een klein rukje aan zijn snor. 'Er is dus nog geen bloed vergoten?'

'Niet toen ik wegging tenminste. Oom John, even over Henry.'

John trok harder aan zijn snor, met een zijdelingse blik op haar bezorgde gezichtje. 'Hetzelfde oude verhaal, vrees ik. Hij zal zich pas weer lekker voelen als hij bij zijn vrienden is en zichzelf heeft bewezen dat hij uit het juiste hout gesneden is.' Hij gaf haar opnieuw een klopje op haar hand. 'Die jonge mannen weten niet wat oorlog echt inhoudt, anders zouden ze niet zo staan te springen. Ze zien zichzelf allemaal als helden in de dop.' Hij knikte naar Colin Barton, die net met zijn lege mouw tegen zijn slecht zittend marine-uniform gespeld uit de kerk naar buiten stapte. 'Colin weet het nou wel,' zei hij zachtjes en ze liepen in een ongemakkelijk zwijgen voort, hun gezichten opheffend naar het waterig herfstzonnetje en wat troost puttend uit het beetje warmte op hun koude wangen.

Reuben bracht de dag door in de schuur bij Tom, ongemakkelijk wiebelend op een hoge kruk terwijl Tom hem de verschillende houtprofielen liet zien. Tegen de tijd dat ze aan hun elfuurtje toe waren, mocht Reuben Tom zeggen en had Tom wat restjes voor hem opgescharreld voor het kistje dat hij wilde maken. 'Grenen voor je eerste probeersel,' waarschuwde hij streng, 'het heeft geen zin iets beters te verprutsen voordat je weet wat je doet.' Pas tegen het eind van de middag raakte hij door zijn geduld heen, en begon hij steeds kriegeliger op Reubens vragen te antwoorden, tot hij ten slotte zijn beitel op de werkbank liet vallen en gromde: 'En nou is het uit! Hou jij nou *nooit* je mond?'

Rose was vandaag echter koeler, minder vriendelijk. Toen ze hen binnenriep voor de thee en Tom modder over de hele keukenvloer verspreidde, zei ze: 'O Pa, *moet* dat nou?' op zo'n scherpe toon dat Tom opschrok en een verontschuldiging mompelde, en tegen Reuben, die zich beklaagde over de boterhammen met marmite die ze voor hem gemaakt had, zei ze boos: 'Nou, dat is het enige wat er is. Dus als je ze niet lust, dan lijd je maar honger!'

'Dat verdomde joch houdt nooit op met zijn gevraag,' mompelde Tom in het passeren tegen haar, toen hij net na negenen zijn kaars pakte om naar boven en naar bed te gaan. 'Moet naar school,' voegde hij er op strenge toon aan toe, zijn stem verheffend voor Reubens oren, 'tijd dat je naar school gaat, jongeman.' Rose was bezig Ovomaltine met een restje melk te maken. 'Zal ik hem dan maar morgen brengen?' stelde ze hem voor, 'of ik kan hem ook bij Holly Farm afzetten. Dan zou hij het laatste stukje met Jack en Sammy en de meisjes mee kunnen lopen?'

Reuben, die met dichtvallende ogen aan tafel hing, schoot verontwaardigd overeind. 'Waarom kan ik niet hier blijven bij Tom?' protesteerde hij. 'Ik wil niet naar school!'

Tom keek Rose aan met een verzoek om hulp in zijn blik. 'Tuurlijk wel, jong,' zei hij bemoedigend. 'Je zult het best leuk vinden als je eenmaal op school zit, waar of niet, Rose? Jack en Sammy zijn ook evacués en er zijn er nog veel meer in het dorp. Er zal vast wel iemand van jouw leeftijd bij zijn en je hebt hier helemaal niks te doen. Rose zal de hele dag op Holly Farm zitten, en ik heb het veel te druk om voor je te zorgen.'

'Maar er hoeft niemand voor mij te zorgen.'

'Zo is het genoeg,' zei Tom scherp. 'Als ik zeg dat je naar school gaat dan ga je naar school!'

Het nieuwtje van Reuben in huis, dacht Rose toen hij zijn kaars oppakte en naar boven verdween, is er dus al binnen vierentwintig uur af, maar haar voldoening verdween al meteen nadat ze de bekers had ingeschonken. Toen ze de zijne voor hem neerzette, zag Reuben er weer zo kleintjes, zo mager en zo ongelukkig uit, dat ze zich onmiddellijk weer verteerd voelde door schuldgevoelens, omdat ze zulke onvriendelijke gedachten had gekoesterd over zo'n verloren, eenzame ziel.

Reuben blies achterdochtig op zijn Ovomaltine, nam een slokje, en dan nog een. 'Lekker?' vroeg Rose. Hij knikte en deze keer lachte hij terug toen ze hem een glimlach schonk.

'Het spijt me van je moeder,' zei hij onverwachts.

'En het spijt mij dat jij niet bij de jouwe kunt zijn,' zei Rose. 'Maar daarom kunnen wij nog wel vrienden zijn, hè?' Hij hield haar blik een ogenblik vast. 'Het lijkt me wel. Is er nog wat Ovomaltine?'

Toen ze later in bed lag te luisteren naar het hortend heen en weer gaan van het voetpedaal van de naaimachine in de nette kamer onder haar, nam Rose een besluit. Wat ook haar privé-problemen met Pa mochten zijn, ze kon Reuben er niet op aankijken. Ze moest haar best doen om hem zich welkom te laten voelen. Morgen zou ze er met Henry over praten. Die zou weten hoe ze hem moesten helpen in te burgeren.

4

⸺◦◦◦⸺

Ze liepen akelig langzaam het laantje door. Niet aan enig soort lichaamsbeweging gewend, kwam Reuben met moeite op de oneffen bodem vooruit. Ze hadden eerder moeten vertrekken, besefte Rose nu, ze had rekening moeten houden met de krukken. Toen ze Billy Elms ontdekte die met zijn katapult nonchalant uit zijn broekzak bungelend aan kwam zetten over het karrenspoor van Marsh End, zakte de moed haar in de schoenen. Er was iets zo buitengewoon onsympathieks aan Billy's ongezond bleke wezelachtige gezicht en achteloze manieren: de sluwe blik waarmee hij haar van top tot teen bekeken had toen ze vorige vrijdag bij Marsh End was langsgegaan om af te spreken wanneer hij de nieuwe hennetjes zou komen bezorgen. 'Ik sel ze door dat joch Billy laote brenge,' had Walter beloofd, maar ze had Billy noch de hennetjes gezien.

'Môge, mevroi,' begroette Billy haar, 'lekker dagje.'

'Morgen, Billy,' zei ze kortaf. 'Zou jij mij zaterdag niet wat hennetjes brengen?'

'Ah...' Hij wierp haar een brutale blik toe, tikte dan met een knipoog tegen de zijkant van zijn neus. 'Hê'k niks mee te maoke, mevroi. Die ouwe Wally heb zich bedach, da's alles. "Lâ die kippe voor mr. Parfitt maar sitte," segt-ie tegen me. "Die worre toch maar weer door die vos gepakt." En ik mos van 'm tege u segge, om nie meer

51

an se kop te komme seure, omdat tie d'r geen meer over heb. Kiek nou 's! Wâ hebbe we hier?'

Hij had Reubens krukken gezien. Met zijn armen voor zijn borst gekruist stapte hij om hem heen, zijn katapult dreigend bungelend bij zijn heup. Onder zijn neus zaten korsten snot en zijn bottige onder een kale grijze korte broek uitstekende knieën waren smerig.

'Zou je niet op school moeten zijn?' zei Rose op scherpe toon. 'Je kunt maar beter doorlopen, anders krijg je nog problemen met mrs. Meadows.'

'Die ouwe koei maok mijn nie bang,' hoonde Billy, zich met een arrogant gezicht verwijderend. 'Wat sou se motte, me naor huis sture?' Aangezien Billy's aanwezigheid in Nettlebed het gevolg was van de totale verwoesting van zijn moeders krotwoning in East End en het feit dat ze op het ogenblik geen alternatief onderdak voor haarzelf en haar zeven kinderen van drie verschillende vaders kon vinden, zag hij die mogelijkheid duidelijk niet als een reële bedreiging. Hem nakijkend zoals hij met groteske gang de heuvel op liep in een aapachtige imitatie van Reubens hortende manier van zich voortbewegen, *wist* Rose gewoon dat hij narigheid ging veroorzaken.

Naast haar pufte en hijgde Reuben, zijn gezicht strak van inspanning, en opnieuw werd Rose van schuldgevoelens vervuld. Ze had kunnen weten dat dit zou gebeuren, had tegen Pa moeten zeggen dat het een slecht idee was. Per slot van rekening wist zij uit bittere ervaring als geen ander hoe ellendig het op school kon zijn. Haar eerste gang naar de school van Nettlebed was eerst met zeven maanden vertraagd geweest door een hevige kroepaanval, en daarna nog eens door Ma's plotselinge overlijden en haar abrupte verhuizing naar Holly Farm.

Niet aan vreemden gewend, zou ze sowieso al moeite hebben gehad vriendinnetjes te maken, maar mrs. Meadows' goedbedoelde toespraakje tot de klas om haar voor te stellen, had het probleem nog onmetelijk verergerd. Zij deed daarbij een beroep op het medelijden van de kinderen ('...we verwachten dat jullie allemaal extra je best doen om Rose Parfitt welkom te heten, die net haar moeder verloren heeft...'). De andere meisjes hadden haar als een voorwerp van sensatiebeluste nieuwsgierigheid bejegend. Dodelijk opgelaten had ze zich in zichzelf en in het tochtige klaslokaal teruggetrokken, wachtend tot ze kon ontsnappen naar de veiligheid van Holly Farm en het aangename gezelschap van Alice en Henry.

Mrs. Meadows kreeg hen in het oog, toen ze het schoolplein overstaken en wuifde door het raam. Ze kwam hen haastig bij de deur tegemoet. Terwijl ze op de tochtige voorveranda uitleg over Reuben stond te geven, die achter haar op adem probeerde te komen, zag Rose een tiental gezichten nieuwsgierig vanuit de deuropening van het grote schoollokaal naar hen turen: Billy Elms grijnzend en bekkentrekkend voorop. Ze vroeg zich af wat voor narigheid Reuben door haar toedoen te wachten stond.

Binnen was de atmosfeer nog bedompter dan gewoonlijk; de ramen waren beslagen door de gecondenseerde adem van meer dan zestig kinderen, van wie bijna een derde evacués. Toen Reuben onwillig het lokaal binnenhompelde, stak Billy zijn voet in het smalle gangpad uit zodat hij bijna struikelde. Achterin, waar enkele grote jongens met z'n drieën in een schoolbankje zaten gepropt, klonk een luide stem: 'Juf! Juf! Wat is 'r met hem? Heb-ie geen benen?' Op de vraag volgde een explosie van gegniffel en gekwebbel, en de pret verspreidde zich in alle richtingen tot er overal tumult heerste en Reuben knalrood zag van woede.

Mrs. Meadows probeerde uit alle macht de orde te herstellen: 'Kinderen, *kinderen*, genoeg! Terug naar jullie plaatsen, en ga *onmiddellijk* netjes zitten.' Reuben probeerde op zijn schreden terug te keren, maar toen schoten er meer voeten uit om hem ten val te brengen: drie, vier, vijf, deze keer. De kinderen drongen op tot hij aan alle kanten werd ingesloten. Mrs. Meadows moest zich een weg door het gewoel banen om bij hem te komen. Het ergste nog was de ontzette blik die Reuben Rose toewierp, toen ze de deur tussen zichzelf en het chaotische tafereel dichttrok. 'Help!' smeekte die blik, even duidelijk alsof hij het hardop had gezegd, en ze maakte zichzelf de hele weg terug de heuvel af verwijten. Ze had moeten blijven. Ze had hem moeten verdedigen. Ze had moeten *nadenken*.

Toen ze na haar werk op Holly Farm op de terugweg naar huis bij Walter langsging om erachter te komen wat er met de beloofde hennetjes was gebeurd, trof Rose hem in de keuken aan. Hij was bezig Billy's achterste te bewerken met een leren riem. 'Dat kleine schoffie heb die kippies voor je aon Jed Harkins verkoch,' verklaarde hij bij wijze van groet.

Iedereen kende Jed Harkins, die met zijn moeder in een vervallen huisje boven aan Long Tye Lane woonde, en de kost bij elkaar schraapte als voddenman. De laatste tijd had Jed geld in zijn zak; hij had zijn paard en wagen ingeruild voor een tweedehandsvrachtwagentje en ze hadden hem in de dorpskroeg met onbetrouwbaar uitziende vreemden zien praten. Er gingen geruchten over verdachte zaakjes, spullen van de zwarte markt die in het holst van de nacht werden overgedragen, en het verbaasde Rose in het geheel niet dat Billy haar hennen aan hem kwijt had gekund zonder dat er vragen werden gesteld.

Nadat ze met Walter een afspraak voor de levering van een vervangende zending had gemaakt, ging ze weer weg, langs Billy. 'Bin met Houte Poot naor huus gelope,' deelde hij haar onheilspellend mee, 'een hoop lol gehad. Heb-ie 't al verteld?'

'Hé,' riep hij haar nog na, toen ze omzichtig haar weg zocht over het erf vol kuilen. 'Seg 'm maor dâ'k morrege op 'm wach. Maok je maor niet dik, mevroi, ik sel goed voor 'm sorrege.'

In de keuken stond Tom, onder het maken van thee, over de schouder van Reuben te praten. 'Zie het nog wat langer aan, jong,' zei hij, 'probeer het nog even tot het end van de week.' Reuben zat hem spinnijdig aan te kijken.

'Heeft u het over school?' vroeg Rose. 'Kan Reuben nu *echt* niet thuisblijven, Pa? Hij is immers al veertien.'

'Zie je wel,' veerde Reuben triomfantelijk op, 'ik *zei* toch al dat ik niks meer hoefde te...'

'En die vreselijke Billy Elms heeft al de pik op hem.'

De jongen was onmiddellijk beledigd. 'Ik kan best voor mezelf zorgen! Ik heb *jou* niet nodig om me te beschermen!' Hij stond wankel op. 'Ik kan iedereen aan, als je dat maar weet!' Hij greep zijn krukken en hinkte stijf naar de deur. 'Iedereen!' herhaalde hij, terwijl hij de gang in hobbelde. Ze hoorden de deur van de nette kamer dichtslaan, daarna niets meer.

'Och lieve hemel,' was Toms ergerlijke commentaar. 'Ik geloof dat je hem boos gemaakt hebt.'

Vastbesloten te bewijzen dat hij zich heel goed op eigen kracht kon handhaven, strompelde Reuben een week lang naar school om strijd te voeren met zijn klasgenoten. Hij mepte er met zijn kruk op los, wanneer Billy Elms hem *trekkebeen*, *hinkepoot* of *jodenjong* noemde. Nijdig weerde hij mrs. Meadows af, wanneer ze zich bezorgd over de bulten en blauwe plekken boog, die Billy hem op zijn beurt bezorgde. Hij dreef Tom tot waanzin met zijn eindeloos gevraag en toen Henry Catherwood op Rose' verzoek aanbood Billy voor hem aan te pakken, kreeg die te horen: 'Hoepel op en bemoei je met je eigen zaken!' Woensdag viel hij bij het avondeten in slaap; vrijdag kwam hij thuis met een blauw oog en een bijna uit de kom gedraaide arm, en toen Rose de volgende maandag – innerlijk verscheurd door de kwellingen waar ze hem onbedoeld slachtoffer van had doen worden – zachtmoedig naar voren bracht: 'Je hoeft echt niet te gaan als je niet wilt,' was hij uitgeput. Maar nog steeds weigerde hij koppig de handdoek in de ring te gooien: 'Ik blijf pas thuis als ik Tom mag helpen in de schuur.' Van afschuw vervuld over de zwarte kringen rond de ogen van de jongen, de schrammen en kneuzingen die hij had opgelopen doordat hij op de speelplaats was gevallen, omgeduwd, en de bebloede plekken onder zijn armen waar de krukken de huid hadden stuk geschuurd, gaf Tom zich gewonnen: 'Zolang je belooft niet alsmaar te praten, verdikkeme...'

Toen Betty het bericht kwam brengen dat zijn nicht Maria was overleden aan de verwondingen die ze bij een luchtaanval had opgelopen, weigerde Reuben haar aanvankelijk te geloven. 'Hoe bedoelt u, dood? U liegt! Hoe kan ze nou dood zijn? Waarom heeft niemand me ervan verteld?' Maar toen Rose probeerde een arm om hem heen te leggen als instinctief gebaar van troost, schudde hij die af en grauwde: 'Laat me met rust! Niks aan de hand!' en hinkte daarop weg om zijn verdriet alleen te verwerken.

'Ik weet niet hoe ik hem helpen moet,' merkte Rose die avond tegen Henry op, toen ze in de avondschemering naar het dorp wandelden om de bus naar Market Needing te nemen voor een thé dansant in het geheelonthoudersgebouw. 'Soms lijkt hij wel eerder een oude man dan een jongen van veertien jaar. Ik *weet* dat hij ontzaglijk verdriet heeft, maar hij wil me gewoon niet genoeg dichtbij laten komen om hem te kunnen helpen. Pa zegt dat er alleen uit blijkt wat een dapper jong het is, maar het kan toch niet goed voor hem zijn, toch? Zo alsmaar zijn gevoelens opkroppen, bedoel ik.'

'Sorry,' antwoordde Henry, 'ik heb niet geluisterd. Wat zei je?'

'Laat maar zitten.' Rose slikte het scherpe weerwoord dat haar op de lippen lag in. Ze had Henry nooit zo afwezig gezien. Waren alle mannen hetzelfde, vroeg ze zich af, terwijl ze zwijgend de heuvel op liepen – bang om hun gevoelens te laten zien, om zwak te lijken? Kijk naar Pa, en naar Reuben...

De volgende morgen verscheen Reuben in de schuur en verklaarde op gebiedende toon, met zijn kruk naar Toms chaotische werkbank zwaaiend: 'Ik ben er klaar voor. Leer mij hoe je dit allemaal doet.'

Rose bood aan om mrs. Meadows' plaats als zijn onderwijzeres in te nemen, zijn kennis van het alfabet te toetsen en hem hardop te laten voorlezen (rekenen, deelde hij haar uit de hoogte mede, was geen probleem voor hem. Hij had leren tellen in het ziekenhuis). Reuben weigerde echter koppig ook maar enige belangstelling voor het verbeteren van zijn academische vaardigheden aan de dag te leggen. De schuur, die was wat hem trok, Toms werkplaats, het hele arsenaal aan gutsen, beitels, stokschaven, groefschaven, zagen, vijlen, raspen; de door een voetpedaal aangedreven slijpsteen, die de hele dag lang piepte en gromde, terwijl Tom zijn gereedschap aanzette; de houtkrullen die van de draaibank vielen; de oliesteen voor de afwerking van de aangescherpte beitels; het gevoel van een mooi droog stuk lindehout tussen zijn magere vingers en de geur van hout en zaagsel die altijd in de schuur hing. Pas wanneer Rose de boeken dichtsloeg die ze van mrs. Meadows had geleend, en zei: 'Dat is wel weer genoeg voor vandaag,' kreeg ze een glimlachje van hem voordat hij zich uit de voeten maakte richting schuur. Tom was traag, rustig, geneigd tot de weg van de minste weerstand, en de jongen maakte daar optimaal gebruik van. Reuben zeurde hem de oren van het hoofd in zijn fanatieke drang tot leren.

'Je bent er nog niet oud genoeg voor,' zei Tom, dreigend op zijn belofte terug te komen, 'deze gereedschappen kunnen gevaarlijk zijn.' Maar Reuben wenste geen nee te horen en bleef, ondanks veelvuldige terechtwijzingen, al Toms bewegingen volgen onder eindeloos gevraag. Zijn manieren waren meer dan bedroevend. 'Waar is dit voor?' 'Waarom moet je zoveel slijpen?' 'Wat doe je hiermee?' 'Hoe maak je dat patroon?' 'Laat zien!' 'Laat mij eens!' 'Geef eens hier!'

Hij begon meteen een kistje 'voor mijn eigen spullen' te ontwerpen, met een verhoogd fries op het deksel van een koppel zwanen, zoals die hij in de wei had gezien. Belachelijk hoog gegrepen, naar Toms mening. Ook liet hij zijn krukken overal rondslingeren, zodat Tom er voortdurend over struikelde.

'Koppige dondersteen,' klaagde Tom tegen Rose, toen ze maar eens in de schuur kwam kijken hoe zij tweeën het samen deden: 'wil zich niks laten zeggen, wil alles zelf doen, geen geduld... hij leert anders wel snel, hoor, heeft gevoel voor het hout...' Vervolgens in een gefluisterd terzijde, waarvoor Reuben wel stokdoof moest zijn om het niet te horen: 'Moet wel wat bij-eten, lijkt me, en hij zou beter af zijn met een stok dan met die verrekte krukken. Daar breekt iemand z'n nek nog eens over.'

Het was een verrassend goede dag geweest, dacht hij, toen hij achter Reuben aan in de avondschemering over het pad naar het huis liep voor het avondeten. Het maakte alle verschil, een beetje enthousiasme...

De volgende dag sneed hij een stevige wandelstok van essenhout en de jongen leerde zichzelf ermee omgaan. De kippen stoven alle kanten op, terwijl hij zwaaiend als een dronken zeeman bij windkracht negen over de ongelijke paden tussen huis, schuur en buiten-wc voorthompelde. Op zijn gezicht stond zo'n verbeten uitdrukking, dat Tom en Rose al snel leerden hem ruim baan te geven om niet afgeblaft te worden, omdat ze hem voor de voeten liepen.

5

$\mathcal{T}$oen Tom eenmaal uit zijn hand at, breidde Reuben zijn nieuwsgierigheid naar andere dingen uit. 'Hij wil echt van alles weten hoe
het werkt,' zei Rose tegen Betty toen deze enkele dagen later kwam
kijken hoe het met de jongen ging, 'niet alleen maar alle spullen
van Pa en Ma's naaimachine, maar hij wil ook het eten klaarmaken,
het fornuis zwarten, het vuur aanleggen, de kippen voeren; alles
waarbij hij zijn handen moet gebruiken wil hij proberen. En ik hoef
het hem maar één keer te laten zien of hij heeft het door.'

Hij deed zelfs een gooi naar het maken van knoedels, volgens
een recept dat hij in Prues oude knipselmap had gevonden. Het
klonk als iets dat zijn eigen moeder vroeger altijd maakte, zei hij,
alleen deed zijn moeder er ook fruit in. *Knedle*, zo heette het, zei hij
tegen Rose. Het was pas voor de tweede keer na zijn aankomst dat
hij iets over zijn familie zei, en Rose voelde zich bemoedigd door
dit kleine teken dat hij eindelijk wat los begon te komen.

Alles interesseerde hem: de manier waarop de uiterwaarden er
elke dag weer anders uitzagen, waar de rivier heen ging, hoe sterk
de stroming was, hoe diep de kolken achter het riet langs de oever.
Hij wilde alles weten over de vogels: wat was het verschil tussen
een zwartkopmeeuw en een zilvermeeuw, een wulp en een kievit,
een gestippelde kwikstaart en een grijze kwikstaart? En twee keer
moest hij worden gered, omdat hij in de sompige bodem vast was
komen te zitten in een poging dicht bij de zwanen te komen die

tussen de slierten van de treurwilg naar voedsel visten. Hij kwam zelfs eens Rose in alle vroegte uit haar bed halen, om haar in het pikkedonker mee omlaag te slepen. Vanaf het erf liet hij haar de zwerm wilde ganzen zien, die hij in de maneschijn op de weide had ontdekt.

'Waar komen ze vandaan?' wilde hij weten.

'Siberië, neem ik aan.' Rose trok haar ochtendjas dichter om zich heen tegen de kille nachtlucht. 'Pa zegt dat sommige helemaal uit Groenland komen. We hebben een keer een sneeuwgans gezien, en volgens Pa moest die helemaal van over de Atlantische Oceaan zijn komen vliegen.'

Het was nu eens een rustige nacht, geen oranje gloed van branden langs de kust, geen sirenes, geen dreunende explosies in de verte omdat de vijand Felixstowe, Ipswich, Lowestoft bestookte. Naast elkaar stonden ze naar de ganzen te kijken die snaterend heen en weer waggelden als dikke gulzige huisvrouwen. 'Zouden ze ook wel tot Polska vliegen?' vroeg Reuben plotseling.

'Dat weet ik niet.' Rose boende de slaap met haar knokkels uit haar ogen. 'Heb je ze nooit gezien waar je vandaan komt?'

Reuben schudde zijn hoofd. 'Wij woonden in de stad. Er waren wel eenden in het Lazienkipark, maar ik herinner me niks wat op deze lijkt.'

'Het moet wel naar zijn,' waagde Rose voorzichtig, 'om niet met je familie te kunnen praten.' Tante Betty kon tenminste elke week nog even met Alice kletsen, al was het maar drie minuten.

Het was een heldere nacht, zodat de scherpomlijnde lange schaduwen van de schoorstenen van Waterslain over de helling naar de rivier omlaag huppelden. De vleermuizen waren op rooftocht en zwenkten en zwierden boven de weide door de lucht, en Rose kon de hennen in de schuur horen tokken, die Walter afgelopen week eindelijk had bezorgd.

Reuben staarde uit over de weide. 'Soms...' Hij brak af, begon opnieuw, '...soms denk ik dat het gemakkelijker zou zijn als ik maar wist dat ze dood waren.' Zijn stem werd onvast, herstelde zich. 'Dan hoefde ik niet meer aan ze te denken.'

'Ze zijn vast wel weggekomen,' probeerde Rose te troosten, 'ze zullen zich ergens verborgen houden tot het allemaal voorbij is, daarom heb je waarschijnlijk niks van ze gehoord.' Ze had hem iedere keer dat ze uit Holly Farm terugkwam gespannen naar haar zien kijken met een mengeling van hoop en angst, voor het geval dat ze nieuws voor hem bracht, en dan een beetje inzakken van teleurstelling, wanneer dat natuurlijk weer niet het geval was.

Reuben schudde zijn hoofd. 'Ik kan hun stemmen niet meer horen,' zei hij, en toen, voor het eerst het feit erkennend dat zijn nicht dood was, 'zonder Maria kan ik ze niet vasthouden.' Hij richtte zich plotseling op en klapte in zijn handen, zodat Rose ervan schrok. 'Hé!' schreeuwde hij. 'Hé! Hé! Hé!' Het geluid stuitte heen en weer tussen huis en schuur, en beneden hen op de wei kwam een tiental koppen met een ruk omhoog. De vogels begonnen onrustig dooreen te lopen. 'Waahh!' gilde Reuben. Hij tilde zijn wandelstok op en begon ermee op de bovenrand van de muur te slaan. 'Waahh! Waahh! Waahh!'

De ganzen begonnen te gakken en hun vleugels te spreiden. Het gedruis waarmee ze gewichtig met hun wieken slaand hun logge lichamen in de lucht verhieven, ging in een golf over de velden. Reuben volgde hun koers met zijn ogen, draaiend met zijn romp toen ze overvlogen, waarbij hun schaduwen een kort moment de maan verduisterden.

'Zeg het ze maar!' brulde hij toen ze achter de nok van het rietdak verdwenen, 'vertel die *Niemscy* maar dat ik ze krijgen zal voor wat ze doen!'

De vogels cirkelden zich luid beklagend rond en kwamen toen weer omlaag. Rose kon ze op Bottom Twenty verontwaardigd hun hart horen luchten over deze onbeleefde verstoring van hun feestmaal.

Reuben draaide zich weer om naar de weide, een witte nevel uitademend in de koude lucht. Enkele honderden meters vóór hen golfde de rivier rustig voort door de vallei, een glinsterend zilveren lint omzoomd door een spookachtige donkere franje van wilgen en elzen. 'Denk je dat zij dezelfde sterren zien als wij?' vroeg hij.

'Wie?' vroeg Rose, 'je familie in Polen? Ja, ik denk zeker van wel. Je zou ze een boodschap kunnen sturen.' Ze wees. 'Zie je die daar? Die heldere boven dat wilgenbosje? Dat is de Poolster. Je zou die kunnen vragen een bericht voor je door te geven.'

Hij wierp haar van opzij een sceptische blik toe. 'Wat moet ik dan zeggen?'

'Weet ik 't? Eh... dat het goed met je gaat, dat je mensen hebt gevonden die voor je zorgen en dat ze niet over je in hoeven te zitten.' Ze tuurde naar zijn profiel in de schemering. 'Moeders willen dat soort dingen graag weten, weet je. Ze zijn altijd ongerust over hun kinderen.' Dat herinnerde ze zich het sterkst van haar eigen moeder: Doe maar liever een vestje aan... Vergeet je handschoentjes niet... Eet je groenten op... Rustig aan... Voorzichtig... Daar verlangde ze zelf ook het meest naar, meer dan naar wat ook ter wereld, een kind van haarzelf om ongerust over te zijn.

Reuben richtte zich op met zijn gewicht op zijn goede been, zich in evenwicht houdend tegen de muur.

'Toe maar,' moedigde Rose hem aan.

Hij aarzelde. 'Ik *weet* het niet meer,' zei hij ten slotte. 'Ik weet de *woorden* niet meer.' Hoe kon hij zijn eigen taal vergeten hebben? Hoe kon hij de betekenis van zoveel gesprekken uit zijn kindertijd hebben vastgehouden zonder de *woorden*?

'Dat maakt niet uit. Je hoeft alleen maar te zeggen...'

Hij draaide zich met een snauw naar haar om. 'De *Poolse* woorden, sufferd. Ik weet de *Poolse* woorden niet meer. Mama spreekt toch geen Engels?'

'O...' Rose' wangen gloeiden van schaamte in het donker.

'Het is trouwens toch een idioot idee. Sterren kunnen geen berichten overbrengen.' Hij stapte van haar weg naar de deur van de nette kamer, bleef dan staan en draaide zich om, waarbij zijn stok tegen zijn verhoogde schoen stootte. 'Ik wil je iets laten zien.'

Ze volgde hem de nette kamer in, wachtte terwijl hij rondtastend in het donker de kap van de olielamp haalde en de verduistering voor de deur neerliet, een lucifer afstreek en bij het kousje hield.

'Het zit hierin.' Hij voelde onder het bed naar zijn koffer, stak zijn hand erin en haalde een verfomfaaide kaart tevoorschijn. Het was een foto. Rose nam hem mee naar de tafel, waar het licht beter was. 'Je familie?' vroeg ze.

Hij wees hen een voor een aan. 'Dat is Tatus... Mama... Halinka, ze is twee jaar ouder dan ik, Zosia. En dat ben ik.'

Het portret was door een beroepsfotograaf genomen. De achtergrond bestond uit een fraai gedrapeerd gordijn en een aspidistra in een pot op een smeedijzeren standaard; een ouderwetse chaise longue was strategisch in het midden geplaatst. Daar was Tatus, welvarend, solide, met één hand met bezittersair om zijn vrouws nek, en met de andere zijn revers vasthoudend; Mama met rechte rug en waardig op de chaise longue gezeten, met een spartelende peuter op schoot en haar oudste dochter naast haar. Op de vloer zat Reuben met gekruiste benen, zijn rechterknie rustend op zijn moeders voet. Zijn gezicht stond geschrokken, alsof de fotograaf hem verrast had, en zijn ogen glinsterden in het felle schijnsel van de studiolampen. Zelfs in zwart-wit leken zijn wangen blosjes te vertonen, koortsblosjes misschien. Je kon je niet vergissen in die haakneus, die toen al zijn gezichtje domineerde, en in zijn mond, zacht en pruilend en bijna meisjesachtig in de volle welvingen. De gelijkenis met zijn moeder – donkerharig, ogen als van een hinde, maar met zwarte, te zware wenkbrauwen, een te grote neus en te volle lippen voor conventionele schoonheidsnormen – was duidelijk, maar het was moeilijker te geloven dat hij familie was van de knappe, imposante Tatus. Halinka, met haar hoge Slavische jukbeenderen en ver uiteenstaande ogen was degene die het opvallend aantrekkelijke uiterlijk van haar vader had geërfd.

'Halinka is zo *mooi*!' riep Rose uit, 'je ziet zo van wie ze het heeft, hè. Wat een knappe man, je vader...'

Ze besefte ogenblikkelijk dat ze iets verkeerds had gezegd. Reuben griste de foto uit haar handen, stopte hem in de koffer terug en kwakte het deksel dicht.

'Anders dan ik.'

'Nee!' protesteerde Rose, 'nee, dat is niet wat ik, ik wou alleen...'

Hij draaide zich met een boos gezicht naar haar toe. 'Meende je dat daarnet?'

'Wat?'

'Over dat jullie mijn familie zijn.'

'Natuurlijk meende ik dat.' Ze voelde een plotselinge golf van warmte, van affectie voor deze wonderlijke, zo gauw op zijn teentjes getrapte jongen. 'Ik zou toch best je zusje kunnen zijn, niet?' Ze begon warm te lopen voor het idee, bouwde het verder uit. 'En dan heb je Pa ook natuurlijk, en tante Betty en oom John en...'

'Zweer 't,' beval hij. Zijn ogen waren zwarte gaten in zijn magere gezicht. 'Zweer dat jullie mijn familie zullen zijn.'

'Ik zweer het op mijn erewoord.'

'Geef me er de hand op.'

Hij spuwde op zijn hand, stak hem haar toe. Rose vermande zich en sloot de hare eromheen.

'Zolang die stomme Henry Catherwood mijn broer niet hoeft te zijn.'

'Geen stomme zeggen,' zei ze berispend, stiekem haar vochtige hand afvegend tegen de binnenkant van de zak van haar ochtendjas, 'dat is een heel lelijk woord. Waarom zou hij trouwens je broer niet mogen zijn?'

'Zomaar niet,' zei Reuben, er binnensmonds aan toevoegend: 'Omdat hij veel te gek op je is, *daarom...*' Hij had Henry Catherwood gezien toen hij Rose op kwam halen, de manier waarop hij haar kuste, alsof ze van hem was. Hij moest ook niets hebben van de manier waarop hij tegen Tom sprak, de zweem van neerbuigendheid die daarbij in zijn stem sloop, alsof Tom iemand was voor wie je eerder medelijden dan bewondering moest voelen. Ook had hij een hekel aan zijn brede schouders, zijn atletische bouw, zijn knappe gezicht. Maar waar hij het allermeest het land aan had, wat hem deed zieden van machteloze nijd, was het feit dat Rose met haar vriend in de buurt voor niemand anders oog had.

Zijn eerste gedachte was juist geweest, overwoog hij bij zichzelf, terwijl hij zijn koffer onder het bed terugschoof. Hij had Tatus voor zichzelf moeten houden.

6

'*H*et is echt geweldig,' vertrouwde Rose Betty toe, 'zoals Pa en Reuben met elkaar op kunnen schieten. U weet hoe raar Pa tegen vreemden kan doen en Reuben is bij het minste of geringste beledigd, maar het klikt fantastisch tussen hen.'

Ze had voor hun avondeten een duivenpastei in de oven achtergelaten en zat nu op Holly Farm toe te kijken hoe Betty hoofdkaas maakte, en op Henry te wachten die zich na een vermoeiende dag ploegen stond af te boenen, voordat hij haar mee zou nemen naar de maandelijkse kegelwedstrijd tussen The Bell en The Star and Garter uit Market Needing.

Ze konden de kinderen een lawaaierig spelletje zwaan-kleef-aan op het erf horen spelen. Jack en Sammy, en een van de meisjes, Ruby – of was het Marlene? – gingen morgen naar huis. Ze waren teruggeroepen door hun ongeruste ouders, toen het nieuws over de zware bombardementen langs de kust van Suffolk doorsijpelde naar de hoofdstad.

'Ze lijken meer op elkaar dan ze zouden willen toegeven.'

Betty schepte een homp hoofdkaas in de kom en drukte die met de achterkant van de lepel plat. 'Reuben lijkt de meubelmakerij absoluut je-van-het te vinden, hè? Misschien dat hij Tom aan zichzelf doet denken, toen hij zo oud was.'

'Vast niet.' Rose moest giechelen om het idee. 'Ik kan me niet voorstellen dat Pa *ooit* zo mager kan zijn geweest.' Ze bukte zich om Bess te aaien die geduldig tegen haar been geleund zat met haar blik verlangend op het varkensvlees gevestigd.

'Ik bedoel niet om te zien, malle meid.' Betty spoelde haar handen af onder de kraan, rommelde dan in de dressoirla rond op zoek naar een mousselinen afdekdoekje. 'Let wel, het jong zou er een stuk beter uitzien als hij wat dikker werd. Flink veel rood vlees...' Ze snoof geërgerd, 'niet dat daar nou op dit moment *zo* veel van te krijgen is; we zouden gewoon niet weten wat we moesten doen als we niet buiten woonden! Dat doet me eraan denken, heb ik je nog verteld dat het ministerie een bunker op Ten Acre neer wil zetten? Oh, en Henry heeft vanmorgen aangekondigd dat hij aangezien hij niet bij het leger mag zich dus wel gaat opgeven voor de brandwacht, al weet ik *niet* hoe hij denkt de hele nacht wakker te kunnen blijven na een volle dagtaak op de boerderij.'

Ze spande de mousseline over de kom, reikte naar een eindje katoengaren. 'Over wakker blijven gesproken, jij ziet er vandaag erg springerig en levenslustig uit, liefje. Ik weet niet hoe 't met jou zit, maar hier heeft vannacht niemand een *oog* dicht gedaan.'

Het was tot nu toe het langdurigste bombardement geweest. De stilte was aan scherven geslagen door het onafgebroken ronken van vliegtuigmotoren, het *tak-tak-tak* van luchtafweergeschut, en het doffe gedreun van de ontploffingen die de hemel op deden lichten. Het was van de avond- tot de ochtendschemering gestaag doorgegaan, en de kinderen hadden de eerste uren van de dag heen en weer gerend over de overloop, hysterisch van ontzetting vermengd met opwinding.

Onder de omstandigheden, dacht Betty, zag Rose er verbluffend fris uit, in een zedige blouse met hoge hals en de blauwe tweed rok die ze haar voor haar verjaardag had gegeven, *zo*veel vrouwelijker dan die vreselijke broek. Het pas gewassen kastanjebruine haar golfde zacht om haar gezicht, en haar wangen gloeiden in de warmte van de keuken. Zo'n schatje om te zien, dacht Betty vergenoegd – niet helemaal de schoonheid die haar moeder was geweest misschien, haar gezicht was iets ronder, haar voorhoofd een tikje breder dan dat van die arme Prue – maar haar bruine ogen werden omkranst door dikke krullende wimpers en haar glimlach was even zacht als haar karakter.

Er viel niet aan te twijfelen dat een leuk uiterlijk een meisje een voorsprong gaf, zodat ze niet zo ontzettend haar best hoefde te doen als het eropaan kwam een man te vinden. Ze had dat als zo verschrikkelijk vervelend ervaren, herinnerde Betty zich, toen ze niet veel ouder was dan Rose en het aantrekkelijkste aan haar verschijning het tot haar middel reikende haar was. Het moest minstens twee keer per week gewassen worden, minstens een uur drogen, eindeloos geborsteld om het in topconditie te houden en het was *hopeloos* onmodieus. Maar uiteindelijk was het dat allemaal waard geweest, zoals die lieve, reeds lang overleden Mama het haar ook had voorzegd: zonder bijzondere talenten, niet echt knap van uiterlijk, en zonder geld, had haar beste kans om een behoorlijke echtgenoot te krijgen gelegen in haar enige schoonheid, dat prachtige haar. Maar *oh*, de opluchting, toen ze zich er met de trouwring veilig om haar vinger eindelijk van had kunnen ontdoen, ten faveure van het korte, praktische kapsel dat ze sindsdien altijd had gehouden.

Zij en Prue hadden al voordat Rose geboren was haar toekomst helemaal uitgestippeld en na Prues overlijden had Betty de verdere opleiding van het kind ter hand genomen. 'Wanneer Henry later de boerderij overneemt,' merkte ze op, terwijl ze de zevenjarige Rose wegwijs maakte in het dekken van de tafel, 'zal hij zijn thee precies om vijf uur op tafel verwachten...' 'Wanneer Henry de boerderij overneemt,' toen ze de achtjarige Rose onderrichtte in de schone kunst van het pasteimaken, 'zal zijn vrouw goed moeten kunnen koken...' 'Wanneer Henry de boerderij overneemt,' bij het toezicht houden, terwijl Rose, bijna tien, de gewassen lakens voor het strijken met stijfsel besprenkelde, 'zal hij willen dat zijn bed eens per week verschoond wordt...'

'Maar als Rose nou eens besluit dat ze niet met Henry wil trouwen?' had Alice, net veertien en al vol belangstelling voor jongens gevraagd. 'Als ze nou eens op iemand anders verliefd wordt?'

'Doe niet zo gek, kind,' had Betty gezegd, de tegenspraak van haar dochter achteloos van tafel vegend. 'Met wie zou ze anders trouwen? Ze zijn perfect voor elkaar.' Toen Henry kort na zijn vijf-tiende verjaardag Rose had uitgenodigd voor de film, was ze vol triomf. 'Zie je wel?' mimede ze naar Alice toen zij tweeën de kin-deren uitzwaaiden bij hun vertrek met de bus naar Ipswich voor een avond verlegen hand in hand zitten op de achterste rij van het Regal. 'Wat heb ik je gezegd?'

Tegen de tijd dat Henry op een warme septemberavond in 1938 Rose haar eerste kus gaf tijdens de wandeling van het oogstfeest naar huis, barstte Rose' trouwkist, door Prue begonnen toen Rose drie was en door Betty na de dood van haar vriendin verder gevuld, uit zijn voegen van de lakens, dekens en tafellinnen, en was Betty al plannen aan het maken voor het huwelijk: 'Begin juni, denk ik. Dan zijn de rozen op hun mooist, en in die tijd van het jaar is het weer meestal wel betrouwbaar...'

Het hielp natuurlijk dat Rose Henry altijd had geadoreerd. Ook na haar terugkeer naar Waterslain was ze, misschien meer nog dan Betty's eigen dochter, een lid van het gezin gebleven en binnen blij-ven wippen op haar weg van en naar school. Tijdens de zondags-dienst zat ze altijd naast Henry in de bank van de familie. (Tom weigerde koppig met haar mee te gaan, onder het gegromd verweer: 'Waar moet *ik* God voor bedanken?') Rose was liefdevol, betrouw-baar, loyaal; ze zou niet telkens over Henry's schouder kijken en zich afvragen of het gras aan de andere kant van de heuvel groener was.

Volgens Betty was het de plicht van een echtgenote om de huis-houdelijke kant van de dingen tiptop te regelen, zodat haar weder-helft zich kon concentreren op de veel belangrijker taak om voor brood op de plank te zorgen; dat was tenslotte de overeenkomst die zij op *haar* trouwdag was aangegaan. 'In ruil voor de geborgenheid van het huwelijk,' hield ze Alice voor toen deze de draak met haar ouderwetse ideeën stak, 'zien we erop toe dat onze mannen nooit met onbenulligheden worden lastiggevallen. We rapen hun sokken op, maken hun bed op, koken hun maaltijden, wassen hun kleren, baren hun kinderen, en in ruil daarvoor zorgen ze voor ons, koes-teren ons en houden ons in ere, beschermen ons. Eerlijker kan toch niet?'

'Maar vraagt u zich nooit af of het al dat gesjouw waard is?' vroeg Alice. 'Al dat gesloof alleen voor een dak boven je hoofd?'

'*Zo* is het helemaal niet,' antwoordde Betty verontwaardigd. 'Het feit dat ik je vaders vrouw ben geeft me status, waardigheid, een *positie* in de gemeenschap. Wat kan een vrouw nog meer willen...?'

'Ik wou alleen dat Reuben en Henry wat meer hun best zouden doen om met elkaar overweg te kunnen,' zei Rose nu. 'Soms denk ik dat ze elkaar gewoon expres dwarszitten om mij te pesten.'

In Reubens ogen kon Henry niets goed doen. Het was niet zo dat hij het niet geprobeerd had, al was het maar omdat Rose het hem had gevraagd, door bijvoorbeeld Reuben een opgewekt klopje op zijn hoofd te geven wanneer hij Rose kwam halen voor een avondje uit: 'Alles goed met je joh?' Of: 'Hoe gaat het met lezen?' Maar geen van zijn toenaderingspogingen had gewerkt. Reuben reserveerde zijn vuilste blikken, zijn onvriendelijkste eenlettergrepige antwoorden voor Rose' vriend, en toen Henry om een grapje te maken de vergissing beging hem Leckie te noemen, kreeg hij te horen dat hij zijn stomme verbasteringen voor zich kon houden. En nu, na vier keer in evenzovele dagen zijn neus te hebben gestoten, probeerde Henry zelfs niet meer vriendschap met Reuben te sluiten.

'Wat doe ik nou verkeerd?' had hij zich bij Rose beklaagd. 'Ik ben nooit ook maar in de verste verte onaardig tegen hem geweest.'

'Nee,' gaf Rose toe, waarna ze zachtmoedig vervolgde met een advies: 'Maar misschien zou je kunnen proberen wat minder neerbuigend te doen.'

'Hoe bedoel je, neerbuigend?' Henry was oprecht verbluft. 'Wat is er neerbuigend aan als ik hem vraag hoe het met hem gaat?'

'Het is niet *wat* je zegt, het is *hoe* je het zegt. Je behandelt hem als een kind.'

'Maar hij *is* een kind.'

'Hij vindt van niet.'

'... En zeg nou zelf, hij is een beetje traag, waar of niet? Ik bedoel, als je op zijn leeftijd maar net kunt lezen en schrijven.'

'Dat kun je hem niet bepaald kwalijk nemen.' Rose sprong onmiddellijk voor haar beschermeling in de bres. 'Als jij zeven jaar plat op je rug in een ziekenhuisbed had gelegen, zou het je ook niet echt meevallen, vooral als je om te beginnen praktisch geen woord Engels sprak. Hoe dan ook, ook al *was* hij dom, wat hij niet *is*, dan is het nog steeds geen reden voor je om hem als een imbeciel te behandelen.'

'Ik weet niet waarom je alsmaar zo over hem doordraaft.' Het was nu Henry's beurt om verontwaardigd te zijn. 'De afgelopen weken heb je het nergens anders over gehad!'

'Doe niet zo belachelijk!' gaf Rose terug. 'Je bent gewoon jaloers, da's alles, omdat ik hem een beetje aandacht geef.'

'Hah!' snoof Henry. 'Jaloers? Op dat onderdeurtje? Laat me niet lachen!'

Voor het eerst scheelde het niet veel of ze hadden echt ruzie gekregen, en Reuben zou het prachtig hebben gevonden als hij hen had kunnen horen.

'Klaar Rosie?' Henry's dikke bruine haar was nog vochtig en zijn gezicht zag roze van het boenen. In zijn knisperfrisse witte overhemd, vers gestreken door zijn moeder, zijn lakense vest en corduroy-broek was hij bijzonder knap om te zien, de knapste jongeman van Nettlebed. Hij pakte zijn jasje, door Betty afgesponst en geperst, met een zwierige zwaai van de rug van de stoel. 'We moesten maar eens wat voortmaken, of de wedstrijd is half voorbij tegen de tijd dat we er zijn.'

'Ach, Henry!' Betty legde het laatste knoopje in de draad om het doekje om de kom. 'Ik heb Walter een zak aardappelen in ruil voor de hoofdkaas beloofd. Zouden jullie die onderweg naar de Bell even langs kunnen brengen op Marsh End?'

'Nee,' zei Henry verbolgen, 'het is tien minuten lopen de verkeerde kant op.' Maar hij reageerde te langzaam. Betty was het vertrek al uitgezoefd zonder het antwoord af te wachten.

Hij leek vandaag nog meer gespannen dan gewoonlijk, dacht Rose toen hij hevig gefrustreerd met een gebalde vuist een klap op de tafel gaf. 'We kunnen het toch best even doen?' begon ze op verzoenende toon.

'Waarom *luistert* ze nou verdomme nooit eens!' beklaagde hij zich bitter, met een woedende blik naar de lege deuropening, ondertussen zijn haar afwezig droogwrijvend met een theedoek. 'Ze denkt altijd alleen maar aan wat *zij* wil.'

'Henry...'

'Sorry.' Hij trok een gezicht, gooide de theedoek op tafel, rukte een stoel naar achteren en liet zich er zwaar op neervallen. 'Let maar niet op mij, Rosie, ik heb er zo genoeg van.'

'Van mij?'

'Nee!' zei hij geschrokken. 'Waarom zou ik genoeg hebben van jou? Het komt gewoon door... Trouw met me, Rosie!'

'Wat?'

'Laten we gaan trouwen. Nu, zo gauw mogelijk. Wat zeg je ervan?'

Een ogenblik kon Rose helemaal niets zeggen. Jaren droomde ze al van dit moment, had er zelfs een verlanglijstje voor opgesteld van geschikte romantische plekken – in Mars Hill Spinney wanneer de grasklokjes bloeiden; bij Bailey's Pond in midzomer; onder de els stroomafwaarts van Waterslain waar de rivier aan het eind van het grasland een U-bocht maakte. Ze kon Betty horen rondstommelen in de melkkelder, en Jack en Sammy brullend langs het raam horen rennen omdat ze zogenaamd leeuwen waren die hun dominantie lieten gelden, terwijl de meisjes in gespeelde angst gillend over het erf vluchtten en George, bezig de koeien na het melken de stal uit te drijven, hen toeschreeuwde: 'Hoepel op, schoffies, of ik komp nooit thuis foor me thee!'

'Oh...' stamelde ze perplex. 'Ik... eh...'

Henry stond met een ruk op. Hij stampte om de tafel heen en liet zijn armen om haar middel glijden, trok haar dicht tegen zich aan. 'Alsjeblieft?' vroeg hij smekend.

Hoe zou ze tegen kunnen stribbelen? Dat zalige gevoel stroomde weer door haar heen, net zoals toen in de bioscoop toen hij zei dat hij van haar hield. Het verwarmde haar van top tot teen, en ze leunde tegen hem aan, genietend van de frisse stijfselgeur van zijn overhemd, de kracht van zijn armen. Hij gaf dus *echt* om haar, om die gewone, saaie oude vertrouwde Rose, met wie hij praktisch al zijn hele leven optrok. 'O Henry,' murmelde ze, zich op haar tenen verheffend om een kus op zijn mond te planten, '*natuurlijk* trouw ik met je...'

Ze hoorden het allebei: een licht gegiechel achter hen. Daar stonden ze allemaal, Jack, Sammy, de drie kleine meisjes, Ruby, Marlene, Nettie – of was het Nellie? Rose wist het nooit. – met hun allen in de deuropening gepropt, duwend en trekkend en porrend, groezelige vuistjes in hun monden stoppend om hun lachen te dempen. Henry liet Rose los en stevende met grote stappen op hen af, in gespeelde woede grommend: 'Wegwezen jullie, kleine mormels, voordat ik jullie een afrossing geef!' En ze stoven weg de gang in, onder plagend gejoel van: 'Tante Betty! Tante Betty! Henry en Rosie gaan trouwen!'

'Wát!' hoorden ze Betty zeggen en daarna de kinderen allemaal tegelijk gieren: 'Echt waar, echt waar, we hebben 'm *gehoord*!'

'Henry?' Betty's roep dijde uit tot een vervaarlijke schreeuw. 'Hen-r-yyy!'

Henry greep Rose bij de hand en trok haar mee naar de deur. 'Vlug. Als ze ons te pakken krijgt komen we nooit meer weg!'

'*Henry*?' Terwijl Henry en Rose door de achterdeur ontsnapten kwam Betty de gang in vliegen, roepend: 'Henry, kom nu *meteen* terug!' Maar tegen de tijd dat ze, op de hielen gevolgd door een kluit joelende kinderen, het erf bereikte, verdwenen zij al in het schemerdonker. Op haar neus kijkend bleef ze even op adem staan komen en marcheerde toen resoluut naar de tractorschuur, al roepend: 'John! John, waar ben je? Henry heeft het *gedaan*! Hij heeft 'r ten huwelijk gevraagd!'

Toen ze de ommuurde tuin voor het huis voorbij waren begonnen ze langzamer te lopen. Er was geen maan, maar vóór hen baadde de weg in een griezelige gloed van een half dozijn verre, nog steeds hevig woedende branden na de bombardementen van de afgelopen nacht.

'Alles goed?' vroeg Henry naar Rose' hand tastend.

'Mm,' loog Rose haar vingers door de zijne vlechtend. 'En met jou?'

Even was het stil en toen kwam Henry's stem van ergens boven haar rechteroor, even bibberig als zij zich voelde: 'Kon niet beter.'

'Henry...'

'Ja?'

'Meende je 't?'

Hij bleef zo plotseling staan dat ze er van schrok. 'Natuurlijk meende ik het. Jij niet?'

'Jawel... het is alleen zo onverwacht.'

'Voel je het dan ook niet, Rosie?' vroeg hij, haar hand steviger omklemmend. 'Je *moet* het toch wel voelen! Het is overal. Zo'n gevoel van... *nu of nooit*. Als we het niet in het nekvel grijpen zolang we nog kunnen zal het door onze vingers glippen.'

'Wat?'

'Het leven, Rosie. Het leven.'

Ze tuurde in het onzekere licht naar hem omhoog. 'Henry...'

'Stel dat het al te laat is?' Over de velden kwam het zwakke geluid van een brandweerwagen die naar de zoveelste noodsituatie ijlde.

'Stel dat het al bijna voorbij is en dat we het alleen niet weten?'

Dit had helemaal niet met haar te maken, schoot Rose door het hoofd, dit had te maken met Charlie Cottle, Simon Roberts, Willie Thompson, Alf Tindall, Bob en Eddie Partridge. 'Weet je het nou wel zeker?' vroeg ze opnieuw. 'Weet je echt *zeker* dat je met me wilt trouwen.'

'Natuurlijk weet ik dat zeker. We zijn voor elkaar bestemd, jij en ik.'

'Waarom, omdat je moeder het zegt?'

'Doe niet zo raar.' Hij bleef staan en trok haar dicht naar zich toe. 'Denk je dat ik je daarom gevraagd heb? Omdat Bazige Betty de dorpszaal al heeft besproken voor de receptie?' En toen kuste hij haar, een lange trage kus, heel anders dan de kuise kusjes waarmee hun avondjes-uit gewoonlijk eindigden. Hij smaakte naar de haastige slokken Campkoffie die hij had gedronken toen hij binnenkwam. Het was een bedwelmende, opwindende kus, en Rose beantwoordde hem gretig.

'Henry,' murmelde ze toen hij haar ten slotte losliet, 'ik hou *echt* van je...'

'Mooi zo,' zei hij op energieke toon. 'Zullen we dan nu maar doorlopen?' En haar hand beetpakkend zette hij er zo stevig de pas in dat ze hem nauwelijks kon bijhouden.

Ze sloegen Church Lane in en kwamen langs de arbeidershuisjes die bij Holly Farm hoorden: Lindenlea, waar George Partridge al twintig jaar woonde, en Silverlea, waar de afvalhopen zich opstapelden in de voortuin. De geëvacueerde moeder met haar zwerm kinderen leek geen moeite te veel om Betty's theorie te bewijzen dat de arbeidende klasse geen flauw idee had hoe ze zich moest gedragen. Voortlopend langs de taxusheg om het kerkhof wierpen ze onbehaaglijke blikken op de grafstenen die zwak oplichtten in de rossige schemer, en gluurden door het toegangshek naar de kerk met zijn vuurstenen gevel, ronde toren en hoge gebogen ramen die in het begin van het jaar waren dichtgespijkerd om te voorkomen dat een verdwaalde bom het middeleeuwse gebrandschilderde raam boven het schip op zou blazen. Ze liepen door langs de school van Nettlebed, de hoofdstraat in, waar de weg zich in tweeën splitste om de vijver met het grasveld eromheen dat in het voorjaar was omgeploegd en met groenten ingezaaid voor een nuttige bijdrage aan de oorlogsinspanning. Ze passeerden de verduisterde, afgeplakte etalage van Metlers bakkerij, dan het postkantoor, en wuifden naar Bert Tinball die nog een wandelingetje maakte voordat hij naar huis ging om de avond in zijn werkplaats door te brengen met het nakijken van zijn stokoude lijkwagen, biddend dat hij hem niet voor zijn eigen zoon zou hoeven gebruiken. Zijn vrouw Maggie was de productiefste breister bij de huisvrouwenvereniging, en liet avond na avond wollen dassen en handschoenen en bivakmutsen van haar naalden glijden voor 'de dappere jongens overzee' in afwachting van de veilige terugkeer van haar eigen dappere jongen – haar oudste, Alf.

Henry bleef grinnikend bij de deur van de kroeg staan. 'Laten we het ze hier meteen vertellen,' zei hij, de kruk neerdrukkend. 'Mam zal woedend zijn: hoort de hele kroeg het nieuws eerder dan zij!'

Binnen was het lawaai oorverdovend. De bar was afgeladen: het bataljon dat op het speelveld naast het station van Market Needing bivakkeerde was meegekomen om het uit-spelende team te steunen en de zaal was een zee van soldaten die zich drie rijen dik voor de bar verdrongen of overal in het zaaltje in groepjes bijeenstonden, hun ruggen warmend voor het vuur, elke beschikbare stoel bezettend, zodat de dorpsbewoners naar de verste uithoeken verwezen werden. De tafels stonden vol vuile glazen en overstromende asbakken, de vloer plakte van het gemorste bier, en het zag er blauw van de rook. Het kabaal was zo oorverdovend dat toen Henry zich omdraaide en iets tegen Rose zei, ze geen woord verstond.

'*Wat?*' gilde ze.

'*Te vol!*' herhaalde hij met zijn mond pal tegen haar oor, '*wegwezen hier.*' En toen keerde hij zich om en liep met snelle stappen weer naar buiten.

Ze hoefde niet te vragen wat hem dwars zat, Rose zag het aan zijn gezicht. Het deed er niet toe dat hij te jong was, dat hij op de boerderij meer aan de oorlogsinspanning kon bijdragen dan in het leger. Hij wilde meedoen, erbij horen zoals die soldaten in de bar, meetellen. Zijn burgerstatus vernederde, verlaagde hem, en niets wat ze kon zeggen of doen, zelfs niet haar ja-woord, zou hem er positiever over doen denken. 'Ik zal je naar huis brengen,' zei hij, en beende voort, plotseling weer even ver van haar verwijderd als altijd.

Pa was naar bed gegaan en Reuben zat aan de tafel in de keuken. Henry wilde niet blijven. 'Moet weer vroeg beginnen,' zei hij met een oppervlakkig kusje op Rose' wang. 'Het is mijn beurt om te melken. Ik zal morgen met Tom komen praten.' Maar onderweg naar de deur bleef hij even staan: 'Je bent toch niet van gedachten veranderd? Nee? Dan zal ik het Mam en Pap vertellen wanneer ik thuis ben.' Hij trok een gezicht. 'Wens me maar geluk met Bazige Betty,' en toen was hij de deur uit, Rose achterlatend met een vaag bekocht gevoel, omdat de belangrijkste avond van haar leven op de een of andere manier bedorven was door de dreigende schaduw van... wat? Hoe lang zou hij de aantrekkingskracht van het kaki-uniform kunnen weerstaan? En hoeveel toekomst zouden ze samen hebben, indien – wanneer – hij ervoor bezweek?

'Ik moet je wat vertellen,' begon ze onder het uittrekken van haar jas. 'En ik moet jou iets laten zien,' antwoordde Reuben. 'Hij is nog niet helemaal klaar, maar Tom zegt dat hij hem echt wel goed vindt worden.'

Haar nieuws kon wel wachten, besloot Rose, er was geen haast bij. Ze hing haar jas aan de bijkeukendeur, trok een stoel bij en ging zitten.

Ze wist natuurlijk van het kistje – Pa had het er meer dan eens over gehad – en nu zag ze het voor het eerst van dichtbij. Het zat nog niet zo netjes in elkaar, de verbindingen pasten slecht en de inkepingen voor de scharnieren waren te diep. Maar in het houtsnijwerk op het deksel, een reliëf bestaande uit een koppel op het water drijvende zwanen die met hun gebogen halzen een hart op het hout vormden, zat zoveel energie opgesloten dat ze bijna zou menen dat de vogels elk moment klapwiekend op konden vliegen.

'O,' riep ze uit, 'Reuben, het is *prachtig*.'

Hij zat van oor tot oor te grijnzen, barstend van trots over wat hij gemaakt had.

'En wat is nou jouw nieuws?' vroeg hij.

Rose haalde diep adem. Misschien zou het reëler voor haar worden als ze het hardop zei. 'Henry heeft me gevraagd met hem te trouwen.'

De glimlach gleed weg van Reubens gezicht. 'En wat heb je gezegd?'

'Nou, ik heb ja gezegd natuurlijk.'

Hij schoof zijn stoel achteruit, greep zijn stok, en scharrelde met een nijdige blik naar haar overeind. 'Wat heb je nou met *hem* te trouwen?' snauwde hij. 'Hij zal je van Waterslain weghalen.'

Rose voelde zich overspoeld door een gevoel van totale uitputting. Hier had ze nu even geen behoefte aan. 'Ik ga naar bed,' zei ze, 'wil je nog iets warms drinken voor ik ga?'

'Nee,' zei hij afgemeten.

'Slaap lekker dan.'

Hij gaf geen antwoord. Hij zakte terug in zijn stoel, deed het deksel van zijn kistje open en dicht, liet zijn vingers over die schitterende zwanen glijden.

Ze pakte haar kaars van de schoorsteenplank, stak hem aan. 'Reuben?'

Hij wilde haar niet eens aankijken. 'Wat?'

Het vlammetje flakkerde in de koude tocht van de trap en ze schermde het af met haar hand. 'Ik ben blij dat je op Waterslain gekomen bent.'

Hij schonk haar een lange, doordringende blik. 'Meen je dat nou?'

'Natuurlijk meen ik dat.'

'Dan ben ik het ook,' kwam hij haar onwillig tegemoet, ''trusten.'

De ontdekking toen ze de trap opliep dat ze er *echt* blij om was, was even onverwachts als verheugend, maar de verbetering van haar stemming duurde niet lang; ondanks haar vermoeidheid lag ze nog uren wakker, nadenkend over Henry, piekerend over de teleurstellende avond en zich afvragend wat ze dan toch verwacht kon hebben dat ze zich zo in de kou gezet moest voelen. Domkop, berispte ze zichzelf, om te denken dat het echte leven net als in Ma's romannetjes zou zijn. Toch bleef het tot in de kleine uurtjes door haar hoofd spoken en toen ze ten slotte indommelde, net toen de nieuwe dag aanbrak, droomde ze dat haar nieuwe broer naar Polen was teruggekeerd en was innig bedroefd over haar verlies. Het was allemaal zo vreselijk verwarrend...

Ze vertelde Pa het nieuws de volgende morgen. Het kwam niet bepaald als een verrassing, tenslotte luisterde hij nu al jaren naar Betty's plannen voor haar toekomst, en hoewel hij voorzichtig opperde dat ze misschien nog een beetje jong was om zich te verloven maakte hij geen serieuze tegenwerpingen. Na een nonchalant felicitatiekusje in de richting van haar wang slenterde hij weg naar de schuur om weer aan het werk te gaan, net als op elke andere dag. Met Reuben ging het allemaal iets anders. Had ze de vorige avond de storm maar net kunnen bezweren, die ochtend kostte het haar tien minuten en een extra lik kostbare boter op zijn toast voordat hij zelfs maar iets tegen haar wilde zeggen.

'Het zal nog een hele tijd duren,' stelde ze hem gerust, 'jaren nog waarschijnlijk. Tante Betty zegt dat eenentwintig een goede leeftijd is om te trouwen. Bovendien, ook al zou ik morgen in het huwelijksbootje stappen dan zou ik nog elke dag langskomen om te zien hoe het met jou en Pa ging.'

'*Hoe*veel jaren?' wilde Reuben weten.

'Ik weet niet, twee, drie misschien. In ieder geval pas wanneer deze afschuwelijke oorlog voorbij is.'

'Dan ben ik hier niet meer,' verklaarde hij op sombere toon. 'Dan ben ik weer terug in Warschau, waar of niet?'

'Ja, dat zal wel,' zei Rose, terugdenkend aan haar droom van de afgelopen nacht, 'maar dat we in andere landen zitten wil niet zeggen dat we het contact hoeven te verliezen. Je zou zelfs voor de bruiloft over kunnen komen, per slot van rekening ben je nu familie.'

'Zou kunnen,' zei hij mokkend, 'maar hoe moet Tom het redden wanneer we er allebei niet meer zijn?'

'Heb ik al gezegd. Ik blijf voor hem zorgen, net zoals ik altijd heb gedaan.'

Nippend aan zijn thee overdacht hij het idee. 'Hou je van hem?' vroeg hij abrupt.

'Van wie, Pa?'

'Nee, van *Henry*, sufferd.'

'Natuurlijk,' zei ze gedecideerd. 'Ik hou al... o, eeuwen van hem.'

Reubens gezicht bewolkte en hij stond met een ruk van tafel op. 'Ik moet maar eens aan het werk,' zei hij op norse toon. 'Tom zal zich wel afvragen waar ik blijf.' En toen hinkte hij zonder om te kijken weg, zodat Rose beduusd naar de lege deuropening starend achterbleef.

Ze had het weer verprutst...

7

*D*e mengeling van geuren van de melkstal – mest, ontsmettingsmiddel, hooi, de specifieke geur van natte warme koeienlijven – was even kalmerend en vertrouwd als de geluiden; het zachte zoemen van de separator in de aangrenzende ruimte, het schrapen van hoeven wanneer Bluebell, Cowslip, Marigold en de andere dieren hun poten verplaatsten op de cementvloer, het zoeven van zwaaiende staarten en het rammelen van de kettingen. Met heen en weer zwaaiende kop en vochtige bruine ogen volgden de beesten Rose op haar gang langs de boxen.

John was er nog, achter in de stal bezig de zuignappen los te maken. 'Lieve meid,' zei hij hartelijk, terwijl hij Jasmines ketting loshaakte en onder de stangen door dook om een besnorde kus op Rose' wang te planten, 'ik kan je niet *zeggen* hoe blij ik over jou en Henry ben!' Hij gaf Jasmine een klap op haar flank om haar het erf op te sturen. 'Ik ben er vanmorgen nog steeds wat van slag van, zoals je wel kunt zien.'

Hij was inderdaad erg laat, besefte Rose, toeschietend om Primrose uit haar box te laten, hij was nog maar net klaar en het was al over achten. En waar was Henry, die hem hier aan het helpen zou moeten zijn?

'Ik vind wel dat jullie moeten weten,' vervolgde John, Buttercup achter Jasmine aan sturend, 'dat jullie tante Betty's hart gebroken hebben – ze heeft al die jaren al plannen gemaakt voor een trouwerij in juni en nou zegt Henry dat hij het allemaal met de kerst achter de rug wil hebben.'

'Oh?'

Rose' twijfels moesten op haar gezicht af te lezen zijn. 'Nou ja,' zei John vlug, 'ik zal het wel weer niet goed begrepen hebben, zoals gewoonlijk.' Hij bleef even staan om Clover, de matriarch van de kudde en zijn lievelingskoe, nog lekker wat achter haar oor te krabben, en liep toen door om Poppy los te laten. 'Heb waarschijnlijk weer niet goed opgelet.'

Behendig opzij stappend toen Lavender het hellinkje voor haar box afdenderde om zich bij haar zusters te voegen, liet Rose voor de zoveelste keer in gedachten Henry's aanzoek de revue passeren. Vroeg in de morgen wakker liggend had ze hem wel tien keer opnieuw horen zeggen: '... *trouw met me Rosie, nu, zo snel mogelijk...*' en zichzelf in de arm geknepen van pure verrukking dat hij haar zo graag wilde. Maar het was geen seconde bij haar opgekomen dat John en Betty hen holderdebolder zouden laten trouwen, zelfs als Pa voor het idee te porren was. Per slot van rekening moest Henry over twee weken achttien worden, en zij was net zeventien.

'O hemeltje,' zei ze, van haar stuk gebracht door Johns kennelijk vlot instemmen met de gedachte, 'ik heb tegen Reuben gezegd dat het nog jaren zou duren.'

'Ah.' John trok nadenkend aan zijn snor. 'Wordt dat Poolse knaapje een tikje bezitterig?'

'Helemaal niet,' zei Rose verdedigend, 'hij heeft alleen de laatste tijd zoveel schokken gehad, met het verlies van zijn nicht en de onzekerheid of zijn familie nog leeft of dood is, en dan nog al die narigheid met Billy Helms op school... Oom John, heeft u Henry vanmorgen al gezien?'

'Eh?' John staarde haar niet-begrijpend aan. 'Ik nam aan dat hij naar jou toe was toen hij niet voor het melken kwam opdraven. Toen Betty Jack en Sammy naar het station moest brengen was de auto er niet, zie je, en uiteindelijk moesten ze met de truck gaan, anders hadden ze hun trein nog gemist...' Hij wreef langs zijn snor, fronste zijn voorhoofd.

'Waar kan hij dan heen zijn gegaan?' Stel dat hij van gedachten was veranderd, dacht Rose. Stel dat hij had besloten dat hij toch eigenlijk niet met haar wilde trouwen?

John liep naar de waterslang om met het schoonspuiten te beginnen. 'Er zal vast een heel goede verklaring voor zijn,' zei hij sussend. 'Hij zal wel een of andere boodschap hebben moeten doen die hem door alle opwinding van gisteravond door het hoofd geschoten is...'

'Ja,' zei Rose onzeker, aarzelend. 'Ja, u zult wel gelijk hebben. Zal ik de koeien het laantje door helpen?'

'Zou je het heel erg vinden, meissie?' John draaide de kraan open en liet de waterstraal over de vloer heen en weer bewegen. 'Ik maak het hier even af en dan kom ik zo weer. Horrie Tindall komt ons helpen met de... Rosie?'

Ze bleef halverwege de boxen staan. 'Ja?'

'Geen zorgen, meissie, hij komt heus wel weer terug.'

'Ja, natuurlijk.'

Zo'n *goed* meisje, dacht John, door de open deur toekijkend hoe ze Clover en de andere het koeienpaadje opdreef, en met zachte hand naar het laantje en Long Tye dirigeerde. Ze had vanaf de dag dat ze op Holly Farm kwam wonen, kort na de dood van die arme Prue, met de beesten geholpen. Het had Betty soms zelfs flink gehinderd dat het kind liever buiten leek te zijn, waar ze zonder angst tussen de koeien voortstapte in een oude korte broek van Alice en een te groot paar waterlaarzen, met een stevige stok zwaaiend en met een schel stemmetje 'Hup! Hup!' roepend, in navolging van George. Ze had in de herfst schelven helpen optasten en daarbij haar beentjes tot bloedens toe opengehaald, zonder één enkele klacht. Ze had verweesde lammetjes met de fles grootgebracht, bieten getopt. Maar ze was ook gewend om hard te werken, had voor haar vader moeten zorgen vanaf dat ze nauwelijks tien was.

'Absoluut *fantastisch* nieuws,' had Betty gezegd toen Henry ermee kwam, en stond John iets aarzelender tegenover de snelheid waarmee zijn zoon een dergelijke gewichtige stap wilde zetten, dan was het meer vanwege een in zijn achterhoofd knagende twijfel betreffende Henry's geestelijke volwassenheid dan vanwege zijn keuze van echtgenote. Niet dat zijn mening er veel toe deed, natuurlijk. 'Het mooiste kerstcadeau dat ze ons maar hadden kunnen geven!' had Betty gejubeld, 'absoluut *heerlijk* nieuws! Ik moet dadelijk met dominee Glasswell gaan praten over de huwelijksaankondiging.'

Maar nu hij duidelijk zag dat Rose niet zo gelukkig was met het idee zich overhaast in het huwelijk te storten, vroeg hij zich af of hij er niet een stokje voor had moeten steken.

John reikte naar de bezem en begon het vuile water in de afvoergoot te vegen. Waar *was* Henry 'm nou voor de donder naar toe gesmeerd? vroeg hij zich af. Als hij de auto dus niet had genomen om Rose op te zoeken, waarvoor dan wél?

Het werd een frustrerende, zenuwslopende dag, waarop John op de tractor heen en weer hobbelde over de hellende akker, terwijl Rose probeerde Horrie Tindball – een trage, onhandige knaap die duidelijk geen aanleg voor het werkje had – de kunst van het toppen van de voederbieten bij te brengen. Bij het vorderen van de ochtend raakte Rose steeds meer geagiteerd. 'Als Henry nou eens iets is overkomen?' vroeg ze toen ze het werk onderbraken voor hun elfuurtje, 'stel dat hij ergens bewusteloos in een sloot ligt?'

'Het heeft geen zin je van alles in het hoofd te halen,' wees John haar zachtmoedig terecht. Maar toen de uren voorbijgingen en er nog steeds geen Morris in het laantje verscheen viel het hem steeds moeilijker zijn eigen bezorgdheid te verbergen.

Tegen de tijd dat ze eindelijk autowielen op het met kinderhoofdjes geplaveide erf hoorden, stond de theemaaltijd al ruim een uur klaar en waren Ruby en Marlene, die Nettie en de jongens misten, dwars en huilerig van de honger. Rose had genoeg tijd gehad om zich naar Waterslain te haasten, Tom en Reuben te eten te geven, en weer de hele weg terug te hollen.

'Noem je dit een tijd om thuis te komen?' wilde Betty op boze toon weten, de meisjes opzijduwend om de ketel met een klap opnieuw

81

op het vuur te zetten. 'En sinds wanneer vind je het gewoon om de auto mee te nemen zonder het zelfs maar te vragen?'

'Sorry,' zei Henry. Hij stond van oor tot oor te grijnzen, gloeiend van trots over wat hij hun te zeggen had. 'Ik ben naar Bury St. Edmund's geweest. Ik ben bij het leger gegaan.'

8

———◦◎◦———

$\mathcal{H}$et was een afschuwelijke maaltijd. Henry zat met een rood gezicht van trots en opwinding op te scheppen over hoe hij de rekruterend officier wijs had kunnen maken dat hij al achttien was. Betty was woedend dat hij dit zomaar achter haar rug had gedaan, en John zat grauw en stil van de schok aan het hoofd van de tafel, terwijl Ruby en Marlene druk om Henry heen sprongen en wilden weten wanneer hij zijn uniform zou krijgen, of hij een groter geweer zou krijgen dan hij al had.

'Waarom moest je nou alles in gevaar gaan brengen, terwijl je nog niet eens bent opgeroepen?' vroeg Rose kwaad toen Henry haar naar huis bracht. 'En er zo stiekem vandoor te gaan... ik heb de hele dag lopen denken dat je een ongeluk had gehad.'

'Ja, het *spijt* me, het *spijt* me,' snauwde Henry ongeduldig. 'Hoe vaak moet ik het nog zeggen?'

'Het spijt je helemaal niet,' gaf Rose nijdig terug, 'dan zou je het helemaal niet gedaan hebben...'

Ze werd onderbroken door een gillende sirene, geronk van vliegtuigmotoren, en daarna het gedempte *boem, boem, boem* van bommen die in de verte vielen. 'Zie je nou?' riep Henry met stemverheffing boven het plotselinge lawaai uit. '*Daar*om heb ik het gedaan. Ik heb vanmorgen buiten het aanmeldingsbureau *uren* in de auto zitten nadenken of ik het wel of niet moest doen. Uiteindelijk heb ik het zo besloten: ik kan *helpen*, Rosie, ik kan iets *doen*...'

'Nee, dat kun je niet.'

'*Luister* nou eens naar me!' Hij greep haar bij haar armen en schudde haar door elkaar. 'Ik doe dit voor ons, voor jou en voor mij en voor onze toekomst. Ik doe het voor Mam en Pap en de boerderij, voor jouw pa, zelfs voor die manke stumper van een Reuben! Ik wil *mee*doen, Rosie – waarom *zou* ik erbij staan kijken, terwijl verder iedereen bij het leger gaat, alleen omdat mijn Pa toevallig boer is?'

'En Colin Burton dan?'

'Hoezo Colin Burton?' Hij liet haar abrupt los en beende verder, zo snel dat ze moest rennen om hem in te halen, met boze stappen door de plassen pletsend.

'Je hebt toch gezien wat er met hem is gebeurd! Hij heeft een vrouw en een baby. Hij had een goede baan voordat hij zich aanmeldde en nu zal hij waarschijnlijk nooit meer kunnen werken. Wat heb je aan een klerk met één arm?'

'Colin heeft gewoon pech gehad,' zei Henry afwerend, 'mij overkomt zoiets heus niet.'

Tom en Reuben stonden op de oever naast de buiten-wc naar de felle gloed aan de hemel te kijken. 'Mooi zo,' zei Henry. 'Kan ik tegelijk even met je Pa gaan praten.'

'Doe maar wat je wilt,' zei Rose kwaad, 'ik ga naar binnen,' en ze stampte weg naar het huis, vechtend tegen de tranen die op onverklaarbare wijze dreigden te gaan stromen.

Reuben kreeg haar in het oog, strompelde van Tom weg en volgde haar het huis in. 'Is het wel goed met je?'

'Ja,' zei Rose, heftig haar neus snuitend. 'Waarom zou het niet?'

Reuben haalde zijn schouders op. 'Je leek een beetje van de kook, da's alles.'

Rose verloor haar zelfbeheersing. 'Na*tuur*lijk ben ik van de kook: er gaan mannen en vrouwen *dood* in de wereld, moeders, vaders, kinderen ... of vind je dat het jou niet aangaat?'

Ze brak abrupt af. Wat een onvergeeflijke grofheid om zoiets te zeggen. 'O Reuben, neem me niet kwalijk. Let maar niet op wat ik zeg, ik wou helemaal niet...'

Hij wendde zich af, pulkte aan zijn stok. 'Wat moet die stomme Henry Catherwood hier? Komt hij afscheid nemen?'

'Wat?'

'Walter is daarstraks hier geweest,' zei Reuben, 'kwam Henry in Market Needing tegen, bezig de tank vol te gooien. Henry zei tegen hem dat hij onderweg was naar Bury om in dienst te gaan. Wist je het niet?'

Rose wierp hem een vernietigende blik toe. 'Natuurlijk wist ik 't,' loog ze. Hoe *durfde* Henry het wel aan Walter en niet aan haar te vertellen! 'Mag ik er even langs...' en ze liep naar buiten.

'Ah,' begroette Tom haar. 'Henry vertelt me net dat hij bij het leger is gegaan. Zegt dat jullie dadelijk willen trouwen. Klopt dat?'

'Ja,' begon Rose, 'maar...'

'Nou, dan...' Tom schuifelde met zijn voeten, 'dan laat ik jullie maar alleen, eh? Jullie moeten vast plannen maken.'

Opnieuw begon de sirene te janken, deze keer dichterbij. 'Rosie,' begon Henry terwijl Tom wegkuierde naar het huis, 'je begrijpt het toch wel?'

Rose slikte heftig. 'Ik denk het wel.' Ze staarde naar de grond. 'Maar...'

'Maar wat?'

'Henry, wat gaat er met ons gebeuren als jij weggaat?' gooide ze er uit. 'Ik ben nog nooit zonder jou geweest.'

'We zullen het best redden.' Hij tastte naar haar hand. 'Nee, we zullen het beter doen dan dat. Ik zal zorgen dat je trots op me kunt zijn, Rosie, ik zweer 't.'

'Maar ik bén al trots op je! Als je nou eens net zo terugkomt als Colin Burton? Stel dat je een arm verliest, of een been...' Ze klemde zich aan hem vast alsof ze hem daardoor op de een of andere manier tegen toekomstige gevaren kon beschermen, 'stel dat je sneuvelt?'

'Gebeurt niet.' Hij legde zijn wang tegen de hare. 'Er zal me niks overkomen, ik zweer het je.'

Hij geloofde echt wat hij zei, hij dacht dat hij onsterfelijk was. 'Alsjeblieft,' smeekte ze, '*alsjeblieft* Henry. Het is nog niet te laat.

Ga niet. Zeg ze dat je van gedachte veranderd bent. Zeg ze dat je je vergaloppeerd hebt. Je bent te jong. Je bent de zoon van een boer. Oom John heeft je nodig. Moet je zien wat er vanmorgen gebeurde; Horrie Tindall heeft geen flauw idee hoe je bieten moet toppen, we hebben vandaag maar net de helft de grond in kunnen krijgen. Als jij er geweest was...'

Hij kapte haar protesten halverwege af. 'Rosie, schei nou eens uit! Ik vind het jammer voor Pap, maar snap je het dan niet? Als ik dit nu niet doe zal ik me de rest van mijn leven blijven afvragen of ik een vent of een lafbek zou zijn geweest.'

Ze kwamen er niet uit, bleven in kringetjes ronddraaien. Henry maakte er ten slotte een eind aan, nam haar gezicht tussen zijn handen, en fluisterde heftig: 'Onthoud nou maar alleen dat ik van je *hou*,' draaide zich op zijn hakken om en liep weg.

'Ik hou ook van jou,' riep Rose kwaad zijn verdwijnende rug na. 'Waarom denk je anders dat ik wil dat je thuisblijft?'

De eerstvolgende dagen bracht hij zijn zaakjes in orde, maakte een testament – 'Niet dat me iets gaat overkomen hoor' – rooide de laatste voederbieten, pakte zijn spullen, gaf een laatste afscheidsrondje bij The Bell.

Rose werd in haar wanhopig verlangen om zoveel mogelijk van de weinige resterende tijd met hem door te brengen voortdurend in de wielen gereden door Betty's bemoeizucht, en pas de laatste dag lukte het haar een paar minuten alleen met hem te zijn door hem de lege melkstal in te trekken.

'Beloof me,' zei ze, 'beloof me alsjeblieft dat je voorzichtig zult zijn.'

'Natuurlijk zal ik dat. Ik ben terug voordat je het weet. Denk je eens in, Rosie, nog een paar maanden en dan zijn we getrouwd!' Hij kuste haar, een echte kus zoals die toen hij haar vroeg, en ze sloot haar ogen en vleide zich tegen hem aan, genietend van het moment.

'*Henrrrry!*' galmde Betty's stem langs de boxen zodat een troep mussen kwetterend opvloog naar de hanenbalken. 'Henry, als je nou niet komt mis je je trein!' Ze sprongen schuldbewust uiteen.

Daarop veegde Henry zijn mond af met de rug van zijn hand en beende het bleke herfstzonnetje in.

Toen de Morris over het erf wegreed verscheen zijn arm in een laatste groet uit het passagiersraampje. Daarna, zo snel dat Rose hem nog maar net een kushand toe kon werpen, was hij weg.

9

Henry's bataljon werd naar Norfolk gestuurd, daarna voor de basistraining naar Cambridge alvorens noordwaarts naar Schotland te gaan. Hij schreef vanuit Hawick, lange, van de hak op de tak springende brieven vol heimwee. Rose las ze, gezeten aan Betty's keukentafel, waarbij ze de ook voor andermans oren geschikte gedeelten hardop voorlas en de meer intieme voor later bewaarde. Hij miste haar, schreef Henry, hij hield van haar, hij kon niet wachten tot ze bij zijn eerste verlof weer samen zouden zijn. Rose voelde, diep onder de indruk van dit tastbare bewijs van een hartstocht waar ze tijdens hun zorgvuldig geregisseerde verkering zo zelden iets van had gemerkt, zijn afwezigheid des te schrijnender. Ze miste hem ook, schreef ze terug, ze dacht voortdurend aan hem.

Betty mikte voor de huwelijksdatum op begin februari, omdat het de dominee eerder niet lukte, 'want wie weet waar Henry volgende juni zal zijn en wat heb je eraan om op het goede weer te wachten wanneer hij als het zover is overzee zit?' Binnen achtenveertig uur na zijn vertrek had ze het nieuws van zijn verloving in het hele dorp rondgebazuind en was ze een genadeloze belegering van zijn bevelvoerend officier begonnen, die ze met vermanende telefoontjes bombardeerde tot hij zich bereid verklaarde een verlofpas voor vier dagen voor de gekozen data af te geven. 'We zijn allemaal zo *ontzaglijk* trots op hem,' vertrouwde ze miss Larkin op het postkantoor toe, 'dat hij als vrijwilliger zijn deel voor koning en vaderland is gaan doen zonder dat ze hem erom moesten vragen...'

Rose had behoefte aan bezigheid en ging weer aan het werk. Ze stond ter compensatie van Henry's afwezigheid vroeg op en sloot haar dag laat af, waarna ze in haar verduisterde slaapkamer tot in de kleine uurtjes bij het raam bleef staan luisteren naar de sirenes en kijken naar de langs de horizon woedende branden. Het was moeilijker dan ze had verwacht om de verbondenheid die zij en Henry hun hele leven met elkaar hadden gehad in stand te houden, maar uiteindelijk zou het allemaal wel goed komen, troostte ze zichzelf wanneer ze 's zondags voor zijn veilige terugkeer bad; tenslotte hielden ze toch van elkaar?

Toen Rose zoveel meer op Holly Farm te doen kreeg nam Reuben op Waterslain stilletjes steeds meer van de huishoudelijke karweitjes over. Hij kookte, waste, maakte schoon, verschoonde de bedden, hield het fornuis brandende. Begin december gaf Rose hem voor zijn vijftiende verjaardag twee zakdoeken met zijn initialen in een hoek geborduurd, met een knuffel erbij. En toen de feestdagen naderden begon hij ook te bidden, en een God van wie hij niet eens zeker wist of hij wel in Hem geloofde te smeken: 'Laat die stomme Henry Catherwood nog niet thuiskomen, laat me haar nog een klein beetje langer voor mezelf hebben...'

Als kerstcadeau gaf Rose hem een paar zelfgebreide handschoenen zonder vingers, zodat hij alleen nog in het allerkoudste weer niet in de schuur zou kunnen werken, en een bijna nieuw overhemd uit de tweedehandszaak in het dorp. Tom kwam met een nieuwe wandelstok op de proppen ter vervanging van zijn eerste, waar hij al te lang voor was geworden, plus een fraai houtsnijmes met een walnoten handvat en een uitklapbaar lemmet zodat hij het in zijn zak bij zich kon dragen. In zijn verlangen om Tom te laten blijken hoe dankbaar hij was voor het tehuis dat deze hem geschonken had, had Reuben ijverig coupons verzameld voor ingrediënten en een taart gemaakt met rozijnen, gekonfijte kersen en echte marsepein. Voor Rose had hij een vogel van limoenhout had gemaakt, hun vriendschap bezegelend met de dichtste benadering van een Canadese gans die hij kon bereiken.

Hij werd beloond met een stralende glimlach en een kus op de wang, maar zijn vreugde werd bedorven toen Rose zodra de lunch was afgeruimd en zelfs al voordat de taart werd aangesneden haar schort afdeed, haar jas aantrok, en heuvelopwaarts verdween naar Holly Farm, alleen maar omdat die stomme Henry Catherwood had beloofd te bellen. Erger nog, toen hij na haar vertrek haar slaapkamer binnensloop trof hij zijn geschenk aan op de vensterbank, naast een ingelijste foto van haar verloofde, welke aanblik hem voor de rest van de dag uit zijn humeur bracht.

10

$\mathcal{H}$et jaar 1941 begon in een roes van voorbereidingen. De dorpszaal werd geboekt voor de tweede zaterdag in februari en praktisch
elk huishouden in het dorp werd ingeschakeld om schragen aan te
leveren, linnengoed, serviesgoed, bestek. Betty had zelfs een inza-
meling bij de Huisvrouwenvereniging gehouden – een vervroegd
huwelijkscadeau, legde ze Rose uit toen ze met gebruikmaking van
kostbare benzine naar Ipswich reden voor iets om aan te trekken
op de huwelijksreis. 'Maar mijn trouwjurk dan?' vroeg Rose, twee
stappen achter Betty aan lopend terwijl deze rek na rek vol tweed
rokken en flanellen daagse japonnetjes doorsnuffelde. 'Dat blauwe
wollen jurkje dat u twee jaar geleden voor me heeft gekocht is nog
fris genoeg, en ik zou *zo* graag een echte...'

'Nou lieverd,' zei Betty op ferme toon, 'ik kan de dames van de
vereniging *echt* niet komen vertellen dat we hun royale cadeau hebben verspild aan een jurk die je maar één keer zult dragen, terwijl
we voor hetzelfde bedrag een nieuwe winterjas *en* een pakje voor
je kunnen kopen, vooral wanneer kleding elke dag kan worden ge-
rantsoeneerd, zoals Eileen Burton zegt. Het is onze *plicht* voor het
vaderland om er zo zuinig mogelijk mee om te gaan.'

In elke andere situatie zou Rose blij zijn geweest met de wollen
mantel in visgraatpatroon en het mantelpakje in de kleur van bloei-
ende heide, met het Russische jasje en de smalle rok waar haar keus
ten slotte op viel. En het was ondankbaar van haar, berispte ze zich-

zelf toen ze haar schoenen uitschopte en haar pijnlijke voeten boog en strekte terwijl Betty op de bestuurdersplaats schoof voor de rit naar huis, om zich zo tekort gedaan te voelen omdat geen van de bruinpapieren pakketten op de achterbank een witte japon bevatte...

Betty had alles nauwkeurig getimed: Henry zou de dag voor de bruiloft afreizen en op tijd op Holly Farm aankomen om met Rose te worden herenigd voor een laatste voorechtelijk avondmaal. Maar Henry's trein ging op het laatste moment niet, zodat hij naar huis moest liften in de ijskoude bewakerswagon van een nachtelijke goederentrein, en Betty hield zich strak en stijf aan de traditie en verbood hem zonder meer om zijn aanstaande voor de huwelijksceremonie nog te zien, om geen ongeluk over hen af te roepen. Het was meer dan drie maanden geleden dat Rose Henry had nagewuifd, de langste periode sinds haar geboorte dat ze hem niet gezien had, en dit verbod maakte haar nervositeit voor het huwelijk nog eens honderd keer zo erg.

Toen Betty en Alice even voor negenen op Waterslain arriveerden om haar te helpen met aankleden voelde ze zich al wee van de zenuwen, en toen Betty haar onder het aanbrengen van de laatste aanpassingen aan haar eigen turkooizen zijden trouwjurk, enigszins vlekkerig onder de armen en zwakjes naar mottenballen ruikend, nog eens vertelde wat er van een getrouwde vrouw verwacht werd, ging Rose' gespannenheid over in afkeer. Natuurlijk waren de feiten rond de voortplanting haar bekend, maar als Henry nou eens tijdens zijn afwezigheid anders was geworden? Kon van haar verwacht worden dat ze *dat* deed met een man die ze in geen maanden had gezien?

'Het is maar een kleinigheid, lieverd,' betoogde Betty met haar mond vol spelden, 'wanneer je bedenkt wat je ervoor terugkrijgt. Nou, klaar voor je grote entree?'

Alice, die voor het eerst in bijna zes maanden thuis was om het huwelijk van haar broer bij te wonen, had een paar echte zijden kousen voor Rose gekocht.

'Ohhh,' zei deze, terwijl ze ze eerbiedig door haar vingers liet glijden en zich dadelijk wat beter voelde, 'hoe heb je die in vredesnaam te pakken gekregen? Die kosten tegenwoordig goud!'

'Ah...' zei Alice, met een samenzweerdersgebaar tegen haar neus tikkend, 'je moet de juiste mensen kennen, hè...' Ze zag er nog chiquer uit dan gewoonlijk, met haar modieuze kortgekapte kastanjerode haar, een stola van vossenbont om haar schouders, een goed gesneden mantelpak in een lichte krijtstreep, met een ingesnoerde taille zodat haar elegante figuur goed uitkwam, en helderrode lippen, al even uitdagend als de rest van haar verschijning.

'Nou,' zei Betty, de laatste draad doorknippend en achteruit stappend om haar handwerk te bewonderen, 'ik heb een takje gedroogde lavendel in je lijfje genaaid. En de jonge Reuben staat buiten te wachten om je geluk te wensen. Dan gaan we nu maar, Alice. Bert kan ieder ogenblik hier zijn met de auto.' Rose' koffertje stond al dagen gepakt klaar en het heidepaarse pakje, plotseling zo saai-provinciaals naast Alice' nonchalante elegantie, hing al in de vestiaire van de dorpszaal tot ze het na afloop van de festiviteiten aan zou trekken.

'Een paar minuutjes maar, jongeman,' waarschuwde Betty Reuben, terwijl ze hem de kamer binnenschoof, 'en dan *moet* Rose echt weg.'

De afgelopen maanden waren de evacués een voor een afgereisd naar huis, zelfs Nettie en de kleine Marlene waren na kerst vertrokken voor de nieuwjaarsviering met hun eigen families. Reuben kon nergens anders heen en was gebleven. Hij was aangekomen, werd met de dag langer, en begon al de baard in de keel te krijgen zodat hij afwisselend bromde en piepte. Nu naar hem kijkend, zoals hij daar bijna rechtop stond, zich moeiteloos in evenwicht houdend op zijn wandelstok, keurig gekleed in het hemd dat ze hem met Kerstmis gegeven had en een flanellen broek, die door de burgers van Amerika helemaal van over de Atlantische Oceaan was gestuurd, voelde Rose zich even gloeien van trots dat hij zover gekomen was.

'Hier,' mompelde hij, wat gedwongen naar voren schuifelend en haar een slordig in vergeeld vloeipapier gewikkeld pakketje overhandigend, 'als je die bij de haard laat staan zul je altijd weer thuiskomen.'

In het pakje verborg zich een paar piepkleine laarsjes, niet meer dan vijf centimeter lang, uit één stuk donker hardhout gesneden. Hij had elk detail gevangen, vanaf de zich door de vetergaatjes slingerende gerafelde veters tot de dwars over de gedeukte neuzen lopende vouwen en de door ouderdom en intensief gebruik versleten zolen. Het warme nootkleurig patina van het leer was zo levensecht dat Rose met haar vinger moest voelen om zich ervan te overtuigen dat het echt hout was. De tongen hingen slap naar buiten, voor het oog even zacht en soepel alsof ze vele malen zorgzaam waren ingevet. Het duurde even voordat het tot haar doordrong dat ze een perfecte miniatuurkopie van Pa's werklaarzen in haar hand hield.

De enorme inspanning en het ruwe, ongeoefende talent die de maker erin had gestoken deden haar opnieuw de tranen in de ogen springen. 'O *dank* je wel,' zei ze, 'wat *ben* je toch knap,' en ze stapte op Reuben toe en plantte een hartelijke klapzoen op zijn wang, nog maar voor de tweede keer dat ze haar prikkelbare nieuwe broer had durven kussen.

'Zweer me,' zei hij op heftige toon, 'zweer me dat je ons niet in de steek zult laten!'

'Dat zweer ik,' zei ze, 'je ziet me terug voordat je het weet, erewoord.' Ze bracht haar hand naar haar mond, spoog doelbewust in de palm en stak hem Reuben toe, om zich vervolgens, tot haar schrik ontdekkend dat hij ook huilde, haastig af te wenden.

'Gek, hè?' merkte ze op, hevig met haar ogen knipperend om weer scherp te kunnen zien, 'ik heb bijna mijn hele leven in deze kamer geslapen.' Ze keek om zich heen naar het ijzeren ledikant, de gehavende ladekast, de onscherpe spiegel, de stoel van gebogen hout; elk stuk in de kamer was haar even vertrouwd als haar eigen gezicht. Op de vensterbank sloeg Reubens limoenhouten gans zijn vleugels uit naast de ingelijste foto van Henry, die ze vorige oktober van Betty had gekregen toen Henry afreisde naar zijn regiment. 'Ik heb er niet echt een eigen stempel op gedrukt, hè?'

'Je moet je merkteken achterlaten,' zei Reuben, 'zoals Tom doet wanneer hij een meubelstuk af heeft.' Tom sneed zijn initialen in alles wat hij maakte; trots zijn op zijn handwerk, noemde hij het.

Het was buiten koud en het raam was helemaal beslagen. Toekijkend hoe haar adem een keurig rond gat in de rijp op het glas smolt, zei Rose: 'Goed, toe dan maar. Doe het maar voor me.' Ze stapte achteruit en keek toe hoe Reuben in zijn zak groef naar het mes dat

Tom hem had gegeven. Hij knipte het open, veegde het oppervlak van de vensterbank met zijn vingers schoon en begon te snijden.

'R,' begon hij, het hardop spellend. '-O-S-E-P-A-R-F-I-T-T-, 19 JULI 1923, hè?' Het resultaat van zijn inspanningen mocht hier en daar een beetje scheef zijn, dacht Rose, toch had het iets wonderlijk troostrijks om haar naam onder de punt van zijn mes te zien verschijnen. Het herinnerde haar eraan dat ook al stond ze aan de vooravond van een nieuw leven, het oude hier nog steeds op haar zou wachten als ze het ooit nodig had... 'Kom op, Reuben,' riep Betty vanaf de overloop, het moment bedervend. 'Je hebt meer dan genoeg van Rose' tijd gehad. Mr. Tindall is hier en Tom zit in de auto te wachten. Het is tijd om te gaan.'

Onmiddellijk aangebrand vanwege de storing weigerde Reuben Rose naar de kerk te vergezellen. 'Je hebt alles verpest,' siste hij woedend, toen hij haar in Bert Tindalls met linten getooide Austin Twelve hielp, 'je hebt mij en Tom niet meer nodig nou je *hem* hebt.'

'Doe niet zo idioot,' siste Rose terug, 'ik zal mijn familie *altijd* nodig hebben.' Maar hij haalde alleen zijn schouders op en stampte weg naar de schuur, zijn stok nijdig in de grond prikkend.

Voorthotsend door het laantje, langs de akkers onder hun lijkwade van sneeuw, met Pa als een enorme zwijgende steenklomp naast haar gezeten en Alice en Betty naast Bert op de voorbank geperst, staarde Rose uit het raam en liet alles wat ze had kunnen – had moeten – zeggen om Reuben te troosten door haar hoofd gaan. Toen ze ten slotte rillend in de ijzige wind uit de auto klom, klemde ze haar vingers stevig om de laarsjes die ze op het laatste moment achter haar boeket van kerstrozen en klimopslieren had weggestopt, schoof dan haar arm door die van haar vader en begon aan de lange wandeling over het middenpad.

De kerk was versierd met kaarsen, takjes hulst en maretak, winterkersenbloesem en rood-witte satijnen linten. Op de kopse kant van elke kerkbank hingen zilver geverfde kartonnen klokjes, onder mrs. Meadows' toezicht gemaakt door de kinderen van de school van Nettlebed. Rose zag Henry naast het altaar staan, naast Charlie Cottle, zijn getuige. Hij zag er schitterend uit in zijn uniform, lang, knap, steviger dan ze zich hem herinnerde. Hij had een fraaie snor aangekweekt, en zijn haar – die dikke steile bruine lokken, waar ze onder het knuffelen in het donker in het Regal verlegen haar vingers door placht te halen – was afgeknipt tot op een centimeter van zijn schedel. Hij zag er ouder uit, anders, helemaal niet als de Henry die ze haar hele leven had gekend, en toen ze de altaartrede bereikte en naast hem kwam staan werd ze door paniek aangegrepen. *Wat doe ik hier*, vroeg ze zich af, *opgetut als Assepoester? Wie is deze vreemde met dat harde gezicht, en waarom trouw ik met hem?* Deze dag was de vervulling van al de dromen uit haar kindertijd, alles wat ze zich ooit gewenst had: een echtgenoot, een familie, de onvoorwaardelijke liefde die haar zo lang onthouden was. Ze had zich dit moment al duizend keer in gedachten voorgesteld. Dus waarom voelde ze nu, nu het eindelijk was aangebroken, deze verschrikkelijke aandrang om haar geleende rokken op te nemen en te vluchten?

Het was te laat voor twijfels; praktisch het hele dorp was uitgelopen om de enige zoon van John en Betty Catherwood te zien trouwen. Rose kon al die blikken voelen, van al die door Betty uitgenodigde vrienden en buren die hun halzen rekten om de tweedehandsjapon te bekijken, terwijl hun adem opwolkte in de ijzige kou. Rechts van haar kwam tante Betty net uit haar geknielde houding overeind. Oom John, die midden in de lammerentijd Horrie Tindall de touwtjes op Holly Farm in handen had moeten geven, zat nerveus aan zijn snor te trekken en aan zijn andere zij glimlachte en knikte Alice, elegant en ontspannen, haar geruststellend toe. Naast haar maakte Pa piepende en fluitende geluiden, in zijn strak dichtgeknoopte zondagse pak dat al twintig jaar uit de mode was en glimplekken had op de ellebogen en het zitvlak, en achter haar fluisterden en giechelden dominee Glassswells twee jongste dochtertjes, door Betty als bruidsmeisjes gerekruteerd.

Het komt allemaal best goed, hield Rose zichzelf geruststellend voor, terwijl ze beloofde haar nieuwe echtgenoot lief te hebben, te eren en te gehoorzamen. *Dit heb je toch altijd gewild.* Maar toen ze Henry de consistoriekamer in volgde kwamen de twijfels weer opzetten, nog sterker dan eerst.

In de schaduwen achter in de kerk luisterde Reuben tegen een natuurstenen zuil geleund hoe de dominee op plechtige toon het '...tot de dood u scheidt...' uitsprak, keek toe hoe het pasgehuwde paar in de consistoriekamer verdween om het register te tekenen en glipte stilletjes de kerk uit, ziedend van jaloerse woede.

Er was wijn op de receptie, jaren geleden door John juist voor deze gelegenheid opgelegd. Te nerveus om te eten nam Rose maar telkens een slokje, een gezicht trekkend vanwege de vreemde smaak, tot de paniek afnam. Ze bleef doornippen tot ze licht in het hoofd werd en het zaaltje om haar heen begon te draaien. Toekijkend hoe Henry zich diep vooroverboog om miss Larkins goede wensen in ontvangst te nemen, of schaterend grappen uitwisselde met Charlie Cottle, vroeg ze zich licht aangeschoten af: Wie *ben* jij? Waarom heb ik het gevoel alsof ik zonet met een volslagen vreemde ben getrouwd?

De zaal was vol bekende gezichten: Alice, zoals gewoonlijk weer het middelpunt van een bewonderende stoet mannen en schandalig flirtend; Rose' oude onderwijzeres mrs. Meadows, samen met een half dozijn meisjes uit haar schoolklas; Joyce Metler van de bakkerij; Bert Tinball, nog in zijn chauffeursuniform, met Maggie en Alf – met onverwacht weekendverlof uit de marine – zelfs George Partridges dochter Marge was helemaal uit Norwich gekomen om Henry Catherwood te zien trouwen. En daar had je Walter Henderson, in een versleten bruin pak en een hemd met stijve boord waar een ongezeglijk boordenknoopje uit stak, en daar een grote groep mannen van middelbare leeftijd met blozende gezichten: Stan Burkess, Harold Deanes en nog een tiental andere vrienden van oom John van de Nationale Boerenbond. Achter in de zaal plunderden de vrouw van Silverlea en haar vijf spichtige kinderen, afgezien van Reuben de enige evacués die nog in het dorp waren, de tafel met verversingen en bij de enorme theeketel schonk de vrouw van de dominee thee terwijl ze tegelijkertijd haar best deed haar grote kinderschaar in bedwang te houden.

In de verste hoek, bij de deur, stond Pa. Hij plukte aan zijn revers en zag eruit alsof hij wachtte op een kans om te ontsnappen.

11

*H*et huwelijksgeschenk van de Catherwoods aan het jonge paar, twee nachten in een particulier hotelletje net buiten Thetford, werd althans voor Rose volslagen bedorven door de hotelhoudster. Zwaar van boezem, rood van gezicht en onverzadigbaar nieuwsgierig, bleef ze om hen heen hangen, terwijl ze een mager avondmaal in de verder lege eetkamer nuttigden, dirigeerde hen vervolgens de koude zitkamer binnen, voorzag hen van lauwe koffie, en ging er gezellig bij zitten voor een uitvoerig kletspraatje over de tekortkomingen van de regering en de bureaucratie die haar zaak te gronde richtte.

De alcohol die Rose eerder op de dag had geconsumeerd raakte al uitgewerkt zodat ze alleen nog maar een bonzende hoofdpijn had en wilde dat ze kon gaan slapen. Toen Henry ten slotte zei: 'Als u het ons niet kwalijk neemt, mrs. Briggs, het is een lange dag geweest en we zouden nu wel naar bed willen,' was Rose al halverwege de trap voordat ze zich Betty's waarschuwing over haar echtelijke plichten herinnerde. Och, stelde ze zichzelf gerust terwijl ze achter haar kersverse echtgenoot de steenkoude slaapkamer binnenging, Henry was vast en zeker ook moe. Tenslotte had hij het grootste deel van de vorige nacht in een trein gezeten, niet?

Hij zag er niet moe uit. Toen hij de deur vastbesloten voor mrs. Briggs' neus had dicht gedaan en zich naar haar omkeerde leek hij klaarwakker en keek hij, je zou bijna zeggen... *hongerig.*

'Kom hier,' zei hij, met een brede grijns zijn armen spreidend, 'ik heb de hele dag nog niet bij je in de buurt kunnen komen.'

Ze kon de warmte van zijn lichaam door zijn hemd heen voelen en toen hij zijn hoofd boog om haar te kussen ging ze daar gretig genoeg op in. Maar de kriebelende snor wekte niesneigingen bij haar op en zijn heftig haar mond binnendringende tong smaakte naar het vettige stoofvlees dat ze voor hun avondmaal hadden gekregen. Het komt wel goed, dacht ze, terwijl hij haar tot op haar ondergoed uitkleedde, binnenkort geneer ik me niet meer. Het zal gauw beter gaan, hield ze zichzelf voor terwijl ze onder de dekens dook en Henry ongeduldig met de knopen van zijn gulp worstelde.

De lakens waren ijskoud, Henry's handen maar ietsje warmer. Als ik het maar niet zo *koud* had, dacht ze, terwijl hij haar haar hemdje probeerde uit te trekken. Deed hij nou maar een beetje rustig aan, wenste ze in gedachten toen ze een ladder in Alice' kostbare zijden kousen voelde komen door zijn gefrunnik met haar jarretelgordel. Had ik nou maar niet zoveel wijn gedronken, berispte ze zichzelf toen hij haar benen met zijn knie uiteen duwde. Als de beddenveren nou maar niet zo kraakten, als hij nou maar... *auauww*.

De pijn duurde maar even. Het hele zonderlinge gebeuren was zelfs binnen twee minuten voorbij, abrupt tot een einde gebracht door een bevelende klop op de deur en mrs. Briggs' stem die informeerde: 'Alles in orde daar, lieffies? Als ik jullie iets moet brengen vragen jullie het maar gerust, hoor!'

Henry kreunde en zakte slap op haar neer. Rose kon zijn snor tegen haar oor voelen prikken en zijn gewicht op haar borstkas deed haar naar adem snakken. Is dat het nou? vroeg ze zich af toen hij wegrolde met achterlating van een doffe pijn binnenin haar waar hij was geweest en een slijmspoor op haar buik, is dat nou het hele verhaal?

Hij vond een gerieflijke slaaphouding zonder nog iets tegen haar te zeggen en binnen enkele seconden kon ze aan zijn ademhaling horen dat hij was ingedommeld. Ze bleef een tijdje in het duister liggen staren en gleed toen vanuit een plotselinge dringende behoefte aan frisse lucht het bed uit, wurmde zich in haar nachtpon die nog aan het voeteneind klaarlag, en zocht tastend haar weg naar het raam.

Haar hele lichaam deed pijn, haar dijen voelden gekneusd aan, en terwijl ze daar zo stond sijpelde iets kouds en nats langs haar been omlaag. Turend op de donkere, van de regen glimmende straat wilde ze plotseling dat ze thuis was en lekker in haar eigen bed weggekropen lag te luisteren naar Reuben in de nette kamer onder haar, die nog wat prutste met de naaimachine of nog tot laat op de avond in Ma's krakende oude armstoel zat te snijden aan een stuk hout. Dacht hij nu aan haar, vroeg ze zich af? Stond hij tegen de muur op de binnenhof naar het ademen van de rivier te kijken en miste hij haar? Ik zweer, beloofde ze hem stilzwijgend terwijl ze zich weer naast haar sluimerende echtgenoot onder de dekens liet glijden, ik zweer dat ik je zolang je op Waterslain bent nooit in de steek zal laten...

Henry was de volgende morgen een en al energie, wekte haar met een besnorde kus en sprong uit bed om de gordijnen wijdopen te trekken. Hij leek zeer met zichzelf ingenomen, en met haar, trots op wat ze de afgelopen nacht hadden gedaan. Maar Rose was ontzet door de aanblik van zijn naakte lichaam, dat ze nu voor het eerst zag. Had hij werkelijk dat opgezwollen, paarse ding dat nog steeds stram in de houding tussen zijn benen stond in haar geduwd? Geen wonder dat het pijn had gedaan.

Hij zou het ook nog eens opnieuw hebben gedaan als mrs. Briggs de veren van het bed niet had horen kraken; ze kwam onmiddellijk de trap op stampen met de aankondiging: 'Ontbijt over vijf minuten! Kom niet te laat, anders is het koud!'

Die nacht deed het minder pijn, maar met die piepende veren en de voortdurend dreigende mogelijkheid dat ze gestoord werden kon Rose nog maar steeds moeilijk Henry's enthousiasme voor de huwelijksdaad delen. 'Je zult er meer plezier in krijgen als we weer thuis zijn,' probeerde hij haar opgewekt gerust te stellen, toen ze zijn avances op hun laatste ochtend afwees met het argument dat mrs. Briggs bij het minste geluid boven zou komen, 'Ma heeft beloofd dat de op een na beste slaapkamer voor ons klaar zal staan wanneer we thuiskomen, en het bed in die kamer is praktisch splinternieuw.'

Maar ze kreeg er niet meer aardigheid in. Ook op Holly Farm werd ze geremd, door de gedachte aan tante Betty en oom John op nog geen dertig centimeter afstand, aan de andere kant van een dun wandje van bepleisterde schotten. Voor de derde achtereenvolgende nacht bleef ze wakker liggen, wachtend tot de pijn zou zakken. Ze worstelde met een nieuwe, en andere, soort pijn die zich onder in haar maag leek te hebben genesteld.

Zolang ze zich kon herinneren had ze tegen Henry opgekeken. Ze had in hun verkeringstijd romantische fantasieën om hem heen geweven, gedroomd van een huwelijk en een gezin. Dus waarom, vroeg ze zich af toen ze hem de volgende dag uitwuifde, voelde ze zich bekropen door zo'n vreemde angst dat haar net begonnen huwelijk al mislukt was?

Pas toen hij zich omkeerde om haar vanuit het autoraampje een laatste kushand toe te werpen, wist ze weer hoeveel ze van hem hield – *altijd* van hem had gehouden.

Het was toen al te laat om de zaak nog in orde te maken. Hoeveel moeite, vroeg ze zich af, terwijl de Morris het erf afzwenkte en hortend tussen de stroschelven door naar het laantje reed, had die reis van honderden mijlen hem niet gekost, alleen voor een paar nachten twijfelachtig genot? Misschien waren mannen sneller tevreden dan vrouwen...

De volgende dag ontruimde ze de op een na beste slaapkamer van Holly Farm en ging terug naar Waterslain, de houten laarsjes meenemend om ze in overeenstemming met Reubens instructies bij de haard te zetten. Ze werd door Reuben met nauwverholen blijdschap en door Pa zonder commentaar begroet, en toen ze die nacht in haar eigen bed lag vond ze het maar moeilijk te geloven dat ze een getrouwde vrouw was. Zonder de glanzende gouden band om de ringvinger van haar linkerhand konden die drie verontrustende dagen en nachten met Henry bijna een droom zijn geweest, een onplezierige dwaling van de geest.

Het was allemaal zo heel anders geweest dan ze had verwacht. Was het haar schuld, vroeg ze zich af, dat de huwelijksreis zo'n anticlimax was geworden?

Er kwam een brief uit Schotland vol verontschuldigingen voor van alles vanaf Henry's late aankomst voor de bruiloft tot aan het piepende bed in Thetford. *Het weer is hier nog slechter dan thuis,* schreef hij, *zo'n vijfentwintig centimeter sneeuw, en zulke dichte sneeuwstormen dat je haast geen hand voor ogen ziet. Ik kan niet wachten tot we echt wat gaan doen, zodat we niet meer op deze van God verlaten plek hoeven rond te hangen...* Hij zou liever de oorlog in gaan dan naar huis komen, las Rose tussen de regels door, hij was even teleurgesteld in haar als zij in zichzelf. Ze schreef een brief terug waarin ze het bombardement beschreef dat een varkenshouderij enkele kilometers aan de andere kant van Market Needing had weggevaagd en waarbij drie mensen waren omgekomen en dertien gewond, en waarin ze hem opnieuw vroeg hoe hij dacht te kunnen rechtvaardigen dat hij zichzelf in gevaar bracht terwijl hij thuis had kunnen blijven.

Haar sombere stemming verdiepte zich. Toen haar menstruatie uitbleef, haar energie haar verliet en ze elke middag de grootste moeite had haar ogen open te houden, schreef ze het vage gevoel van malaise toe aan haar teleurstelling dat het idyllische idee dat ze van het huwelijk had gehad zo ver van de realiteit verwijderd bleek. Waarom? dacht ze bij zichzelf terwijl ze de plavuizen in de keuken schrobde of kool fijn sneed voor het avondeten. Waarom heeft niemand het me *verteld*?

'Och lieve kind,' wees Betty haar lachend terecht toen ze zich beklaagde over de vermoeidheid die haar elke dag weer bezwaarde, de misselijkheid waar ze elke ochtend last van had. 'Het is toch zo klaar als een klontje: je bent zwanger.'

12

$\mathcal{H}$enry kwam in maart thuis en Rose vertrok opnieuw voor enkele dagen naar Holly Farm. Hij had zijn snor afgeschoren, waardoor hij er weer meer uitzag als de Henry die ze haar hele leven had gekend, en hij leek heel blij met de baby die ze gingen krijgen. Hij was zacht, vriendelijk, omringde haar zijn hele verlof met tedere zorg, en ondanks enige aanvankelijke verlegenheid aan beide zijden was hun fysieke vereniging minder gedwongen dan de eerste keer. En toen, net toen Rose eraan begon te wennen hem om zich heen te hebben, net toen ze begon te denken eindelijk wat greep te krijgen op haar rol van echtgenote, was hij weer weg en viel ze terug in de oude sleur van het wonen bij Pa en Reuben en de dagelijkse moeizame gang heen en weer door het modderige laantje, om met haar laatste restjes energie de helpende hand te kunnen bieden op Holly Farm.

In april arriveerde Johns al meer dan zes maanden geleden aangevraagde vrouwelijke hulpkracht, en Rose werd ontboden om kennis met haar te maken.

'Nou, Rose, liefje,' begon Betty, 'je zult me misschien een bemoeizuchtige schoonmoeder vinden, maar ik ga mijn been stijf houden. Elsie, dit is Rose, mijn schoondochter...'

Elsie, een struise blondine met vooruitstekende tanden en een fraaie verzameling donkere sproeten, grijnsde.

'Elsie komt helemaal uit Oxfordshire om ons uit de brand te helpen, nietwaar meiske? En Horrie Tindall gaat George vanaf aanstaande maandag fulltime met de beesten helpen. Dus vindt oom John dat jij het van nu af aan maar wat kalmer aan moet gaan doen. Tenslotte willen we niet dat je je te veel vermoeit bij je eerste baby, hè, vooral gezien de problemen die je arme moeder heeft gehad?'

Elsie gluurde nieuwsgierig naar Rose' buik: 'Ben je zwanger dan? Wat voor problemen?'

'Weet u het zeker, tante Betty,' begon Rose, en wenste dat Betty Ma's problemen voor zich had kunnen houden, 'zal oom John me niet toch nog nodig hebben?'

'Absoluut niet,' zei Betty op besliste toon, 'George zal Horrie vast en zeker het klappen van de zweep bij kunnen brengen, en Elsie zal het prima doen wanneer ze een beetje is ingewerkt, waar of niet Elsie?'

'Nou goed dan,' zei Rose, zich bij het onvermijdelijke neerleggend, 'zolang u maar belooft het me te laten weten als u me nodig heeft.'

Tegen de tijd dat ze wegging, een half uur later, waren haar dagelijkse taken al herverdeeld. Tegen de volgende middag wist Elsie de weg in en om de boerderij, en tegen het eind van de week bracht ze Betty tot wanhoop omdat ze steeds vernuftiger manieren vond om de bij haar aankomst vastgelegde grondregels te omzeilen: niet drinken, niet roken, geen grove taal, en 'zolang ik tegenover je moeder verantwoordelijk ben voor je moreel welzijn, Elsie m'n kind, geen gerommel met jongens!'

Rose liep haar tegen het lijf toen ze aan het eind van de week op Holly Farm langskwam om een zak pootaardappelen op te halen. Elsie had John net overgehaald haar Alice' oude fiets te laten gebruiken; ze wilde wat meer aan haar sociale leven gaan doen.

'Super!' zei ze ter begroeting tegen Rose terwijl John wegslenterde om bij de schapen te gaan kijken, 'Horrie zegt dat er in de Star and Garter altijd vier soldaten zijn op één meisje – helemaal mijn soort kroeg zo te horen!'

Rose zag haar een paar dagen later opnieuw toen ze de was binnenhaalde. Ze reed net freewheelend het laantje af. Ze had een felrood jasje en een marineblauwe plooirok aan en een donkergroene baret op. Ze wuifde vrolijk toen ze zwaaiend langskwam met haar stevige benen opzij uitgestoken en haar ronde gezicht roze van de inspanning.

Rose wuifde terug, vol bewondering en met even iets van afgunst om haar vrijmoedige onafhankelijkheid. Niet zo lang geleden had zij zo naar Market Needing op weg kunnen zijn voor een avondje uit in de pub met Henry, maar dezer dagen was de enige keer dat ze zich de deur uit waagde, afgezien van af en toe een bezoek aan Holly Farm om Henry's brieven op te halen en korte uitstapjes naar het dorp voor boodschappen, de kerkgang op zondag.

Op zoek naar werk om haar bezig te houden onderwierp ze het huis van top tot teen aan een voorjaarsschoonmaak, kleedjes kloppend, matrassen kerend, de spinnen uit hun donkere hoekjes vegend; ze waste gordijnen, zwartte het fornuis, poetste het koper, stopte de stapel sokken-met-gaten die zich de afgelopen paar maanden had gevormd, spitte eindelijk de groentetuin om, zette de zaailingen die Reuben al in februari op de vensterbank in de keuken had opgekweekt in de grond en rooide de aardappelen. En eens per week schreef ze trouw aan Henry, en beschreef haar dagelijkse bezigheden tot in het kleinste detail in een moeizame poging om het contact tussen hen in stand te houden.

In april schreef hij uit Lancashire, vervolgens in mei vanuit Liverpool, waar zijn regiment heen was gestuurd om het puin van een bombardement te helpen opruimen. Een vreemde verontrustende brief was dat: *Dit is afschuwelijk, de doden, de gewonden, de verschrikkelijke schade die de oorlog deze onschuldige mensen toebrengt. De meeste inwoners van deze stad lijken om te beginnen al heel weinig te hebben gehad en nu is zelfs dat nog systematisch vernietigd. Waarvoor? Wat hebben ze ooit iemand aangedaan dat deze straf hen moet treffen...?* Hij vroeg naar de op komst zijnde baby: *God geve dat hij of zij oud moge worden,* en voegde er daarna in een haastig neergekrabbeld P.S. aan toe: *We moeten een heleboel kinderen zien te krijgen, liefste Rosie, hoe zouden we het anders kunnen verdragen als we er een verloren?* En onder het lezen en herlezen van de brief voelde Rose een licht onbehagen, een hernieuwd opduiken van de twijfels die haar tijdens hun huwelijksreis zo hadden bestookt: wat maakte hij allemaal door zonder haar? Hoe kon ze hopen hem vast te houden wanneer hij elke week verder van haar weg leek te drijven? Hoe lang kon je van iemand blijven houden zonder hem ooit te zien?

'Op jou kan ik tenminste nog aan,' zei ze tegen Reuben.

'Op wie zou je anders aan kunnen?' antwoordde hij kortaf. 'Ik ben je broer, weet je nog?'

Zoals Betty had voorspeld, hadden frisse lucht en goed eten een magische werking op de jongen gehad. Zijn gezicht was gebruind in de zon, en hij leek met de week wat langer en rechter te worden. Met zijn dikke bos kroezig zwart haar, zijn haakneus, getinte huid en donkere ogen deed hij Rose aan de wilde zigeunerjongens denken die elk jaar met hun families in Walter Hendersons boomgaard kwamen staan om te helpen met de oogst. Hij leerde ook vaker glimlachen, 'omdat je terugbent waar je thuishoort,' zei hij.

'Niet voor altijd,' bracht ze hem in herinnering, 'alleen tot Henry thuiskomt.' Maar zijn duidelijk doorschemerende plezier in haar gezelschap verwarmde en troostte haar.

Bij het verglijden van de weken wende ze aan Henry's afwezigheid. Omdat Henry al meer dan genoeg dood en verderf te verwerken kreeg, schreef ze in haar antwoorden niet over de grote oorlogsthema's – de nog steeds langs de hele oostkust voortgaande bombardementen, de onophoudelijke luchtaanvallen op Ipswich die straat na straat tot puin herschiepen – maar over de banale ergernissen van het leven van alledag: het feit dat er steeds meer op rantsoen ging; de nieuwe verplichting om natte zakken over deuren en ramen van elk dierenverblijf te hangen ter bescherming van het vee bij een gasaanval; de stroom van regeltjes en voorschriften die uitgevaardigd werd door de parochieraad, de graafschapsraad, de commissie van landbouw, het ministerie van Defensie; het toenemend tekort aan benzine, het gelijkspel tussen Ipswich en Norwich. Wanneer het haar lukte Henry over de telefoon te spreken was het gesprek al even eenzijdig als wat ze schreven. Hij praatte druk over mensen van wie ze nooit had gehoord en plaatsen die ze nooit had gezien, en zij wilde haastig vertellen over het vorderen van haar zwangerschap voordat de piepjes gingen: ze hadden tenminste geen tijd om door hun gespreksstof heen te raken, bedacht ze wrang. Verontrustte het gemak waarmee ze zich aan haar mans afwezigheid had aangepast haar enigszins, en bedacht ze soms angstig dat de afstand tussen hen uitgroeide tot meer dan een fysieke, het feit dat Reuben op Waterslain was hielp haar tenminste haar eigen zorgen in perspectief te zien. Per slot van rekening waren die onbenullig vergeleken bij de zijne: nog steeds wachtte hij op berichten van zijn familie die nooit kwamen. Wat ze aan informatie, al was het weinig, bij haar bezoeken aan Holly Farm te pakken kreeg – het oprukken van de Duitsers in Rusland en Afrika, de val van Griekenland en Joegoslavië – hield ze voor zich omdat ze hem zich niet ellendiger wilde laten voelen dan hij al deed. Betty had contact met het Rode Kruis opgenomen om naar zijn familie te vragen, maar ze hadden haar niet kunnen helpen...

Niet bij machte hem gerust te stellen, probeerde ze de jongen in plaats daarvan wat af te leiden en ze haalde haar vader over hem elke middag een uur of zo vrijaf te geven. Dan nodigde zij hem uit met haar mee te gaan op een nostalgische odyssee naar de plekjes waar ze als kind het liefste kwam.

Hij was een uiterst inspirerende metgezel die gefascineerd was door alles wat ze hem liet zien: de wilde knoflook langs het laantje, de paddestoelen die hun felgekleurde hoeden omhoogduwden door de compost van bladeren in Marsh Hill Spinney, de wolken fluitenkruid, even luchtig als het schuim op verse melk, die overal op het grasland verschenen.

'Hoe heten die?' wilde hij tegen eind april weten toen ze het steile pad langs Paigle Beck op klommen, waar dichte groepjes goudkleurige bloemen met knikkende kopjes langs stonden.

'Sleutelbloemen,' zei Rose, 'daarom heet dit Paigle Beck, het is een Suffolks woord voor sleutelbloem. Oom Walters moeder maakte er vroeger wijn van en Henry is daar eens dronken van geworden, omdat hij stiekem uit de fles dronk wanneer ze niet keek.'

'Moet je die zien,' wees hij haar een paar weken later toen ze langs de zoom van Marsh Hill Spinney dwaalden.

'Vroege paarse orchideeën. Er bestaat een bakerpraatje over. Volgens dat verhaal stonden ze onder het kruis toen Christus gekruisigd werd, en die vlekjes op de bladeren, zie je, zouden bloedspetters van Zijn wonden te zijn.'

'En die?' wijzend naar de stervormige witte bloemetjes die tussen de herfstbladeren van het vorig jaar door gluurden.

'Bosanemonen. Snoezig hè? Fazanten vinden ze heerlijk, maar ze ruiken heel vies, net oude mannetjesvos...'

Toen de zomer kwam en ze zwaarder werd en last had van de hitte, voerde ze hem over de helling achter het huis en door het pasgemaaide hooi mee naar de andere kant van het weiland, waar ze hem overhaalde zijn lompe schoenen uit te trekken en wat rond te pletsen in het stenige ondiepe water onder de oude overhangende els. Daarna ging ze gemakkelijk tegen de knoestige stam geleund zitten en krulde haar blote tenen in het vochtige gras, terwijl hij op zijn buik aan de waterkant ging liggen met zijn kin op zijn arm en zijn vingers bungelend in de stroom.

'De rivier haalt haast geen adem,' merkte hij op, toekijkend hoe de grijsgroene blaadjes zich ronddraaiend verzamelden en dan loom stroomafwaarts deinden. 'Herinner je je die Canadese ganzen nog?'

'Mmm,' zei Rose.

Haar ogen waren gesloten en ze zat zichzelf koelte toe te wuiven met de pluim van een riethalm. Reuben maakte van de gelegenheid gebruik om zijn blik te laten gaan over haar rood aangelopen wangen, het wat vollere gezicht dat haar ongeboren kind haar had gegeven, haar opgezwollen buik, en vroeg zich af: als Henry nou eens nooit terug zou komen? Zou ze hem dan een kans geven? Of zou ze hem uitlachen, zeggen dat ze alleen maar aardig tegen hem was geweest omdat ze hem zielig vond, omdat hij invalide was...

Ze deed haar ogen open, ze iets toegeknepen houdend in het felle licht, en glimlachte hem toe. 'Jij leert al vrijer ademen,' zei ze, 'daar ben ik blij om, Reuben,' en hij wendde zijn blik af, overspoeld door een wanhopig verlangen naar meer dan alleen zusterlijke genegenheid, meer dan alleen maar kameraadschap. Niet hebberig zijn, berispte hij zichzelf. Wees dankbaar. Dit is toch fijn. Dit is al heel wat meer dan die stomme Henry Catherwood op dit moment krijgt...

Er groeiden wilde bloemen in overvloed langs de rivieroever: valeriaan, met zijn lange stengels en tere roze bloemen, goudgele lissen, paarse kattenstaart, torenhoge berenklauw en wilgenroosje. In de stemming gebracht door de warmte en het zacht kabbelende water vertrouwde Rose Reuben haar diepste angsten toe.

'Ik heb nooit meer gewild dan een eigen gezin, met een hoop kinderen zodat geen ervan ooit zo alleen zou zijn als ik ben geweest. Stel dat Henry iets overkomt? Stel dat hij gewond raakt of sneuvelt voordat de baby zelfs maar geboren is?'

'Dan zorg ik voor je,' beloofde Reuben, maar het was een afwezige glimlach die hij als antwoord kreeg en ze sloot opnieuw haar ogen, opgaand in haar eigen gedachten.

Voor het tweede achtereenvolgende jaar had Toms weide uitstel van executie gekregen doordat John met de commissie van landbouw overeen was gekomen dat hij Bottom Twenty wel om zou ploegen, op voorwaarde dat Toms stukje grond met rust werd gelaten om voer voor de winter te leveren. Toen het hooi door het laantje werd gereden en opgetast in de grote Hollandse schuur achter de kalverhokken, toen de tarwe goudgeel rijpte op Middle Twelve en de eerste vrolijk beschilderde zigeunerwagens in het dorp verschenen op weg naar Walters boomgaard en het begin van de oogst, toen begon ook Reuben te praten.

13

$\mathcal{H}$et kwam door een zigeunerin, een matriarch met een verweerd gezicht die wasknijpers kwam verkopen aan de deur. De spraak van de oude vrouw klonk kelig, ruw, en toen ze iets zei tegen het kind dat ze bij zich had was dat in een vreemde taal. Wat voor dialect ze ook sprak, het was geen Pools, of althans geen versie ervan die Reuben herkende, maar toch had haar Oost-Europees accent en tabaksbruine huid iets vertrouwds. De herinneringen die ze boven deed komen begonnen aan hem te knagen, en na haar bezoek veranderden zijn wandelingen met Rose allengs in een praatuurtje waarin hij zijn hart openlegde. Eerst aarzelend, dan in grote brokken, waarbij de woorden onstuitbaar uit zijn mond stroomden als een voortkolkende rivier, begon hij over zijn kindertijd, over thuis te praten.

Bij het vertellen volgde hij geen duidelijk patroon: de ene dag was hij in Warschau en herinnerde hij zich de manier waarop de geluiden van auto's en handkarren, paardenhoeven, voortstappende voeten over de kinderhoofdjes van de straten en tussen de hoge flatgebouwen stuiterden en weergalmden; de volgende praatte hij moeizaam over godsdienstkwesties, terugdenkend aan de manier waarop zijn moeder, een jodin die van haar geloof was gevallen, en zijn vader, een vroom katholiek, zo heftig met elkaar hadden gewedijverd om hun kinderen voor hun zaak te winnen. Hij praatte over zijn ondeugende zusje Zosia, over de mooie Halinka, zijn vaders lieveling, voor wier achtste verjaardag Tatus hen allen meegenomen had voor een lunch in het Europejski Hotel – een zo uitzonderlijk festijn dat hij nu, meer dan tien jaar na dato, nog steeds praktisch elk onderdeel van de maaltijd kon opnoemen. Hij vertelde Rose over zijn grootouders, die zich zo fel verzet hadden tegen de verbintenis tussen hun kroost dat geen van hen ooit de kleinkinderen had gezien; waren zij ook in gevaar, vroeg hij zich af, voorbestemd om te sterven voordat hij hen ooit ontmoet had?

'Ik ga niet meer over ze nadenken,' verklaarde hij op een middag dat hij en Rose gevolgd door een tiental nieuwsgierige vaarzen over Long Tye dwaalden, 'als ik doe alsof ze al dood zijn hoef ik me niet voor te stellen hoe ze vermoord worden.' Maar de volgende dag speculeerde hij alweer over de plek waar Zosia misschien haar elfde verjaardag zou vieren en beschreef een clandestien bezoek met Tatus aan de kathedraal in Warschau, de holle echo's en de wierook, en de indrukwekkend plechtige sfeer. 'Tatus liet me zweren om niets aan Mama te vertellen, omdat er alleen maar weer ruzie van zou komen,' zei hij.

Hij vertelde Rose over de korte periode dat hij naar de plaatselijke basisschool was gegaan. 'Ze noemden me er Zyd.'

'Sid?'

'Zyd. Jood.' Hij zei niets over de rest, hoe ze hem bespot hadden om zijn Semitisch uiterlijk, hem gesard met zijn moeders smerige godsdienst waardoor ook hij vies werd, besmet door de familieband. 'Ik ben gestruikeld,' loog hij toen Rose naar de oorzaak van zijn kreupele been vroeg. 'Ik ben op de speelplaats gevallen toen ik zes was,' terwijl hij in werkelijkheid tegen de grond was geduwd en daarna door een van zijn kwelgeesten keihard geschopt. De resulterende kneuzing had zich naar binnen voortgezet, waardoor de tbc onzichtbaar aan zijn vlees had kunnen knagen tot hij nauwelijks meer kon lopen en de pijn bijna ondraaglijk werd, zodat hij opnieuw als inferieur werd getekend.

'Soms vraag ik me af,' zei hij op vertrouwelijke toon toen ze eens naast elkaar op hun ellebogen steunend in het lange gras bij Bailey's Pond lagen, 'of dat de reden was dat mijn ouders me hebben weggestuurd, omdat ze zich ervoor schaamden dat ik mank was bedoel ik...'

Hoe meer hij aan vroeger terugdacht, hoe sterker het de vraag voor hem werd waar hij nu thuishoorde. Was de nauwelijks herinnerde flat in de Siennastraat nog steeds zijn eigenlijke thuis, of betekenden zijn groeiende genegenheid voor Tom en liefde (want liefde was het) voor Rose, dat hij op Waterslain hoorde?

Vanaf de allereerste dag had Waterslain *goed* gevoeld. Ondanks het geringe comfort, het primitieve sanitair, ondanks de kou en de tocht in huis genoot hij er van de rust en de stilte; zo'n tegenstelling met de flat in de Siennastraat met de zware deuren, lange gangen en hoge plafonds, de lawaaierige trap in het gebouw en de hol galmende binnenplaats, of het gehate ziekenhuis met het voortdurend geroezemoes van stemmen, het gekletter van ondersteken, de rammelende theewagentjes, piepende schoenen en krakende ledikanten. Op de dagen dat er geen luchtaanvallen waren was vogelzang het hardste geluid dat je op de weide hoorde, het kwinkeleren van de leeuwerik, de roep van de wulp, de kievit, de meeuw, de trillers van de nachtegaal die in Marsh Hill Spinney woonde en elke avond warmdraaide zonder ooit helemaal aan het volledig recital toe te komen.

Hoe vaker hij het verleden herkauwde, hoe sterker Reuben zich naar Rose en Tom toe voelde trekken, en hoe sterker hij hen als zijn echte, zijn *enige* familie ging zien. Hij hield op met het napluizen van zijn moeders brieven, hield op de gezichten te bestuderen die hij meer dan de helft van zijn leven niet meer gezien had. Hij liet de Siennastraat achter zich, samen met het ziekenhuis, Albie en de andere jongens, en duwde de kist met de zwanen uit het zicht onder zijn bed, omdat het hem alleen maar verwarde en uit zijn evenwicht bracht om aan Mama, Tatus, Halinka en Zosia te worden herinnerd. Langzaam, met veel innerlijke strijd, kwam hij tot een beslissing.

'Ik ga niet terug,' deelde hij Tom mee, 'kun je het voor me regelen?'

'Ik zal het Betty vragen,' zei Tom, onuitsprekelijk geroerd dat de jongen zo graag wilde blijven. 'En dan neem ik je in de leer. Het zou kunnen helpen als ze denken dat je iets nuttigs doet.'

Betty belde het inkwartieringshoofd, die beloofde contact met dr. Sugarman op te zullen nemen. 'Het is niet aan mij om uit te maken wat er met hem gebeurt,' legde ze uit, 'hij is degene die alle voorzieningen voor de jongen heeft getroffen...'

Henry's bataljon werd naar Leicestershire gestuurd, en daar ingezet om de boeren te helpen met het binnenhalen van de oogst; rustgevend, vertrouwd werk. *Het is een troostende gedachte,* schreef hij aan Rose, *dat we allebei strobalen voor de winter maken, ook al hebben we praktisch het hele land tussen ons,* hetgeen Rose, nu in de zevende maand van haar zwangerschap en nauwelijks in staat haar schoenveters te strikken, laat staan met strobalen te sjouwen, verstomd deed staan van haar mans absolute onwetendheid betreffende de beperkingen die een zwangerschap je oplegde. Ook was ze in haar wiek geschoten dat hij kennelijk haar laatste brieven met zo weinig aandacht had gelezen, waarin ze immers uitvoerig had vermeld hoeveel moeite Elsie had met oom Johns stokoude maaibinder.

Ze schreef terug, een kort, vinnig briefje, waarin ze Henry meedeelde hoe het met haar was: *zo goed als te verwachten valt, dank je voor de belangstelling, maar heb wel een beetje last van de warmte met al dat extra gewicht dat ik mee moet dragen,* en ze hield de berichten over de onderhandelingen betreffende Reubens toekomst voor zich, in de wetenschap dat haar man niet al te ingenomen zou zijn met het nieuws dat Reuben mogelijk op Waterslain zou blijven. Bij de zeldzame gelegenheden dat ze zichzelf toestond erover na te denken bracht het haar van haar stuk hoe weinig ze Henry miste nu ze Reuben had om haar gezelschap te houden. Soms had ze na het neerleggen van de hoorn wanneer de piepjes het zoveelste onsamenhangende telefoongesprek afsloten, moeite zich te herinneren wat ze ook alweer tegen elkaar hadden gezegd, maar ze hield haar verontrusting voor zich omdat ze tante Betty geen aanleiding wilde geven om haar een slechte echtgenote te noemen.

'Het gaat prima met je hoor,' zei Betty geruststellend toen ze het laantje kwam afstevenen om eens bij haar te kijken, 'Het groeit lekker,' waardoor ze zich nog schuldiger ging voelen over haar betreurenswaardig gebrek aan de toewijding die een echtgenote paste.

Henry schreef vanuit Herefordshire over cricket en waterpolo, in-terbataljonvoetbalwedstrijden en spiegelgevechten met de plaatse-lijke burgerwacht. Hij at goed, zei hij, *zelfs nog beter dan thuis*! en kreeg regelmatig konijn of fazant voorgezet, *die op geheimzinnige wijze uit eigen wil in de pot terecht lijken te komen...* en deze keer dacht hij eraan om naar de baby te informeren, heel kort, voordat hij verderging met een beschrijving van de voorbereidingen voor de op de 22ᵉ oktober verwachte inspectie, een week voordat de ba-by komen moest, wanneer koning George zich niet alleen enkele ogenblikken zou onderhouden met de compagniescommandant, maar ook met sommige van de gewone soldaten, *ondergetekende inbegrepen – eindelijk beroemd*! Hij schreef er evenwel niets over wanneer hij thuis zou kunnen komen, en ze had niet het gevoel dat hij haar miste, evenmin als zij hem. Ze konden net zo goed ieder op een andere planeet wonen, dacht Rose, terwijl ze de brief op het groeiende stapeltje legde, zover leken ze uiteen te zijn gedreven.

Twee weken later kwam Reubens kostgeld plotseling niet meer en toen Betty de inkwartieringsambtenares belde om te vragen waarom, ontkende de vrouw zich iets van hun eerdere gesprek te herinneren.

'Reuben hoe?' vroeg ze poeslief door de telefoon. 'Nooit van ge-hoord.'

'Wat bedoelt u, nooit van gehoord?' protesteerde Betty, 'we heb-ben het nog maar een paar weken geleden over hem gehad en toen heeft u me verzekerd dat u...'

'Hier staat niets op mijn lijst, mevrouw Catherwood,' zei de ander kortaf, liet toen haar stem tot een samenzweerdersgefluister dalen en vervolgde: 'maar ik denk dat we wel kunnen aannemen dat iemand hogerop aan bepaalde touwtjes heeft getrokken, lijkt u ook niet?'

'Dr. Sugarman zeker,' zei Rose toen Betty het gesprek aan haar over bracht, 'die zijn geweten sust omdat hij hem in de steek heeft gelaten.' Er was in ieder geval iemand voor Reuben aan de slag ge-gaan. Er kwam een dikke envelop vol officieel uitziende papieren met een fraai briefhoofd en de gegevens al ingevuld: er moesten verklaringen worden getekend, in het bijzijn van getuigen. Het ging bijna té gemakkelijk, bijna té vlug, en hoewel Tom, die nu voor de jongen verantwoordelijk ging worden, elke nieuwe missive gelijkmoedig in ontvangst nam, werd Reuben steeds humeuriger, totdat hij bijna weer de stekelige knaap was die hij bij zijn aankomst in Suffolk was geweest.

'En dat,' zei Betty tegen Tom toen hij zich naast Reuben aan de keukentafel zette om het laatste formulier te tekenen, 'is dan dat, lijkt 't. Je kunt niet meer van hem af, of je het leuk vindt of niet.'

Tom liet zijn hand op Reubens schouder vallen. 'Zo goed, zoon?' vroeg hij vriendelijk. 'Toch geen spijt?'

Reuben staarde op Toms handtekening neer. 'Nee,' zei hij Tom op sombere toon na. 'Geen spijt.'

'Dan gaan we maar weer eens aan het werk,' zei Tom, 'die ramen raken niet vanzelf gelapt, eh?' Hij gaf Betty het papier terug en liep naar de deur. 'Kom je mee?'

'Ja.' Reuben verroerde zich niet. 'Ik kom zo.'

'Je kijkt alsof je je laatste oortje hebt versnoept,' zei Rose toen Betty achter Tom aan de grijze middag in liep, 'wat is er?'

'Niks!' zei Reuben, zijn stoel abrupt met veel lawaai achteruitschuivend. 'Waarom maakt iedereen er toch zo'n verdomde drukte over?' en zijn stok grijpend hompelde hij weg, de deur achter zich dichtkwakkend.

Het duurde tot halverwege de middag voordat hij er een gemompeld 'bedankt Tom' uit kreeg, als opperste blijk van zijn dankbaarheid voor het tehuis dat hem zo genereus was aangeboden. Tom reageerde met een kort 'kom kom, al goed, m'n jongen,' en werkte gewoon door, Reuben zoals altijd bejegenend met zijn gebruikelijke mengeling van knorrig-welwillend geduld en lichte irritatie, en alleen iets zeggend wanneer dat bij het werk nodig was. Is het om hem? vroeg Reuben zich af, toekijkend hoe de oude man zijn schaaf ritmisch heen en weer bewoog over een stuk kurkdroog grenen, is hij de reden dat ik heb besloten op Waterslain te blijven? Tom keek even op, gaf een kort knikje, hervatte dan zijn werk, en Reuben wendde zich vlug af om de tranen te verbergen die plotseling zijn blik vertroebelden.

'Ik zal je niet teleurstellen,' zei hij, 'ik beloof het je.'

Tom haalde zijn hand over het hout om de krullen weg te vegen. 'Dat weet ik, jong,' zei hij. 'Evengoed een grote beslissing, dat snap ik wel. Moet je toch even aan wennen, eh?'

Toen hij over het pad naar het huis hinkte voor het avondeten bleef Reuben even over het grasland staan uitkijken. Het had de afgelopen nacht zwaar geregend en de rivier stond hoog, kon elk ogenblik overstromen. Hij kon de roep van een wulp horen op Long Tye, zo'n wilde, eenzame kreet dat je hart ervan zou breken, en langs de modderige oever was een groepje eenden aan het foerageren, duwend en dringend om bij de lekkerste hapjes te komen. Nee, dacht hij, diepe, kalmerende teugen frisse avondlucht inademend, het is niet vanwege Tom, het is vanwege dit – de weide, de rivier – het is de *plek* waar ik niet van weg kan...

De hele week hadden hun spookachtige gezichten hem achtervolgd, hem beschuldigend aangestaard van achter de kreukels in de foto, als van achter prikkeldraad: Mama, Halinka, Tatus, Zosia, en met elk officieel stuk dat binnenkwam was zijn schuldgevoel gegroeid. Door Tom dit laatste stuk papier te laten tekenen, door hem zijn officiële voogd te laten worden, had hij hen aan hun lot overgelaten. Hier hoor ik nu, bracht hij zichzelf in herinnering, bij Tom, maar het hielp niet veel...

Toen hij de deur openduwde en de warme keuken binnenging zat Rose in de gemakkelijke stoel bij het vuur de aardappelen te schillen, een vergiet op haar gezwollen buik in evenwicht houdend. Haar wangen zagen rood van de warmte en toen ze met een glimlach opkeek smolten al zijn twijfels weg. Het is vanwege Rose, dacht hij. Rose is de reden dat ik niet weg kan. En ik kan het haar niet eens zeggen...

'Natuurlijk zou het vanuit *Henry's* gezichtspunt beter uitkomen,' merkte Betty die avond op tegen John, 'nu Tom Reuben heeft om hem gezelschap te houden, heeft Rose geen reden om op Waterslain te blijven.' Dat was het enige probleem geweest dat ze niet had kunnen oplossen; hoe ze het kon regelen dat Tom verzorgd werd wanneer Henry thuiskwam en Rose blijvend op Holly Farm kwam wonen. 'Wat inhoudt dat Rose zich dan zal kunnen concentreren op haar eigenlijke taak, die van Henry's vrouw...'

Toen de hele gerstoogst binnen was gehaald en de strobalen langs de oprit naar Holly Farm waren gedeponeerd, de zigeuners hun loon in ontvangst hadden genomen en huns weegs waren gegaan, verscheen Elsie weer op haar fiets in het laantje, op weg naar Market Needing en het sociale leven. 'Nee maar,' riep ze toen ze Rose in het oog kreeg, 'jij moet zowat op springen staan!'

Het was al meer dan drie weken geleden dat Rose voor het laatst op Holly Farm was geweest. Betty had haar de wandeling tegen de heuvel op verboden, toen ze had gezegd op het eind van haar zwangerschap niet meer van Waterslain weg te willen. 'En je hoeft er niet over in te zitten dat je Henry's telefoontjes misloopt,' had ze Rose' protesten terzijde geschoven, 'want ik heb hem gezegd dat er aangezien je koppig weigert weer bij ons in te trekken niet meer over de telefoon geleuterd wordt, totdat je veilig en wel bent bevallen. Je moeder zou het me nooit vergeven als ik je je baby in gevaar liet brengen alleen voor een paar minuten kletsen. In het geval dat je Henry dringend iets moet vertellen, of andersom natuurlijk, zal ik het wel overbrengen. Ik heb ook even met onze jonge Reuben gepraat en hij heeft me beloofd een oogje op je te houden. Hij heeft zelfs voorgesteld het boodschappen doen over te nemen, en ik heb gezegd dat dat een *uitstekend* idee was. Het zal hem gelegenheid geven wat oefening op te doen met de zorg voor Tom; tenslotte zullen ze zichzelf toch *moeten* redden wanneer de baby komt. Ik zal elke dag even langswaaien om te zien of alles goed met je is.'

Nu ze Elsie over het pad langs de rivier voort zag peddelen voelde Rose zich even wrevelig worden. Ze was al nerveus genoeg zonder dat Betty haar steeds weer herinnerde aan haar moeders problemen met haar zwangerschappen, laat staan dat ze behoefte had aan Pa's vertrokken gezicht, iedere keer dat hij een blik op haar zware lichaam wierp, alsof hij pijn had. Ze was het beu eruit te zien als een gestrande walvis, ze had er genoeg van waggelend haar taken af te werken op de helft van haar normale snelheid. Ze had ook voortdurend rugpijn, en ze moest twee, drie keer per nacht haar bed uit om de po te gebruiken. 'Ik wou dat het maar achter de rug was,' zei ze 's avonds tegen Reuben toen ze naar boven liep. 'Ik wou dat de baby wilde opschieten en komen.'

'Ik niet,' zei hij, 'dan ga je bij Henry wonen en mij en Tom hier achterlaten.'

Op een nevelige oktobermorgen, bijna een jaar nadat Henry met zijn moeders auto was weggereden om in dienst te gaan, begon het dan eindelijk: een plotseling strak gevoel dwars over haar rug gevolgd door een scherpe pijnscheut, zoiets als een menstruatie-kramp, alleen erger. Tegen de tijd dat ze de ketel had opgezet voor Pa's thee en de as uit de haard had geveegd kwamen de weeën regel-matig. Dit *kan* het niet zijn, dacht ze, moeizaam verder worstelend met haar bezigheden, het is nog veel te vroeg, het is vals alarm. Maar toen ze de achterdeur opendeed om de hete as uit de kachel weg te gooien braken de vliezen, dus wist ze dat het toch echt me-nens was.

Plotseling stond hij daar, een lange gespierde vreemdeling die haar de weg versperde, en ze was haar hele leven nog nooit zo blij geweest om iemand te zien. 'Ohhh,' stootte ze uit, zich in zijn armen werpend en snikkend van pure verbijstering en paniek, 'O *Henry*, net op tijd!'

14

Ze smeekte op Waterslain te mogen blijven. 'Waarom niet?' pleitte ze. 'Ik heb boven mijn eigen bed en ik kom zo nooit de heuvel op!'

'Nee!' Henry was niet te vermurwen. 'Mijn eerste kind wordt op Holly Farm geboren of anders nergens.'

'Kunnen we dan opschieten,' smeekte Rose, 'nu ik nog kan lopen?'

'Doe niet zo onnozel,' zei Henry. 'Waar is je pa?'

'In de schuur zou ik denken.' Rose kreunde het uit toen de volgende wee door haar heen sneed. 'Waarom?'

'Omdat iemand een oogje op je moet houden, terwijl ik de auto ga halen.' Hij pakte de asemmer van haar over en zette die met een plof naast de deur neer zodat een wolkje fijn grijs poeder hemelwaarts opsteeg. 'Nu ga je maar eerst even naar binnen zodat ik op kan schieten.'

Ze wankelde de keuken weer in en zonk neer in Pa's armstoel bij het vuur. Ze kon de nattigheid haar rok voelen doorweken en haar voeten sopten in haar schoenen. Ze wilde niet naar Holly Farm, ze wilde gaan liggen en zich overgeven aan de pijn zonder dat Henry zo'n drukte maakte – de trap op rende om een deken voor over haar knieën, naar buiten stoof om Pa uit de schuur te halen. Hij kwam terug met Reuben. 'Kijk eens wat de kat heeft gevonden,' zei hij, de jongen de keuken binnenduwend. 'Ik dacht dat je nu toch wel van hem af zou zijn!'

'Waar is Pa?' vroeg Rose, haar adem inhoudend bij de volgende wee.

'Die is een beetje zenuwachtig.' Reuben trok een stoel onder de keukentafel vandaan, sleepte hem naar haar toe en ging naast haar zitten. 'Hij dacht dat je meer aan mij zou hebben.'

'Nou, denk erom dat je bij Rose blijft,' commandeerde Henry, 'hoor je me? Je gaat geen seconde van haar weg, of je krijgt met mij te maken!'

'Je hoeft niet tegen me te praten alsof ik een idioot ben!'

'Sorry,' zei Henry tussen opeengeklemde tanden door, 'ik ben alleen bezorgd om mijn vrouw.'

'Zou je dan niet eens ophouden met al dat geklets,' snauwde Reuben terug, 'en opschieten?'

Door plotselinge paniek overspoeld toen Henry de deur uitging tastte Rose naar Reubens hand en greep die vast. 'Oh,' hijgde ze, 'was het allemaal maar al voorbij!'

Het duurde twintig minuten voordat ze de auto op het erf hoorden. Reuben was roerloos op de harde stoel blijven zitten met zijn slechte been stijf voor zich uitgestrekt, had haar hand vastgehouden en haar aangemoedigd toen de pijn erger werd: 'Diep inademen... Denk maar aan de rivier... Inademen... Kom op, je kunt 't... Goed zo, flinke meid, rustig inademen...' Alsof hij de volwassene was en zij het kind dat moest worden aangespoord, aangemoedigd, getroost. 'Je gaat toch wel mee, hè?' smeekte ze, zijn vingers zo hard omklemmend dat de beenderen kraakten, 'alsjeblieft, Reuben, *beloof* me dat je me niet alleen laat!'

'Beloof ik.' Hij verplaatste zijn gewicht, bewoog zijn verkrampte ledematen, 'als ik tenminste mee mag...'

'Kan me niet schelen...' een nieuwe wee, de sterkste tot nu toe, 'kan me niet schelen wat wie ook zegt, ik heb je *nodig!*'

'Doe niet zo bespottelijk,' zei Betty vanuit de deuropening. 'Als Reuben iets nuttigs wil doen kan hij zich om die arme Tom bemoeien, die in de schuur bezig is zich op te werken tot een zenuwinstorting. In de benen, Reuben. Ik heb Henry weggestuurd om de vroedvrouw te gaan halen, dus moeten we Rose nu samen in de auto laden.'

Samen tilden ze haar uit de stoel, Reuben aan de ene kant, Betty aan de andere, en begeleidden haar naar de deur, maar toen Betty probeerde haar vlug door te laten lopen over het pad naar de auto verzette ze zich omdat ze Reubens hand niet los wilde laten.

'Kom nou *mee*, liefje,' zei Betty ongeduldig, 'Reuben, zou je haar nou maar niet gewoon aan *mij* overlaten? Rose, wil je hem nou *alsjeblieft* loslaten!'

Uiteindelijk moest Betty hen letterlijk van elkaar lospeuteren. 'Wat een buitengewoon eigenaardig idee,' zei ze toen ze langzaam de heuvel op hobbelden. 'Waarom wil je nou per se uitgerekend *Reuben* bij je hebben?'

'Waarom niet?'

'Nou, het is in de eerste plaats volstrekt ongepast!'

'Waarom?'

Betty klemde haar lippen afkeurend opeen. 'Kom nou, dat is toch volslagen belachelijk! Waar is je gevoel voor fatsoen? Reuben is een man!'

'Niet waar, hij is nog niet eens zestien,' zei Rose, tranen van frustratie wegknipperend. 'En hij is als een broer voor me geweest sinds Henry wegging...'

'Dat kan wel zo zijn,' zei Betty streng, 'maar je moet me maar gewoon op mijn woord geloven, liefje, zoiets kan echt niet! Zelfs je eigen *man* zou niet verwachten tijdens de bevalling bij je te zijn. Een bevalling is iets uitsluitend voor vrouwen en mannen lopen alleen maar in de weg. Nou, genoeg van al die onzin. We zullen nu maar eerst even zien dat we je thuis krijgen, voordat de vroedvrouw het opgeeft en weggaat.'

De rest van de tocht zwegen ze; Betty concentreerde zich op het rijden, de kuilen vermijdend om te voorkomen dat de baby besloot zich in de auto te melden, en Rose staarde uit het raampje naar het voorbijglijdend landschap, op haar tanden bijtend tegen de pijn en biddend dat het toch maar alsjeblieft gauw voorbij mocht zijn...

Reuben bleef op het erf de rook van de uitlaat nakijken, draaide zich dan om en hinkte langzaam naar de schuur. Tom stond bij de slijpsteen een beitel aan te scherpen. 'Alles in orde?' vroeg hij zonder op te kijken.

'Ja hoor.' Reuben pakte een houten hamer op, woog hem in zijn hand, legde hem weer neer. 'Ik kan die Henry Catherwood niet uitstaan. Wil je een kop thee?'

'Alsjeblieft.' Tom haalde zijn duim over het scherpe snijvlak, kwam stijfjes van de kruk en liep naar de oliesteen. 'Hij moet een nieuw handvat hebben, deze beitel.'

Reuben wachtte even in de deuropening, keek naar Toms ritmisch over de steen bewegende handen. 'Goed,' zei hij ten slotte. 'Dan zal ik de ketel maar op gaan zetten.'

15

Tegen één uur kwamen de weeën om de twee minuten. Uit de kraamkamer verbannen, liep Henry over de overloop heen en weer in een toestand van toenemende agitatie. De schok van de ontdekking dat Rose' bevalling was begonnen was nog niet gesleten, en nu voelde hij zich buitengesloten, afgesneden van wat er gebeurde, alsof hij niet meetelde.

Gedurende de hele thuisreis vanuit Herefordshire, meer dan tien uur per trein en bus en ten slotte te voet, had hij verlangend naar het weerzien met zijn vrouw uitgekeken. Nadat hij zijn plunjezak op Holly Farm had gedeponeerd, had hij zich regelrecht het laantje door gehaast om een vreemde vrouw te zien met een opgezet roze gezicht en een enorme buik die haar water had laten lopen bij zijn aanblik, in plaats van het slanke, leuke meisje aan te treffen wier foto hij al de afgelopen maanden in de zak van zijn uniformjasje had meegedragen.

En niet alleen Rose was veranderd. Op zijn weg vanuit het dorp had hij een betonnen bunker ontdekt die als een reusachtige pad midden op Ten Acre stond, en toen hij zich naar Waterslain haastte, had hij een volslagen onbekende, Pa's nieuwe landarbeidster vermoedde hij, op Bottom Twenty zien ploegen. Ze deed het ook heel behoorlijk, de voren waren even recht en netjes als de meeste mannen ze konden krijgen, maar daar ging het niet om: ploegen was mannenwerk, en bovendien, zolang Henry zich kon heugen was Bottom Twenty grasland voor de koeien geweest. Waarom had niemand hem deze radicale ommezwaai gemeld, vroeg hij zich geergerd af? Waarom had Pap hem niet om zijn mening gevraagd? Zelfs hier, in zijn eigen ouderlijk huis, voelde hij zich een buitenstaander; zijn washandje lag niet meer op de rand van de wastafel en zijn tandenborstel was van de plank verdwenen. Het was alsof hij niet meer bestond.

De deur achter hem ging open en Betty stak haar hoofd eromheen. 'In *vredes*naam, Henry,' zei ze, 'ga een eindje wandelen of zo! Je kunt hier niets doen, en je werkt iedereen op de zenuwen met dat gedrentel!'

Henry maakte dat hij wegkwam, naar buiten, de keitjes van het erf op. Hij passeerde de moestuin, klauterde over de nieuwe afrastering van kippengaas en ging Middle Twelve op. Hij liep de akker rond langs de rand van het gewas, met zijn broekspijpen door het grove gras schurend, en klauterde toen over het hek naast East Meadow – hij moest niet vergeten tegen Pap te zeggen dat sommige paaltjes moesten worden vervangen – en ging heuvelafwaarts op weg naar Marsh Hill Spinney. Het was al een eind in het seizoen, en de bomen gloeiden op in bonte herfstkleuren, rood, oranje, bruin, roze. Maak je nou maar geen zorgen, stelde hij zichzelf onder het lopen gerust, het komt allemaal best in orde, maar toch vond hij het maar moeilijk te geloven dat hij op het punt stond vader te worden.

Zijn route voerde hem door het bosje, dat naar vocht en schimmel en naderende winter rook, en daarna de heuvelrug aan de andere kant op. Van hierboven lag heel Marsh End voor hem, met Walter Hendersons vervallen huisje half verscholen achter de bijgebouwen. Vóór het huisje lag een modderig erf waar wat scharminkels van kippen in de grond liepen te pikken en te krabben om een dampende mesthoop heen, en daarachter een rij betonnen varkenshokken. Het erf stond vol afgedankte machinerie en de boomgaard was verwaarloosd.

De oude mrs. Henderson, op Marsh End geboren en getogen en in 1900 weduwe geworden toen Walter net twaalf was, had nauwelijks de tijd genomen om haar echtgenoot te begraven alvorens haar drukke bezigheden weer op te pakken. Ze was een formidabele, uiterst competente vrouw die elke zeug haar laatste big ontwrongen had, haar eigen kaas en boter had gemaakt, de appelen uit de boomgaard en het overschot uit de moestuin verkocht. Ondanks haar miezerig inkomentje had ze het geld bijeen weten te schrapen om de hoeve die haar vader vijftig jaar lang had gehuurd uit de bankroete boedel van het landgoed te kopen.

Ze had haar enige zoon tevens behandeld als een koning en na haar overlijden door een plotselinge hartaanval was Walter, al bijna vijftig, totaal ingestort en had alles compleet laten waaien. Een tijdlang hadden ook de dieren het niet best gehad. Henry's vader was degene die Walter de weg naar het herstel op hielp door aan te bieden hem van zijn spulletje af te helpen. 'Natuurlijk,' had hij er sluw bij gezegd, 'moet ik wel rekening houden met de toestand waarin de boel zich nu bevindt,' voordat hij een zo bespottelijk laag bod deed dat hij met absolute zekerheid wist dat Walters trots hem zou beletten het te aanvaarden. Zijn list had gewerkt. Walter was zo verbolgen dat hij zich binnen een week woedend op Holly Farm had gemeld. Henry, die toen dertien was en net belangstelling voor de boerderij begon te krijgen, was woedend op zijn vader geweest en had gevraagd hoe hij zo zorgeloos de beste kans die hij ooit zou hebben om Marsh End in handen te krijgen voorbij had kunnen laten gaan. 'Ah,' had John hem trekkend aan zijn snor zachtmoedig terecht gewezen, 'weet je wat het is, m'n jongen, je moet nooit iemand trappen die op de grond ligt.' Hij had Henry beschaamd doen zwijgen, en maanden daarna nog kwam Henry liever niet in de buurt van Marsh End, waar hij, Rose en Alice al sinds ze klein waren hadden rondgezworven, omdat hij Walter niet onder ogen durfde komen.

Maar ooit, had hij wel gezworen, ooit, wanneer hij volwassen was en Holly Farm van hem zou zijn, zou hij het probleem van Marsh End ter hand nemen. Het kon toch zeker niet *zo* moeilijk zijn om de oude man tot verkopen over te halen als de prijs goed was?

Henry liep door naar Bailey's Pond, waar de bron aan de flank van de heuvel ontsprong, en Paigle Beck zijn reis naar de rivier begon. In de lente bloeiden de sleutelbloemen waar de beek zijn naam aan ontleende in rijke overvloed langs de oevers, en in de zomer hingen er iriserende waterjuffers boven het wateroppervlak terwijl een ijsvogel als een snelle schittering van regenboogkleuren voorbijflitste op zoek naar een maaltje.

Henry had Rose hierheen meegenomen toen ze nog kinderen waren, al was het verboden terrein omdat het water diep genoeg was om gevaar op te kunnen leveren. Maar toen ze ouder werden, zwierf Rose liever over de akkers, vooral wanneer de goudsbloemen bloeiden en het rijpend tarwe doorspikkeld was met papavers en korenbloemen. Hij ging liever vissen of er stiekem vandoor naar het geheime plekje een kleine kilometer stroomafwaarts vanaf Waterslain, waar de rivier een U-bocht maakte bij de zuidgrens van Tom Parfitts land, bij een oude els die daar over het water hing. In de zomer werden de wilgenroosjes daar wel bijna twee meter hoog, zodat hij voor spiedende ogen verborgen en met zijn rug tegen de door de zon verwarmde stam van de boom enkele uren zijn verantwoordelijkheden op de boerderij kon ontlopen.

Hij kon zich nu nog maar moeilijk herinneren wanneer hij voor het eerst beseft had dat hij werkelijk van Rose hield en niet alleen maar het gevoel had dat hij van haar hoorde te houden. Misschien was dat geweest bij de eerste keer dat hij haar kuste, toen hij haar na het oogstmaal naar huis bracht en een woeste golf van opwinding door hem heen geslagen was, zodat hij zich verhit en met stokkende adem nauwelijks had kunnen verroeren vanwege het gênante fysieke blijk van zijn begeerte. Of misschien was het geweest op de dag dat hij zich aanmeldde voor de militaire dienst, toen de rekruterend officier hem naar zijn naaste familie had gevraagd en de eerste die hem daarbij onmiddellijk in gedachte kwam Rose was geweest. Hoe zou Rose zich voelen, had hij zich afgevraagd tijdens de trage rit huiswaarts van Bury St. Edmund's, als hij niet uit de oorlog terugkwam? Zou ze dan met iemand anders trouwen? Met Archie King bijvoorbeeld, of met zijn beste vriend Charlie Cottle, of met Richard Browning misschien? Of, het ergst mogelijke scenario, zouden die zielenpoot van een Reuben Leck – waarom hing die nog op Waterslain rond, lang nadat al de andere evacués naar huis waren gegaan? – en Rose' sombere ouwe Pa haar terughalen naar Waterslain om een dorre oude vrijster te worden voordat ze ooit echt geleefd had? Tegen de tijd dat hij het erf bij Holly Farm opdraaide had hij zijn besluit genomen; hij mocht doodvallen als hij van plan was te sterven zonder meer van Rose te hebben geproefd dan alleen haar lippen...

Henry had Rose weliswaar ten dele de waarheid verteld over zijn redenen om zich bij het leger te melden. Maar zijn andere, minder hoogstaande motieven – het verlangen naar een laatste gooi naar de onafhankelijkheid, de wens iets van de wereld te zien voordat hij aan het gebonden leven op de boerderij begon – voor zich gehouden. Het bestaan in het leger had hem aanvankelijk nogal teleurgesteld; ondanks alle oefeningen, marsen, exercities, loopgravenwerk, en het leggen van kabels was hij nauwelijks met de oorlog in aanraking geweest. De enige Duitser die hij had gezien was een dode Duitser geweest, een opgezwollen lijk dat op de kust van Norfolk was aangespoeld toen zijn bataljon kustverdedigingswerken bouwde.

Niet dat hij iets te klagen had. Hij had nieuwe mensen ontmoet, enkele goede vrienden gemaakt, was verder van huis weggeweest dan ooit tevoren. Hij was als een volwassene behandeld, had geleerd met mannen uit allerlei verschillende milieus op te trekken, met kunstenaars en accountants, juristen en arbeiders, boeren en marktkooplui. Hij was tot korporaal gepromoveerd, met de belofte ook nog wel eens sergeant te zullen worden als hij wat meer ervaring had. Het was allemaal bijna té gemakkelijk gegaan, totdat zijn bataljon naar Liverpool werd gestuurd. Liverpool had hem gedwongen de hooggestemde idealen die hij tegenover Rose zo verheerlijkt had eens nader te bekijken, en tot zijn blijvende schande had hij allerakeligst gefaald in het naleven ervan.

De burgers die hij tijdens zijn verblijf in die geteisterde, volhardende stad ontmoette, waren niettemin heel gewoon. Sommigen van hen bezaten aan aardse goederen nog minder dan zelfs de armste gezinnen in Nettlebed, en het weinige wat ze hadden werd bij de nachtelijke luchtaanvallen systematisch vernietigd. De evenwichtigheid van die Liverpoolers, hun vastbeslotenheid om zich er ondanks alles niet onder te laten krijgen, hun warm onthaal van de soldaten die hun te hulp werden gestuurd, hadden zijn bewondering gewekt en hem voor het eerst heimwee doen voelen naar zijn eigen vredige hoekje van Engeland.

Onderweg naar de dokken was hij hen tegengekomen. In een smalle straat die verstopt was door grote brokken metselwerk doorzochten een moeder, vader, en twee jonge jongens op een berg bakstenen de restanten van wat ooit hun huis was geweest.

'Waarom gaat u niet even met de jongens naar het Zeemanshuis verderop in de straat,' had hij hun voorgesteld, 'daar delen ze soep uit en jullie lijken hier niet erg op te schieten.'

Ze wisten al van de soepkeuken. Ze bedankten hem beleefd voor zijn belangstelling, beaamden dat het een verstandig advies was, maar als het hem niet uitmaakte, zeiden ze, gingen ze nog wat door. De soldaten die aan het andere eind van de straat als gekken bezig waren om een tiental mannen te redden uit de ruïnes van een van de pakhuizen, hadden beloofd hen later te komen helpen.

'Wat zoekt u in vredesnaam?' had Henry bevreemd gevraagd. 'Er kan toch nooit meer iets onder de puinhopen liggen dat de moeite van het zoeken waard is, lijkt me.'

'We benne op zoek naar ons Maura,' legde de moeder met een zwaar Liverpools accent uit. 'Ze is daor nog erreges.'

Opgewonden door het vooruitzicht nu eens echt iemand te gaan redden, had Henry een paar soldaten van zijn eigen peloton erbij gehaald, en was koortsachtig aan het werk getogen. De vrouw en de twee jongens gingen wat uit de buurt en hurkten op de steenbrokken neer om op adem te komen, maar de man bleef waar hij was, in een onhandige geknielde houding, het hoofd gebogen, de handen ineengeklemd, in zichzelf mompelend alsof hij bad. Henry en zijn mannen werkten gestaag door, totdat Henry een hoekje kon zien van het souterrain dat ze probeerden te bereiken. 'Zijn we al in de buurt?' vroeg hij de moeder over zijn schouder. 'Waar heeft u haar het laatst gezien?'

De vrouw haalde een smerige arm over haar gezicht zodat ze zwarte strepen over haar wang kreeg. 'In 'r bedje, bie 't raom,' zei ze, 'ik had t'r maor effies alleen gelate, effies maor.' Haar stem beefde van vermoeidheid en ellende. 'Ik ston net op straot toen ze 't alarm gaove, 'k riep de jonges veur de thee...'

Ze was ondervoed, krom en broodmager, met diep ingevallen wangen, hoewel de jongens – rond de tien en veertien, gokte Henry – er gezond uitzagen en goed in het vlees zaten. Hij vroeg zich af hoe lang de moeder al geen behoorlijke maaltijd meer had gehad, hoe vaak ze van haar portie afzag zodat haar gezin kon eten.

Rond zes uur werd aan het andere eind van de straat een korte pauze ingelast toen de soldaten daar even weggingen voor een beker thee en een sigaret. Henry liet zijn maten ook ophouden en bleef toen geleund gespannen staan luisteren, zoveel mogelijk zijn adem inhoudend. Hij hoorde alleen maar het geluid van neerdruppelend water en af en toe gekraak wanneer de achtermuur, het enige deel van het gebouw dat nog overeind stond, wat verder wegzakte op zijn beschadigd fundament. De vader hield op met mompelen en liet zich op zijn zij rollen. Toen pas zag Henry dat zijn linkerbeen ontbrak: de lege broekspijp zat boven de knie vastgespeld.

De vrouw haastte zich naar haar man toe. 'Hij het se kruk gebroke,' legde ze Henry over haar schouder uit, 'toen ie d'r mee aon 't graove was.'

'Hoe heeft u uw been verloren?' vroeg Henry, van zijn stuk gebracht door deze extra ramp die het arme gezin ook nog eens overkomen was.

'Duinkerken.' De man sleepte zich met grote inspanning over het puin omhoog en tuurde gespannen in de opening die de soldaten hadden gemaakt. 'Een mortier zowat boven op me.' Zijn accent was zachter, zangeriger dan dat van zijn vrouw – een Ier, vermoedde Henry. Hij boog zich dichter naar het gat toe, verhief zijn stem: '*Al goed, schatje, Pappa komp d'r an. Nou nie lang meer, lieffie, we zijn d'r zo* – ja hoor, 'k bof da'k nog leef.'

Ik bof? dacht Henry. Hoe kon die man dat nou *zeggen*? Wat zou er moeten gebeuren om hem zijn situatie in een ander licht te doen zien?

Ze vonden Maura iets na tienen, en aangezien sinds het begin van de maand de dubbele zomertijd was ingegaan werd het nog maar net donker. De hemel had een diepe karmijnrode tint gekregen door de nog steeds elders in de stad woedende branden. Op dat moment waren ze al meer dan vijf uur aan het graven; de jongens hadden met hun blote handen meegedaan en de soldaten die Henry voor de klus had ingeschakeld, waren een voor een weggedwaald naar de eenheid aan de andere kant van de straat, omdat ze geen heil meer in hun inspanningen zagen. Al voordat hij in het souterrain klauterde wist Henry wat hij zou vinden.

Er was bijna niets te zien, afgezien van een klein wondje bovenop haar schedel waar bloed in het pluizige blonde haar was gelopen en tot een dikke korst opgedroogd. Haar blauwe ogen waren open en staarden naar de zoldering. Henry moest zijn adem inhouden toen hij haar uit haar bedje tilde om niet te kokhalzen. Maar toen hij haar door het gat aan haar moeder overreikte, scheen de vrouw de stank niet op te merken.

'Hoe lang was u al aan het graven voordat ik kwam?' vroeg hij, geschokt door de eerste verkleuringen ten teken van ontbinding die het kleine lijkje vertoonde.

'Fier daoge, zowat,' antwoordde het jongste zoontje met een nog zwaarder accent dan dat van zijn moeder. Hij had een rond kinderlijk gezicht, en haar dat alle kanten op stond, maar zijn ogen waren oud, alsof ze veel meer hadden gezien dan bij zijn leeftijd paste.

'We hadde gehoop dâ me broer thuus sou komme om 'n handje te hellepe,' vulde de oudste jongen aan. Hij tuurde in het afnemende licht naar zijn zusje. 'Komp 't weer goed met ons Maura, Ma?' vroeg hij bezorgd. 'Se stinkt nogal een bietje.'

Op dat moment maakte Henry zichzelf te schande door plotseling tot een zielig hoopje op de grond ineen te zakken, zijn gezicht in zijn handen te begraven en in tranen uit te barsten. En die arme Liverpoolse Ier, die al zo weinig had gehad en nu praktisch alles had verloren, troostte *hem*. Hij bedankte hem zelfs!

'Waarvoor?' vroeg Henry bitter. 'U heeft niet veel aan me gehad, of wel soms?'

'En hoe oud bin je dan wel, jong?'

'Achttien,' zei Henry.

'Dus dit is veur 't eerst dâ je van huis bin?'

Henry tastte in zijn broekzak naar een zakdoek en knikte.

'En waar kom je dan wel vandaon?'

'Suffolk.' Nergens zijn zakdoek vindend veegde hij zijn neus af aan zijn mouw. 'Dorpje bij Ipswich, Nettlebed.'

'Ah.' De man haalde een verkreukeld pakje sigaretten tevoorschijn. 'Nou, dat is nog eens een kleine wereld. Ik hep zelf een jonge in Suffolk. Arthur heet-ie...' Hij brak af, kuchte, verbeterde zichzelf: '... heette-die. Je sel 'm wel niet erreges teugengekomme zijn?' Hij haalde een sigaret uit het pakje, staarde erop neer, wierp dan een blik over zijn schouder naar waar de twee jongens om hun moeder stonden. 'Artie, noemde we 'm. Artie Mulligan. Omgekomme in januari, maar ik heb 't hart nog nie gehad om 't de jonges te vertellen.'

Henry ontdekte zijn zakdoek en snoot hard zijn neus.

'Hij zat achter een zoeklicht. En-ie had een meidje ontmoet ook nog. Ah, ze klonk hartstikke leuk. Ze broch 'm boeke – altied dol op boeke, was-ie, mien Artie. Zou naor de universiteit gaon, weet je, de allereerste Mulligan...'

Hij streek een lucifer af en nam een eerste diepe trek van zijn sigaret, dacht dan verlaat aan zijn manieren en stak Henry het pakje toe. Henry schudde zijn hoofd. Wat had Rose ook al weer in een van haar brieven geschreven, kort na hun trouwen? Iets over een dorp aan de andere kant van Market Needing, dat bij een luchtaanval was getroffen, nog maar een paar dagen nadat hij naar zijn bataljon terug was gegaan. De bommen hadden de schuur van een varkensfokkerij verwoest met alle varkens erin, er waren drie soldaten bij een zoeklicht omgekomen en dertien gewond. *Eng dichtbij*, had Rose in haar brief geschreven...

'Hoe kunt u er nog *tegen*?' stootte hij uit.

Mulligan liet langzaam de rook uit zijn longen ontsnappen en volgde het wolkje met zijn ogen dat paars verkleurend wegzweefde naar het roze uitspansel boven de stad. 'Och jewel, het is net als met het been, jong,' zei hij. 'Het voelt alsof het er nog zit dus doet ik maar alsof. Ik doet alsof mien Artie straks weer door die deur binnen sel lopen.' Hij wees met zijn sigaret naar de berg steenbrokken achter hem. 'Alleen is er nou geen deur meer waor ie doorheen ken lopen.' Zijn blik bleef rusten op zijn vrouw, die op een gebarsten schoorsteenpot neergezeten zoete woordjes tegen haar dode baby zat te prevelen. 'En ik bid... Vier daoge he'k voor ons Maura'tje gebeden, maar ik denk zo dat Hij te veul an z'n hoof hep gehad om te luisteren... Maar nou kenne we d'r tenminste een nette christelijke begraofenis geve.'

Niet wetend wat anders met hen te doen bracht Henry hen naar het Missiehuis voor Zeelieden. 'Hier zal iemand jullie verder helpen,' zei hij bij zijn vertrek, een zekerheid veinzend die hij allesbehalve voelde, en toen hij de volgende dag terugkwam, nog steeds achtervolgd door mrs. Mulligans verdriet, Mulligans kalme overtuiging dat God in hun noden zou voorzien, en het onbezorgd geloof van de jongens dat hun vader alles weer in orde zou maken, waren ze nergens te zien en kon niemand hem vertellen waar ze heen waren gegaan.

En nu lag hij hier in de groene diepten van Bailey's Pond te staren in afwachting van de geboorte van zijn eigen kind.

Het geluid van het water in Paigle Beck was kalmerend, gaf rust. Henry wierp zich in zijn volle lengte neer in het gras en pletste ijskoud water tegen zijn gezicht. Hij had Rose nog niet verteld dat hij met inschepingverlof was, dat binnen net iets meer dan een week zijn bataljon uit Liverpool zou vertrekken om ten langen leste de echte oorlog in te gaan. De hele treinreis naar huis had hij geprobeerd te bedenken hoe hij het nieuws het beste kon brengen. Hij had gedacht dat ze wat tijd samen zouden hebben, om te praten, om plannen voor de toekomst te maken, en nu was het te laat.

Hij bekeek zijn vervormde spiegelbeeld in het zacht deinende water. Stel dat Rose de baby al had gekregen? Stel dat hij al vader was? Hij schudde zijn hoofd zodat de druppels alle kanten op spatten, hees zich overeind en begon te rennen, terug over het pad, het dammetje over, de heuvel op naar huis. Jongen of meisje? Jongen of meisje? Jongen, besloot hij, de gedachte aan Maura naar de achtergrond duwend. Het *moest* een jongen zijn, een zoon om de boerderij over te nemen als hij niet uit de oorlog terugkwam.

16

——◦◦◦◦◦——

*D*e lakens voelden heerlijk koel tegen Rose' huid en toen ze haar ogen sloot en haar hoofd tegen het kussen terug liet zakken, kraakte het katoen zachtjes. Toen ze haar gezicht omdraaide, herinnerde de stijfselgeur haar sterk aan de tijd, niet lang voordat haar moeder stierf, toen ze de waterpokken had en Ma elke dag haar lakens had verschoond. Ze kon Betty en de vroedvrouw beneden in de keuken horen kletteren met theekopjes. Betty maakte altijd thee in een crisis. Een traan biggelde over haar wang en ze veegde hem weg. Wat gek, dacht ze, dat zelfs haar vingers pijn deden.

'Het is niet het eind van de wereld,' had de vroedvrouw gezegd, kwetsend bot in een goedbedoelde poging iets vriendelijks te zeggen, 'je bent jong, je bent sterk, je hebt alle tijd om het nog eens te proberen.'

Rose had haar wel kunnen slaan, zou dat ook gedaan hebben als ze de energie maar bij elkaar had kunnen rapen. En toen de vroedvrouw de kamer uit was had Betty dezelfde wens bij haar opgewekt door haar pogingen haar op te vrolijken met een eindeloze reeks verhalen over vrouwen die ze had gekend en die na het verlies van hun eerste kind nog dozijnen gezonde nazaten hadden geproduceerd.

Ze boog een been bij wijze van proef, voelde een steek van pijn tussen haar benen waar ze tijdens de bevalling was uitgerekt. 'Bekijk het van de vrolijke kant, meid,' had de vroedvrouw ook nog opgemerkt, 'je bent tenminste niet ingescheurd.' Rose slikte de in haar keel opstijgende snik weg.

De wieg, waar zowel Alice als Henry in had gelegen, stond nog naast het bed. Hij had nu moeten bewegen, dacht ze, heen en weer moeten gaan terwijl zij haar baby in slaap wiegde. Ze keek de kamer rond, met zijn zware kleerkast met spiegel, het diepe erkerraam, en verlangde ernaar op Waterslain terug te zijn. Als Henry er niet zo op had gestaan dat zijn eerste kind op Holly Farm werd geboren, zou niets hiervan gebeurd zijn... Het was niet alleen Henry; tante Betty had geen geheim gemaakt van het feit dat ze Rose definitief op Holly Farm gevestigd wilde zien, en deze baby had haar daar het volmaakte argument voor gegeven. Rose moest weer denken aan die vreselijke tijd net na Ma's overlijden, toen ze van het ene op het andere moment was meegesleurd naar Holly Farm terwijl ze niets liever had gewild dan thuisblijven, waar ze zich tenminste veilig voelde.

Die eerste paar maanden was oom John nog haar grootste steun en toeverlaat geweest; hij had elke morgen het melken uitgesteld om haar gerust te stellen met zijn grapjes en begrip, 's avonds lieve sprookjes bedacht om haar in slaap te krijgen, haar aangemoedigd om met Henry en Alice mee te doen wanneer ze aan zijn snor trokken en hem kietelden tot ze allemaal niet meer konden van het lachen en Betty hem kordaat opdroeg: 'Hou daar nú mee op, John Catherwood, voordat er iemand misselijk wordt. Soms ben je erger dan de kinderen, echt waar...!'

Zoals zo dikwijls toen ze nog een kind was, werd ze overspoeld door het smartelijk verlangen om in haar eigen slaapkamer op Waterslain te zijn. 'Ik wil naar huis,' zei ze hardop, zich overgevend aan haar ellende. 'Ik wil naar *huis*.'

Betty was binnen enkele seconden bij haar, alsof ze buiten de deur had staan wachten. 'Kom kom, meiske,' zei ze sussend onder het opkloppen van kussens, het rechttrekken van lakens. 'Je bent van streek, dat is alles. Het gaat wel over.'

Rose wierp haar een boze blik toe. 'Ik wil mijn baby zien,' begon ze, 'ik wil...' Ze moest haar dochter in haar armen hebben, het zelf zien. Het kon allemaal ook een boze droom zijn geweest... Op het feit na dat het bedje leeg was.

Het was Betty's schuld, en van die stomme vroedvrouw. 'Pers,' waren ze maar blijven zeggen, 'flinke meid, goed zo, pers, pers, *pers...*' En bij elke wee had Rose de navelstreng rond het halsje van haar baby verder aangetrokken, totdat na uren worstelen en kreunen en zweten de vroedvrouw had uitgeroepen. 'Eindelijk!' en daarna, op heel andere toon, '... o hemel. Je hebt een... klein meisje...'

'Waar is ze?' wilde Rose weten, terwijl ze haar hoofd probeerde op te tillen. 'Laat me haar zien!' Maar de vroedvrouw had een frons in haar voorhoofd en de beide vrouwen stonden zwijgend op de baby neer te staren. 'Wat is er?' vroeg Rose, hevig verontrust door de plotselinge stilte. 'Ik wil haar zien!'

Toen volgden opeens allemaal nerveuze activiteiten; ze hoorde een licht zuchtend geluidje, een klein plofje van ontsnappende lucht, dat in niets leek op het krachtig gekrijs dat ze volgens Betty kon verwachten. En toen wikkelde de vroedvrouw de baby in een handdoek en repte zich zonder nog iets te zeggen met het kind de kamer uit.

'Slaap,' zei Betty, 'dat is wat je nodig hebt. Ik zal je zo een kop thee brengen.' Maar Rose had geen behoefte aan slaap, en ook niet aan thee. Ze werd verteerd door de brandende zekerheid dat ze zich vergisten. Haar dochtertje kon toch best alleen bewusteloos zijn? Waarom mocht ze haar niet zien? En Henry, waar was Henry? Betty was ferm, praktisch. 'Ik vind het echt *ontzettend*, liefje,' zei ze, 'maar we kunnen niet meer goed maken wat fout is gegaan, hoe graag we het ook zouden willen...'

Ze schrok op uit haar slaap door het geluid van Henry's laarzen op de kinderkopjes onder haar raam. Ze hoorde de achterdeur dichtgaan, en het geluid van over de keukenvloer schrapende stoelpoten, stemmengemurmel. Bess zou nu kwispelend haar baas begroeten, terwijl Betty hem een stoel aan tafel gaf om hem van de baby te vertellen. Ze hoorde zijn stem, luid en boos; gaf hij Betty ook de schuld? Het geluid van zijn achterover kletterende stoel, zijn voetstappen klonken op en de keukendeur, die met een klap dichtsloeg. Rose hees zich in de kussens overeind, verlangend te kunnen troosten en getroost te worden.

'*Henry!*' hoorde ze Betty roepen en toen sloeg de achterdeur opnieuw dicht, zo hard dat ze het bed onder zich voelde trillen. Dan
nogmaals het geluid van Henry's over de keien rennende laarzen,
weg van het huis deze keer, weg van haar.

'John!' kwam weer Betty's stem, galmend over het erf, 'John!
Waar *ben* je? In godsnaam, ga achter hem aan!'

Toen Henry twee uur later eindelijk zijn hoofd om de deur stak, kon
hij haar niet recht in de ogen kijken. Toen hij zich bukte voor een
oppervlakkige kus op haar wang rook zijn adem sterk naar whisky;
hij was in The Bell geweest, raadde Rose diep verontwaardigd. Hij
ging stijfjes op de rechte stoel bij haar bed zitten, starend naar de
prent van de Maagd en het Kind boven haar hoofd aan de muur en
beleefde spijtbetuigingen formulerend; alsof ze vreemden waren,
dacht Rose, alsof hun dode baby niets met hem te maken had. Hij
keek *haar* erop aan, wist ze, hij vond dat het *haar* schuld was. Nee!
wilde ze schreeuwen, het is *jouw* schuld! Waar was je toen ik je nodig had? Na vijf minuten van vormelijke conversatie doorvlochten
met intens pijnlijke stiltes zei ze hem maar weg te gaan. Hij ging
niet in discussie, stond domweg op en liep naar de deur, opgelucht
dat hij zijn plicht gedaan had en weg kon.

'Ik wil Reuben,' riep ze hem na. Reuben was eigen; hij zou haar
troosten.

Henry bleef in de deuropening staan. 'Waarvoor?'

'Ik wil naar huis,' zei ze, en hij vertrok zijn gezicht alsof ze hem
een klap had gegeven.

Zoiets zal mij nooit overkomen, had Henry bij zichzelf gezworen
toen hij de Mulligans bij de soepkeuken achterliet. Ik zal er wel voor
zorgen dat deze oorlog mij en de mijnen geen kwaad berokkent.
Maar er was geen oorlog voor nodig geweest om zijn eerstgeborene
te doen sterven, alleen maar stomme pech. 'Een van die afschuwelijke dingen die nu eenmaal gebeuren,' had Mam onder het inschenken van de thee gezegd, 'een ingrijpen van God,' alsof het daardoor
gemakkelijker te dragen werd. En nu wilde Rose naar huis, terug
naar die zielige Pa van haar en die verdomde kneus Reuben.

Hij had bij haar moeten blijven, verweet hij zichzelf. Hij had bij haar moeten zijn om haar hand vast te houden, haar er doorheen te helpen. Het enige waar hij aan had kunnen denken toen Ma met het slechte nieuws kwam, was die rottende baby die hij in die sloppenwijk in Liverpool had opgegraven. Hoe kon hij Rose onder ogen komen wanneer hij Maura Mulligan niet uit zijn hoofd kon zetten?

Zijn hele leven had hij klakkeloos de stellige zekerheden geaccepteerd die de kerk hen voorhield. Vóór Liverpool had hij het als vanzelfsprekend gezien dat God aan zijn kant was, had vol vertrouwen aangenomen dat zolang hij zijn best maar deed, hem of degenen die hij liefhad nooit iets akeligs zou overkomen. Maura Mulligan had de eerste zaden van twijfel in zijn ziel gezaaid, hem zich doen afvragen of alles echt wel zo simpel lag als de teksten uit de bijbel het altijd hadden doen voorkomen. Sinds Liverpool droomde hij van de Mulligans, piekerde erover wat er van de rest van de familie zou zijn geworden. Hij was zelfs heel even de confrontatie aangegaan met de gedachte dat dezelfde tragedie ook hem in deze gewelddadige tijden zou kunnen treffen, maar hij had het diep vanbinnen niet echt geloofd, niet echt.

Tijdens de thuisreis, met de wetenschap dat hij binnen nog geen twee weken toch nog de oorlog in zou gaan, had hij naar de bleke weerspiegeling van zijn eigen gezicht in het treinraampje gestaard en zichzelf gelukgewenst. Wat bofte hij toch, had hij gedacht, om nog afscheid van zijn dierbaren te kunnen gaan nemen. Niet hij, maar die zwaargetroffen burgers van Liverpool, Coventry, Londen, Norwich verdienden een meevaller. Hoe had hij zo arrogant kunnen zijn? Hoe had hij zo *stom* kunnen zijn?

Hij liep langzaam door de kamer terug. Hij ging zitten, legde zijn hand op die van Rose en kneep erin. 'We zullen haar een echte begrafenis geven,' zei hij. 'Zoals het hoort, met een kistje en gezangen en alles...'

Aan de keukentafel zaten John en Betty naar de stemmen boven hun hoofden te luisteren. 'Ze zijn te jong om dit aan te kunnen,' zei John. 'Tom had gelijk, we hadden ze moeten bepraten om nog even te wachten.'

'Doe niet zo belachelijk,' veegde Betty zijn woorden van tafel. 'Wat had wachten nou voor verschil gemaakt? Achttien of achtentwintig, we hadden op geen enkele manier kunnen voorkomen wat er gebeurd is.'

'Dat zeg ik ook niet.' Bess liet zich tegen Johns knie vallen en hij reikte afwezig omlaag om haar te strelen. 'Ik bedoel niet dat ze te jong zijn om kinderen te krijgen, ik bedoel dat ze te jong zijn om aan te kunnen dat het fout gaat. Vooral Henry.'

Betty snoof. 'Ja, na*tuur*lijk, het zal Henry's schuld niet zijn!'

'Doe niet zo verdomde stom, mens. Je weet heel goed dat ik dat niet bedoelde!'

'Nou, wat bedoelde je dan *wel*?'

John schoof zijn stoel achteruit en stond op. 'Ik ga weer aan het werk. Het is allang melktijd.'

In het donker het erf overstekend kon hij George toonloos horen fluiten boven het gedempte zoemen van de melkseparator uit. Hij kon het nieuws over de baby maar net zo goed meteen vertellen, dacht hij. George had hem gisteren nog gevraagd hoe het met Rose' zwangerschap ging. Hij bleef bij de deur staan en zuchtte. Wat verschrikkelijk jammer...

Vanaf het ogenblik waarop ze op haar zesde op Holly Farm was komen wonen, had John een bijzondere affectie voor zijn schoondochter gekoesterd. Zo'n behoeftig dingske was ze geweest, die eerste maanden na het verlies van haar moeder, zo smachtend naar genegenheid dat ze zich hechtte aan iedereen die maar de geringste aandacht aan haar besteedde. Ze deed hem denken aan een verweesd eendje dat optimistisch het eerste bewegende object volgt dat het ziet, in de misplaatste zekerheid dat het zijn moeder moet zijn. Hij zuchtte opnieuw, eraan terugdenkend hoe zijn eigen misplaatste optimisme door de jaren heen was weggezakt...

'Jij bent een jonge romantische dwaas,' had zijn vader hem beschuldigend toegevoegd, toen hij kort na zijn terugkeer uit de Eerste Wereldoorlog had aangekondigd zijn geluk als boer te willen beproeven, dankbaar dat zijn enige zoon de Somme had overleefd. Hij had hem niettemin financiële steun gegeven bij de aankoop van Holly Farm, hem een paar rampzalige jaren door geholpen in de jaren dertig en voor extra fondsen gezorgd toen hij moest moderniseren. Hij had betaald voor een behoorlijke school voor Henry en Alice en royale sommen gelds voor hen beiden opzijgezet. John kon zich maar één keer herinneren dat hij een voorzichtige waarschuwing van zijn vader had gekregen, met betrekking tot zijn keuze van echtgenote: 'Het is vast en zeker een door en door goede vrouw, beste jongen, maar zal ze je helpen *vliegen?*' Tegen de tijd dat John erachter was gekomen wat hij bedoelde, was het te laat geweest...

Hij woonde nog geen maand op Holly Farm toen hij naar het jaarlijks diner dansant ging van de Market Needing-afdeling van de landelijke boerenbond. Hij liep al tegen de dertig en had geen enkele moeite met zijn vrijgezellenstatus, tot hij Betty Pringle voor het eerst zag. Hij was in een uiterst boeiend gesprek over uierontsteking bij koeien gewikkeld toen zij voorbijwalste met Bert Tindall. Haar aanblik bracht hem zo van zijn stuk dat hij halverwege een zin afbrak en zijn bier over zijn schoenen morste.

Niet haar gezicht, waar niks mis mee was, had hem een halve liter Best Bitter doen verspillen, maar haar haar. Lang en loshangend tuimelde het over haar rug omlaag als een zinderende kastanjerode waterval, en terwijl Bert haar het vertrek rond deed zwieren, danste het over haar schouders in golven van gebrand koper, vonkjes afgevend in het licht. John had nog nooit van zijn leven zoiets moois gezien. Verteerd door het verlangen om dichter bij de eigenares van deze magnifieke haardos te komen had hij het bier van zijn vestje geveegd, zijn natte schoenen drooggewreven tegen de achterzijde van zijn broekspijpen, zich een weg gebaand door de rij jongemannen die zich opstelde voor de volgende dans, en haar opgeëist.

Van dichtbij was zij – *het*, het haar – nog wonderbaarlijker. Toen hij haar de dansvloer op leidde en eerbiedig zijn hand in haar rug legde, voelden haar zachte haren onder zijn vingers als gesponnen zij, en toen hij zich dichter naar het meisje toeboog dan na een dergelijke korte kennismaking strikt gesproken oorbaar was, werd hij onmiddellijk omhuld door een verrukkelijke zachte viooltjesgeur.

Tegen de tijd dat de wals was afgelopen, was hij verloren, tot over zijn oren verliefd. Wat deed het ertoe als het kinnetje van zijn aanbedene wat aan de vierkante kant was? Wat kon het schelen als haar manier van doen eerder luidruchtig-vrolijk dan lief-ingetogen was? Eén ding stond voor hem vast: dit was het meisje dat hij wilde trouwen.

Tot zijn stomme verbazing bestond haar antwoord op zijn gestameld huwelijksaanzoek toen hij haar terugbracht naar het huis van de nicht bij wie ze logeerde, uit een onmiddellijk en eenduidig 'ja', gevolgd door een enthousiaste kus vol op zijn mond, die hem bijna dertig seconden sprakeloos naar adem deed snakken. Door het dorp teruglopend op voeten die vleugeltjes leken te hebben gekregen, kwam hij enigszins tot zijn verwarring tot de ontdekking dat hij zich van haar gezicht en figuur zo goed als niets kon herinneren.

De opgewekte efficiëntie waarmee ze de huwelijksvoorbereidingen aanpakte, had hem iets moeten zeggen, maar toen was het al te laat. Hij was volledig idolaat, *bezeten* van haar haar. Als hij op dat moment had ontdekt dat ze iemand had vermoord, had hij het huwelijk waarschijnlijk nog doorgezet.

Toen ze hem vroeg kennis te komen maken met haar moeder, een weduwe met een zuur gezicht met wie ze in een huisje van niets aan de rand van Stowmarket woonde, had hij zich wel kortstondig afgevraagd of ze er net zo happig op zou zijn geweest om met hem te trouwen als hij arm was geweest. Hij had haar ook al voordat hij haar mee naar huis nam, goed duidelijk gemaakt dat de comfortabele omgeving waarin zijn vader verkoos te wonen niet zijn keuze voor de toekomst was. Maar ze was vanaf het eerste begin in bijna elk opzicht de volmaakte huwelijkspartner voor een boer geweest, bereidwillig, hardwerkend, loyaal, efficiënt, praktisch . Ze had zich in het dorpsleven ingevoegd, meegeholpen met het vuile werk wanneer John om hulp verlegen zat. Ze had hun eerste tractor al leren besturen voordat George zich daartoe zette; ze had de boeken bijgehouden, de moestuin en de kippen voor haar rekening genomen. Ze had met keurige tussenpozen twee kinderen geproduceerd waar hij zijn vaderliefde aan kwijt kon, hem in haar bed geduld (eens per nacht tijdens de wittebroodsweken, eens per week tijdens de eerste twee jaren, toen ze uit waren op het stichten van een gezin, na de komst van de kinderen eens per maand, 'omdat twee genoeg is voor een mens,' en tegenwoordig nog een doodenkele keer, op voorwaarde dat het niet te lang duurde en ze haar krullers in mocht houden). Vanaf de eerste dagen van haar huwelijk was het in alles haar oogmerk geweest het hem naar de zin te maken, op één onbelangrijk – in haar ogen althans – detail na.

Drie dagen na terugkeer van hun huwelijksreis van een week in Frinton-on-Sea had ze de bus naar Ipswich genomen en al haar prachtige haar af laten knippen.

Nu nog schoot hij soms 's nachts wakker, vervuld van dezelfde ontzetting die hij had gevoeld toen ze bij haar thuiskomst de keuken binnenkwam. Wat er nog van haar weelderige golvende lokken over was, was zodanig opgeborgen in een stijf permanent dat het eruitzag als een dieprood schapenvachtje. Het nieuwe kapsel benadrukte haar zware kaaklijn en vestigde de aandacht op de uitstekende oren die hij nooit eerder had opgemerkt.

Hij was er overheen gekomen. Hij had wel gemoeten, aangezien ze juist op dit ene punt koppig was blijven weigeren hem zijn zin te geven. Als hij haar toen meteen had gezegd hoe *erg* hij het verlies van haar haar vond, had het misschien anders uitgepakt, maar tegenover haar argeloos enthousiasme over haar nieuwe kapsel had hij het niet op kunnen brengen. Daarna was het steeds moeilijker geworden om er nog over te beginnen, totdat het er na een tijdje niet meer zo toe deed. Hij was gewend geraakt aan de nieuwe Betty, de bereidwillige, enthousiaste, nuchtere jonge vrouw met wie hij zo impulsief getrouwd was. Wat had hij tenslotte te klagen? Ze kwam hem in al zijn behoeften tegemoet, hield hem met beide benen stevig op de grond. Hij had leren accepteren dat zijn vrouw nooit zou worden wat zijn fantasie van haar had gemaakt. Hij had haar goede kanten leren waarderen, en ze bezat er vele. Maar ergens onderweg was hij gedesillusioneerd geraakt. Hij had het vermogen verloren om te dromen, geloofde niet meer dat hij kon *vliegen*.

Had hij daarom zo'n zwak plekje voor zijn schoondochter, vroeg hij zich af? Kwam het doordat hij in Rose de dromer kon zien die hij ooit zelf was geweest, dat zijn hart nu zo hevig voor haar bloedde? Rose was een romantische ziel, ze keek de wereld in door dezelfde roze bril die eens zijn eigen blik had vertroebeld. Zou het verlies van haar kindje haar met een pijnlijke klap op aarde terugbrengen, zoals het verlies van Betty's haar, dat al die jaren geleden met hem had gedaan?

Hij rechtte zijn schouders, duwde de deur open en beende de melkstal in. 'Hoe is het met ons Rose?' vroeg George. 'Al nieuws?'

Henry belde zijn bevelvoerend officier om buitengewoon verlof en kon toen nog een paar dagen blijven.

Betty zorgde dat dominee Glasswell – 'Hij heeft zelf kinderen en begrijpt dus wat je doormaakt, en je zult je beter voelen als je weet dat alles is gedaan zoals het hoort,' – de baby de laatste sacramenten kwam toedienen en doopte, al was het voor allebei al veel te laat. Ze noemden haar Elizabeth, naar Betty. Niet de naam die Rose zou hebben gekozen, maar het scheen Henry niet veel te kunnen schelen en zij had de energie niet om erover in verzet te gaan. Ze had nu aanvaard dat er niets aan het gebeurde te veranderen viel, maar ze ergerde zich aan het beroepsmatig medeleven van de geestelijke, aan het belang dat iedereen aan de rituelen scheen te hechten, en ze voelde zich *niet* beter in de wetenschap dat alles werd gedaan zoals het hoorde. Ze voelde zich in geen enkel opzicht beter, helemaal niet.

Bezorgd vanwege Rose' langzaam herstel liet Betty dokter Hills komen. 'Laat haar nog maar een paar dagen in bed blijven,' adviseerde hij. 'Verwen 'r maar een beetje, laat 'r goed uitrusten, meer is niet nodig. Ze is jong en gezond, ze moet alleen wat tijd hebben.'

Rose deed wat haar gezegd werd, at gehoorzaam alles wat Betty voor haar neerzette, en lag met haar rug tegen de kussens met een lege blik door het raam naar de lucht te staren. Henry, die 's middags een paar uur bij haar mocht zitten, praatte over alles wat ze zouden doen wanneer ze weer op de been was.

'Het bos is prachtig, de mooiste herfstkleuren die ik in jaren heb gezien. Volgens vader gaat het een topjaar voor suikerbieten worden... Ik zal je schrijven van overal waar ik ben, dat beloof ik je, en je moet ook terugschrijven...'

Betty had hem naar zijn oude kamer verbannen, zodat hij Rose' rust niet zou verstoren. 'Dat arme kind is compleet op,' voegde ze hem bestraffend toe toen hij protest aantekende, 'en alles doet 'r nog pijn. Het laatste wat ze nodig heeft is dat jij de hele nacht naast haar ligt te woelen,' hetgeen Henry correct interpreteerde als: 'Geen seks.'

Rose sliep toen hij even na middernacht haar kamer binnensloop. Hij zou bij het ochtendkrieken vertrekken, en ze hadden al afscheid genomen. Hij had haar heel even mogen omhelzen alvorens door Betty de kamer uit te worden gebonjourd. Hij had bijna een uur in zijn kamer op en neer gelopen, voordat hij besloot dat hij mocht barsten als hij vertrok zonder nog een laatste keer bij zijn vrouw te hebben geslapen.

'Beloof me,' prevelde hij toen ze innig verstrengeld in elkaars armen lagen, zo min mogelijk geluid makend om John en Betty in de belendende kamer niet te wekken, 'beloof me dat je niet meteen weer naar Waterslain verdwijnt zodra ik weg ben.'

'Waarom?' fluisterde Rose terug. 'Wat maakt het uit waar ik ben als jij er toch niet bent? Het is niet zo dat ik hier nodig ben. Oom John heeft nu Elsie, en Horrie Tindall niet te vergeten, en ik kan toch niet verwachten dat Reuben eeuwig voor Pa blijft zorgen.'

'Ik wil graag...' Henry kon zijn gevoelens moeilijk onder woorden brengen. 'Ik bedoel, ik zal me gewoon fijner voelen als ik weet waar je bent, da's alles.'

'Maar je *zult* toch weten waar ik ben?' protesteerde Rose verbijsterd.

'Stel je voor dat ik een lafaard blijk,' stootte hij onverwacht uit, 'stel dat ik op de loop ga of het in mijn broek doe? Ik ben tot nu toe niet zo bijzonder dapper geweest.'

'Alleen maar omdat je het niet hebt hoeven zijn,' zei Rose kalmerend. 'Ik weet zeker dat je wanneer het erop aankomt...'

'Nee! Nee, vast niet! Ik zeg je, ik ben een lafbek!'

Toen kwam het allemaal naar buiten stromen, het bericht dat hij sinds zijn thuiskomst voor haar had verzwegen. Dat hij nu dan toch eindelijk echt de oorlog in ging, gevolgd door een warrig hortend verhaal over een dode baby die hij uit de ruïnes in Liverpool had opgegraven en hoe hij het daarna te kwaad had gekregen en in tranen was uitgebarsten.

Uiteindelijk troostte Rose hém in plaats van andersom. Daarna leek het een tot het ander te leiden; hij voelde haar naakte huid onder haar pon, ontdekte een plekje waarvan ze geen tweeën het bestaan geweten hadden en schonk haar geheel bij toeval meer genot dan ze tijdens hun voorgaande onhandige pogingen tot adequaat liefdesspel had beleefd. Ze ging er weer door bloeden, maar dat was het waard, en na afloop beloofde ze, zalig vermoeid, eeuwig van hem te zullen blijven houden.

Tot nu toe had ze wanneer ze hem nawuifde, geweten dat hij geen gevaar liep, voorzover dat voor wie ook tegenwoordig gold; dat hij bruggen ging bouwen, exerceren, marcheren, op namaakdoelen schieten. Maar deze keer was het anders. Deze keer ging hij op weg naar een confrontatie met echte vijanden. Wat moest ze doen als ze hem verloor, net nu ze de liefde had herontdekt die ze meende tijdens hun wittebroodsweken zo onherroepelijk te zijn kwijtgeraakt...

Hij legde zijn wang tegen de hare. 'Toe, Rosie,' bedelde hij opnieuw, 'blijf nou toch hier, *alsjeblieft.*'

'Goed dan,' murmelde ze slaperig, en negeerde het prikken van haar schuldig geweten bij deze woorden. Want als ze op Holly Farm bleef, betekende dat, dat ze Reuben de zorg voor Pa alleen liet dragen...

Tom was het laantje op komen sjokken, om haar op te zoeken. Hij had zwijgend bij haar bed naar de vloer zitten staren, wat haar hetzelfde gevoel gegeven had als toen ze een klein meisje was en hij zich iedere keer dat ze hem had willen kussen van haar had afgewend. Rose zag hem voor haar ogen in een oude man veranderen bij zijn moeizame pogingen deze wrede herhaling van zijn eerdere verliezen te verwerken. Ze had zich bedroefd afgevraagd of ook zij voorbestemd was elke baby te verliezen, zelfs voordat ze de kans had gehad om hem of haar in haar armen te houden...

De begrafenis vond de week erop plaats. Henry was toen al terug naar zijn regiment om met onbekende bestemming scheep te gaan. Alice, die niet op zo'n korte termijn weg had gekund, had een kort briefje vol medeleven gestuurd.

Op het kerkhof staand in een zware zwarte mantel die Betty voor de gelegenheid van Sue Burkess had geleend, met de kraag hoog opgezet tegen de kille noordenwind die koude regenvlagen in haar gezicht woei en haar voeten en vingers gevoelloos maakte, keek Rose toe hoe het kleine kistje neerdaalde in het graf. Ze probeerde zich voor te stellen hoe haar dochtertje er kon hebben uitgezien. Haar ogen sluitend stelde ze zich het gewicht van het kind in haar armen voor. Ze telde haar vingertjes en teentjes, luisterde of ze haar kreetjes hoorde. Maar hoe ze zich ook inspande, daar waar het gezichtje van haar baby had moeten zijn, kon ze zich alleen maar de lege, vage trekken van een porseleinen pop voor de geest roepen.

Op de voorplecht van de over de Atlantische Oceaan naar Nova Scotia stomende *Reina Del Pacifico* keek Henry op zijn horloge en probeerde zich het tafereel voor te stellen. Ze zouden er nu allemaal staan; zijn moeder in de bontjas vol motgaten die ze van Grootmoeder Pringle had geërfd, zijn vader in het pak dat hij voor Grootvader Catherwoods begrafenis had gekocht. En Rose, wat zou Rose aan hebben? Hij had haar nooit in iets zwarts gezien, dacht niet dat ze iets had dat geschikt was voor een begrafenis, maar zijn moeder hechtte sterk aan conventie. Per slot van rekening had ze Rose een trouwjapon geleend, dus waarom niet ook een rouwjapon?

Hij had absoluut het lichaampje van zijn dochtertje willen zien, maar toen zijn moeder hem meenam naar de verduisterde eetkamer was het kistje al gesloten. Het was zo klein dat het in Henry's ogen meer op een speelgoeddoodkist leek dan op een echte. Hij had maar moeilijk kunnen accepteren dat dit alles was; een zwakke lucht van ontbindend vlees, een piepklein houten kistje, een paar kaarsen en een koperen plaat met in sobere letters de datum van zijn dochters geboorte en overlijden erop. Toen hij zich probeerde voor te stellen hoe zijn eerstgeborene er kon hebben uitgezien, was het enige beeld dat hij zich voor ogen kon halen dat van het ontbindende lijkje van Maura Mulligan.

Betty was kordaat en praktisch, oom John stil-verdrietig, en Elsie probeerde vriendelijk te zijn en Rose op te beuren met: 'Je hebt tenminste niet de kans gekregen van het stakkerdje te gaan houden.' Alleen Reuben wist hoe hij haar op moest vangen.

Hij deed geen poging haar op luchtige toon op te vrolijken, gaf haar niet de schuld van haar verlies. In plaats daarvan bracht hij haar geschenkjes: een heel klein uiltje met gebogen klauwen en een scherpe snavel, gesneden uit een restje perenhout; een flesje lavendelwater dat hij helemaal in Market Needing was gaan halen – heen en weer bijna tien kilometer voorthinken over het jaagpad door Long Tye – en van zijn leerlingenloon had betaald. Hij sprak niet één keer met gedempte stem, noch zuchtte hij of beklopte haar troostend alsof ze een ziek kind was. In plaats daarvan praatte hij geanimeerd over Waterslain, over hoe diep de rivier nu op dit moment ademhaalde, hoe snel het grasland na de recente regenbuien was ondergelopen. Hij vroeg haar om culinair advies, en leidde haar gedachten van haar eigen narigheid af door te vertellen over de problemen die hij had met de zorg voor haar vader, die het verlies van zijn eerste kleinkind zo moeilijk verstouwen kon.

Maar zelfs Reuben bedierf het uiteindelijk.

'Wanneer kom je thuis?' wilde hij weten.

'Nog even niet,' zei Rose.

'Waarom niet? Henry is toch weg?'

'Ja, maar...'

'Maar wat?' vroeg hij op achterdochtige toon. 'Hij moet nu de wereld al zowat half over zijn!'

'Ik heb hem beloofd dat ik hier zou blijven.'

'Waarom?' reageerde hij met een woedende blik. 'Je hebt *mij* beloofd dat je naar huis zou komen.'

'Niet waar, ik heb alleen maar gezegd dat...'

'O, laat ook maar,' kapte hij haar kwaad af, 'doe vooral wat je niet laten kan.'

'Wat is dat toch een rare jongen, die Reuben,' zei Betty die bedrijvig binnen kwam lopen zodra hij weg was, 'altijd zo *boos* over alles!'

'Nee, dat is hij niet,' sprong Rose onmiddellijk voor hem in de bres, 'hij is alleen... hij is alleen maar eenzaam.'

Er kwam een brief, de dag van Henry's vertrek in Liverpool op de bus gedaan, om Rose nog eens aan haar belofte te herinneren... *dat je op Holly Farm zult blijven...* en daaronder in een schrijnend P.S.: *'Ik voel me een beetje dapperder als ik weet dat jij daar op mij wacht. Als iets me voor ongelukken kan behoeden, is het jouw belofte om te blijven waar je thuishoort. Laat je niet door je Pa of door Reuben ompraten. Als je ooit mocht twijfelen of je er wel goed aan doet om te blijven, denk dan alleen maar aan onze laatste nacht samen...* Alsof ze die kon vergeten, dacht Rose.

Ze droomde veel, verrukkelijke, gênante dromen waaruit ze nat van erotisch verlangen ontwaakte, en ze bleef op Holly Farm, zoals ze had beloofd. Al had ze Reubens gezelschap wel wat vaker kunnen gebruiken, ze hoefde, zo troostte ze zichzelf, tenminste niet Pa, die zo onder haar verlies gebukt ging, vierentwintig uur per dag om zich heen te hebben.

Ook Elsies aanwezigheid hielp (op die zeldzame avonden waarop ze niet op stap was voor een drankje met de soldaten in de Bell of met de bus naar Ipswich), omdat ze John liet ophouden met zich druk te maken over het nieuws en in plaats daarvan hen vermaakte met imitaties van Tommie Hanley, Betty overhaalde haar het meubilair opzij te laten schuiven zodat ze hints konden spelen, en Rose' gedachten met haar opgewekte uitbundigheid afleidde van het steentje op het kerkhof.

Toen de bladeren begonnen te vallen en de rivier het grasland verdronk onder dertig centimeter ijskoud water, schikte Rose zich in een leven van wachten op de terugkeer van haar man. Ze schreef Henry elke week via zijn regiment, ploos de plaatselijke kranten uit op zoek naar aanwijzingen over waar hij kon zijn, zag hem in gedachten dapper ten strijde trekken aan de andere kant van de wereld, en knielde elke zondag neer in de kerk om voor zijn veilige terugkeer te bidden. Ze hervatte haar bezoeken aan Waterslain en sjokte elke dag het laantje af om Reuben te helpen met de bereiding van Pa's avondeten en weer naar Holly Farm terug te keren met armen vol vuile was en boodschappenlijstjes. Toen de dagen korter werden en het pad door de onophoudelijke regen in vloeibare modder veranderde, begon Betty allerlei klusjes voor haar te zoeken: nu eens moest er een boodschap worden gedaan in de dorpswinkel, dan weer kwam Elsie met griep in bed te liggen en oom John zonder hulp te zitten, of de tractor moest een onderdeel uit Market Needing hebben dat zij moest gaan halen. Soms stond Betty erop dat ze meeging maaltijden rondbrengen voor Tafeltje-Dekje.

Haar afwezigheid leek Pa niet veel uit te maken, en Betty wees erop dat Reuben alles ook zonder haar uitstekend voor elkaar kreeg. Ze liep hem trouwens toch de meeste dagen wel tegen het lijf, doordat hij de heuvel op kwam hobbelen met een of andere boodschap van Tom of alleen maar wat in het laantje rondhing alsof hij op haar wachtte. Ze keek altijd naar hun ontmoetingen uit; ze leidden haar af van haar getob over Henry en van het verlies van haar dochtertje. Ze zei niets over het artikel dat ze in de krant had gezien, *Massamoord op joden in Polen*, over duizend Poolse joden die hun eigen graf hadden moeten delven en daarna op een rij ervoor waren opgesteld en door de bewakers van de SS doodgeschoten. Maar toen ze begin december over de radio hoorde dat de Japanners een Amerikaanse basis in Hawaï hadden aangevallen, leek het niet meer dan natuurlijk de implicaties met hem te bespreken.

'Iedereen zegt dat de Yanks nu vast en zeker wel aan de oorlog mee zullen gaan doen.'

'Waarom dat?'

'Om wraak te nemen voor Pearl Harbour.'

'En?'

'En dan zal het allemaal heel gauw voorbij zijn en komt Henry naar huis.'

'O,' zei Reuben. 'Ja, zou kunnen. Tom heeft weer zo'n last van zijn borst, denk je dat ik de dokter naar hem zou moeten laten kijken?'

Later, toen ze op het postkantoor in de rij stond om haar uitkering van het leger op te halen, hoorde ze miss Larkin praten over het verlies van dertien schepen. Ze zag Henry in gedachten al dood, zijn beenderen kaalgevreten door de vissen, en wenste dat zij zich kon verbergen op Waterslain, waar zelden nieuws van de oorlog doordrong, omdat het beter was niets te weten dan permanent in angst te moeten zitten.

Ze droomde dat ze weer zwanger was, ging regelmatig in haar slaapkamer voor de spiegel staan met een opgerolde trui onder haar blouse gepropt, en was ontroostbaar toen haar eerste ongesteldheid zich op de kop af drie weken na Henry's vertrek meldde, rouwend om de baby die nooit had bestaan zowel als om de baby die gestorven was.

17

───◦◦◦───

*H*et bestaan op Holly Farm was in ieder geval wel comfortabel. Het van zachtrode baksteen gebouwde huis, aan drie kanten beschut door stoere bijgebouwen, was in de zomer licht en luchtig en in de winter knus. Het had een spoeltoilet binnenshuis, een gigantische koperen boiler in het washok die vrijwel onbeperkt heet water leverde, en zelfs een echte badkamer met een enorm bad. Oom John zorgde er ook voor dat ze goed aten, ondanks de toenemende rantsoeneringsproblemen: kip, konijn, duif, fazant, vonden alle geregeld hun weg naar de tafel, zowel als af en toe een schapenbout. De zitkamer met de Parkray-haard was heerlijk behaaglijk en de brede eiken vloerplanken lagen bezaaid met dikke kleden waarin je je tenen kon begraven. Al miste Rose haar slaapkamer onder de dakbalken en de steeds veranderende uiterwaarden, en al was wat vaker Reuben om haar heen wel prettig geweest, ze hield haar belofte aan Henry.

Op kerstdag bleef ze evenwel maar heen en weer sjokken door het laantje, innerlijk verdeeld tussen de feestelijkheden op Holly Farm, waar Elsie het huis had versierd met slingers en oom John op de een of andere manier niet alleen een runderbout maar ook een grote sappige ham te pakken had kunnen krijgen, en Waterslain, waar Reuben een kapoen had gebraden en gehaktpasteitjes had gemaakt met de luchtigste bladerdeegkorst die Rose ooit had geproefd. Pa schonk haar een paar grijsleren handschoenen, en van Reuben kreeg ze een foto van Waterslain die hij in het dressoir in de nette kamer had gevonden, gevat in een handgesneden lijst versierd met eikenbladeren en eikels. Voor Reuben had Tom een professionele gereedschapskist gemaakt met genoeg ruimte voor een dozijn beitels en een houten hamer. Reubens gezicht lichtte op toen Rose hem de twee gutsen gaf die ze volgens Pa's aanwijzingen had uitgezocht, als verjaardags- en kerstcadeau ineen, waardoor ze het nog akeliger vond zijn vreugde te bederven door net na drieën op te staan met de aankondiging: 'En nu moet ik *echt* gaan, ik heb tante Betty beloofd voor donker terug te zijn.'

18

*J*ohn Catherwood was al jaren vóór de meeste van zijn buren aan het moderniseren geslagen. In 1935 had hij een lawaaierige maar efficiënte International Tractor aangeschaft en tegen 1939 was hij de trotse eigenaar van een op benzine lopende dorsmachine, een gloednieuwe freesmachine, en zelfs een kleine combine, die hij na het binnenhalen van zijn eigen oogst aan andere boeren verhuurde. Hij was ook de eerste in het district geweest die in melkmachines investeerde, en toen enkele van zijn conservatievere vrienden hem uitlachten om zijn gewillig omhelzen van alle mechanische apparaten had hij alleen beleefd geknikt en gewoon doorgezet. Nu er steeds meer mannen het land in de steek lieten om de oorlog in te gaan, werd zijn vooruitziende blik ten langen leste beloond. Ondanks het toenemend gebrek aan arbeidskrachten hield hij het hoofd boven water, slechts terzijde gestaan door George, Horrie, Elsie en de tractor, die taken kon uitvoeren waarvoor nog maar tien jaar geleden zes man moesten worden ingezet.

Natuurlijk waren er nog steeds de nodige karweitjes die alleen met de hand te doen waren: bieten toppen, spruitjes strippen, de machines nakijken. Rose voelde zich in huis opgesloten, met niets anders te doen dan de eindeloze stroom huishoudelijke taken die Betty aan bleef leveren, en ze dolf haar broek op en toog weer aan het werk in de buitenlucht. Toen het nieuwe jaar begon en een deken van sneeuw over de akkers neerdaalde, ging ze John in de schuur helpen met het halen van de eerste lammeren, haar eigen verlies verdringend met de opwinding over al dit nieuwe leven dat ze geboren hielp worden.

Alice kwam heel even thuis, met verhalen over bombardementen, mannen die op zee vermist werden, aanvallen op konvooien, en steeds moeilijker wordende levensomstandigheden in de buitengewesten. 'Henry is in India,' vertelde ze Rose. 'Ik heb aan wat touwtjes moeten trekken om erachter te komen, maar alles is goed met hem en daar gaat het om.' Ze rookte nu, en Rose vond haar schoonzusters wereldwijsheid bijna even irritant als het feit dat Alice meer van Henry's bewegingen af wist dan zij.

Twee dagen na Alice' vertrek kwam er een brief die twee dagen voor Kerstmis in Kaapstad op de bus was gedaan. Hij bevatte berichten over allerlei toeristische uitstapjes, mooi weer, hartelijke mensen, fraai natuurschoon. Terwijl de eerste sneeuwklokjes hun kopjes boven de sneeuw uit tilden, de nieuwe lammetjes hun eerste wankele stapjes zetten en de melk in de karnton bevror, worstelde Rose met allemaal verwarrende emoties: opluchting dat alles met Henry in orde was, frustratie dat hij zover weg was en felle onredelijke jaloezie omdat hij zich zo uitstekend leek te vermaken zonder haar. *Ik wou dat je het hier kon zien,* schreef hij, *de grond is hier zo vruchtbaar en arbeid zo goedkoop dat het land wel het productiefste ter wereld moet zijn. Als ik jou niet had om voor naar huis te komen zou ik er serieus over gaan denken om hierheen te emigreren...*

Ze stopte de brief bij de andere weg en stampte het besneeuwde erf over om George te gaan helpen met het avondmelken. 'Middag, Rosie,' begroette George haar, 'hè je 't laotste nieuws gezien? Alle kranten staon er vol mee... die Jappen benne Birma binnengevalle. Is je Henry daor niet erreges?'

'Nee,' zei Rose, 'ik heb net een brief van hem gehad. Hij zit in Zuid-Afrika.'

Een tweede epistel arriveerde drie dagen later. In Bombay gepost rond de tijd dat Alice op Holly Farm was. Hij bevatte een verslag over het kerstdiner onderweg naar India: *gebraden kalkoen met alles erop en er aan, ham uit Virginia, en zálige cake, Amerikaans natuurlijk, met het zoetste glazuur dat ik ooit geproefd heb...'* En voor het eerst klonk er ook heimwee in de brief door: *'... ik begin me af te vragen of al dit gereis echt zo leuk is als het heet te zijn. Ik denk aan jullie, zoals jullie om het vuur zullen zitten en kastanjes poffen en naar de radio luisteren, terwijl de regen tegen de ramen klettert en de wind in de schoorsteen fluit. Ik verlang naar een lekkere koude Engelse vrieswinter met van die dikke rijp en die zware grijze luchten die we altijd hebben net voordat het gaat sneeuwen. Ik weet dat ik als ik bij jullie was, net zo goed mee zou klagen over de kou en naar de eerste tekenen van de lente zou verlangen, maar hier is zelfs de regen warm en de afgelopen weken heb ik meer dan genoeg gekregen van de hitte, het stof, de vreselijke armoede. Het eten is hier ook maar raar. Zeg maar tegen Mam dat ik snak naar haar nierpastei en de geur van het houtvuur en van haar stoofpot van schapenvlees...'*

En dan was er ook een P.S., alleen voor Rose bestemd: *'Ik ben zo bang, m'n liefste Rosie. Niemand vertelt ons waar we hierna naartoe gaan, maar ik weet dat het alleen maar een kwestie van tijd is voordat we tegenover de vijand staan – en niet eens die tegen wie ik dacht dat we gingen vechten. Ik bid elke avond, al weet ik niet meer zo precies tot wie eigenlijk, dat ik als puntje bij paaltje komt inderdaad zo dapper zal zijn als ik je beloofd heb dat ik zijn zou. Alleen de gedachte dat jij thuis op me wacht houdt me staande. Je bent daar toch nog steeds, niet, Rosie? Ik zou er echt niet tegen kunnen als je weer op Waterslain was...'*

'Ik denk voortdurend aan je,' sloot hij af, *'je bent altijd in mijn gedachten. Ik zal mijn best doen je niet teleur te stellen en wanneer ik thuis kom zal ik er wel voor uitkijken dat we ooit weer gescheiden worden. God zegene je, m'n liefste Rosie...'*

De brief was ondertekend met *je innig liefhebbende Henry* en Rose nam hem mee naar boven zodat ze er in de beslotenheid van haar slaapkamer om kon huilen.

Het weer verslechterde. John begon te wanhopen of hij ooit nog naar East Meadow zou kunnen om de suikerbieten te oogsten die al sinds Kerstmis in de grond vastgevroren zaten. Over de radio kwam een bericht over de verergerende situatie in Maleisië, en er kwamen tientallen mensen om bij een bombardement op Lowestoft, nog geen zestig kilometer van hen vandaan. Rose verloor haar eerste lam toen het vanuit het noorden zwaar begon te sneeuwen, en de *East Anglian Daily Times* meldde dat de Japanners Singapore hadden bezet. Rose las het artikel zonder veel belangstelling, tot ze op de namen stuitte van de bij de gevechten betrokken Britse strijdkrachten: de Royal Norfolks, de Cambridgeshires, de Beds en Herts, de Suffolks. Ze voelde zich fysiek onwel worden toen ze Henry's regiment genoemd zag, terwijl ze hem veilig elders had gewaand.

'Kom liefje, trek nou niet meteen van die haastige conclusies,' zei Betty toen Rose haar in paniek opzocht, 'je weet toch hoe dat gaat met die kranten: ze hebben 't vast bij het verkeerde eind. Kijk maar naar Alf Tindall. Bert vertelde me nog maar een paar weken geleden dat hij op een van de Atlantische konvooien zat, en nu blijkt ie al die tijd in Shotley aan het oefenen te zijn geweest, maar een paar kilometer hiervandaan!'

'Oom John,' vroeg Rose smekend in haar verlangen gerustgesteld te worden, 'tante Betty heeft toch wel gelijk, hè? Hij zal toch nog wel in India zijn?'

'Mm,' zei John nadenkend aan zijn snor trekkend, 'ik denk toch niet dat een telefoontje naar Alice kwaad zou kunnen. Wat vind je, Betty? Gewoon voor alle zekerheid?'

Het was al na achten toen Alice terugbelde, en Elsie bleef onzeker in de deuropening dralen, terwijl Rose en Betty zich om John heen verdrongen, zich tot het uiterste inspannend om beide kanten van het gesprek te kunnen horen boven het gebrom van verre vliegtuigmotoren en het loeien van sirenes uit.

'Pa,' begon ze, 'ik heb d... gepr... ...ko...'

'Wat, kind? Kun je wat harder praten? Ik kan geen woord...'

'Ik heb ... he... dag geprobeerd... achter... ko... wat... beurt, en niemand... weten...'

'Maar Henry is toch nog in India?'

'Nee. Zijn batal... was in Singa... toen de Japanners... en ze... heel zeker... gegeven... hoor 's, Pap, geef me ... dagen en dan zal... wat ik kan...'

'Ja.' John wierp Rose een bemoedigende blik toe. 'Ja natuurlijk, kind. Maar je belt ons terug zo gauw je kan, hè, we zijn hier allemaal dodelijk ongerust.'

'Beloof ik,' zei Alice, 'Pap, ik moet... g-' en toen viel de verbinding uit.

John legde de hoorn zorgvuldig op de haak, streek langs zijn snor. 'Alice zegt dat Henry absoluut in Malakka was toen onze troepen zich overgaven.'

'Zich overgaven? Doe niet zo bespottelijk,' zei Betty verontwaardigd. 'Henry zou zich nooit...'

John kapte haar protest halverwege de zin af. 'Ik denk dat we ons mogelijk op slecht nieuws zullen moeten voorbereiden.'

Rose zat in de keuken aardappelen te schillen toen de volgende avond de telefoon ging. De verbinding was deze keer beter. 'Waar is hij?' wilde ze meteen weten. 'Is alles goed met 'm? Heb je hem gesproken?'

Alice sneed haar de pas af. 'Ik heb niets te weten kunnen komen. Ik heb iedereen ingeschakeld die ik maar kon bedenken, en ik heb er absoluut niets mee bereikt. Luister 's, Rose...'

'Je doet niet hard genoeg je best!' riep Rose beschuldigend, fel uithalend in haar wanhoop. 'Je hebt het vast niet aan de juiste mensen gevraagd...'

'Rosie, als je nou misschien eens even wil *luisteren*!'

Het werd allemaal nog erger door de wetenschap dat Alice al even bang was als zij. 'Wat?' zei Rose.

'Je moet niet meteen het ergste denken,' zei Alice. 'Dat hij daar was, wil niet zeggen dat hij gevangen is genomen. Hij zou ook wel heel ergens anders kunnen zijn, kilometers van waar de Jappen zijn geland. Hij zou best op dit moment op weg naar huis kunnen zijn.'

'Maar...'

'Luister, vertrouw me nou maar. Zodra ik wat hoor laat ik het je weten. Rosie, ik moet het aan jou overlaten om Mam en Pap op de hoogte te brengen. Het heeft geen zin om te doen of alles oké is, terwijl het dat helemaal niet is, maar als er veel gesneuvelden waren geweest...'

'Gesneuvelden? O, *Alice.*'

'... zou dat bericht nu wel doorgekomen zijn. Het weinige wat ik *wel* te weten ben gekomen, geeft de indruk dat de Jappen tot dusver vrij weinig tegenstand hebben gehad. Ik kan dit niet op een leuke manier brengen, Rosie. Henry is er maar eentje van duizenden, wat wil zeggen dat er honderden, duizenden families op bericht wachten. Het enige goede bericht is dat hij vrijwel zeker in leven is.'

Zelfs Elsie had die avond geen zin in pret maken. Dicht bijeengekropen luisterden ze naar het nieuws, en ze gingen nog bezwaarder van gemoed naar bed toen duidelijk werd dat over niet één van de 100.000 mannen die ten tijde van de invasie in het Verre Oosten waren, vooralsnog iets bekend was.

Gedurende de week die volgde trok Elsie zich stilletjes uit de avondlijke kring in de zitkamer terug, omdat ze zich te veel voelde. Aangezien het voortdurende slechte weer ontsnapping naar The Bell of The Star and Garter uitsloot, ging ze met Johns oude opwindgrammofoon naar haar kamer om daar zijn verzameling jazzplaten te draaien. Zodoende kon de rest van de familie de avondnieuwsuitzendingen beluisteren bij de tonen van Freddy Gardner die *Smoke gets in your eyes* kweelde, Louis Armstrong die *Ain't Misbehavin'* gromde, of Bessie Smith die meedeelde dat ze *Down in the Dumps* was, terwijl Elsie haar danspassen oefende. Toen de sneeuw in het laantje begon te smelten, tegen eind februari, was er nog steeds geen bericht over Henry, niets waaruit ze konden opmaken of hij nog leefde of dood was, vrij man of een gevangene van de Japanners.

'Waar ga je nou toch heen, meiske?' vroeg Betty toen Rose op een ochtend warm ingepakt in de keuken verscheen. 'Pa opzoeken,' zei Rose worstelend met haar rubberlaarzen. 'Het is al weer bijna een week geleden dat ik er was en hij had het gister wat op de borst, zei oom John.' John was twee of drie keer met de tractor bij Waterslain gaan kijken, maar Betty had Rose verboden met hem mee te gaan, geërgerd over haar koppig vasthouden aan het vervullen van haar

157

dochterlijke plichten. 'Ik dacht dat ik hem maar eens wat Friar's Balsam moest gaan brengen.'

Betty perste haar lippen op elkaar. 'Ik heb John juist gestuurd om jou te beletten alsmaar zo'n drukte over ze te maken.'

'Ik maak geen drukte,' zei Rose gebelgd. 'Ik wil alleen gaan kijken of Reuben het allemaal kan bolwerken. Ze zitten daar beneden zo geïsoleerd en het is veel te glad voor Reuben om over dat gevaarlijke jaagpad te lopen. Als hij nou eens ergens buiten kwam te vallen? Wie zou er dan voor Pa zorgen?'

'Nou als je moet gaan, ga dan maar,' gaf Betty zich met tegenzin gewonnen, 'maar vroeg of laat zul je toch echt moeten ophouden je ermee te bemoeien. Anders zullen ze nog steeds op je leunen wanneer Henry thuiskomt, en dat willen we toch niet, hè? Zeker niet als de volgende baby zich aandient.'

Voortzwoegend door het modderige laantje nam Rose nog eens alle vinnige antwoorden door die ze op zo'n krenkende opmerking had kunnen geven. Tante Betty had wel lef om te zeggen dat *zij* zich met dingen bemoeide.

Tom zat met benauwd piepende ademhaling dicht bij het vuur gekropen.

'Leuk dat je even tijd voor ons neemt,' was Reubens sarcastische begroeting. 'Wil je een kop thee of ga je niet zitten?'

'Natuurlijk ga ik wel zitten,' zei Rose snibbig. 'Ik kom Pa een fles Friar's Balsam brengen.'

Er stond soep te pruttelen op het fornuis en een plaat zoete broodjes lag af te koelen op tafel. Betty had gelijk, dacht Rose kribbig, ze redden zich uitstekend zonder haar. Reuben leek alweer langer dan de laatste keer dat ze hem zag, en op zijn wangen tekenden zich vaag wat donker pluis af, het donzige begin van een baard. Hij was nu zestien, praktisch volwassen, en ze was ontzet, boos bijna, dat hij opeens zo was opgeschoten zonder dat ze het had gemerkt.

Maar de broodjes waren verrukkelijk, en hij ontdooide toen ze ze prees. 'Kom op, jong,' zei Tom de laatste kruimels met zijn vinger van zijn bordje opvegend, 'vertel Rose je nieuws.'

Reubens wangen kleurden van genoegen. 'Ik heb een opdracht. Van de katholieke school in Market Needing.'

'Vroegen speciaal om hem,' zei Tom, barstend van vaderlijke trots. 'Mond tot mond, beste soort aanbeveling die je hebben kunt. Ouwe Walter zei toevallig iets over dat fotolijstje dat Reuben afgelopen kerst voor je gemaakt heeft, en toen heeft Zuster Catherine bericht gestuurd dat hij haar moest komen opzoeken.'

'Reuben, dat is *geweldig*,' zei Rose met een stralende glimlach. 'Wanneer ga je?'

'Ben vanmorgen al geweest,' zei Reuben. 'Ze wil een misericorde voor de kapel. Ze zegt dat ik kan maken wat ik wil zolang het maar niet godslasterlijk is. En als ie haar bevalt, mag ik er nog eentje doen...'

'Wat is een misericorde?'

'Een soort scharnierende klep met een bewerkte steun eronder. In de oude tijd stonden de monniken altijd tijdens de mis, zegt de zuster, tot ze op het idee van een zitje kwamen...'

Hij praatte enthousiast over het stuk mooi droog eikenhout dat Tom hem voor het werkstuk had gegeven, het ontwerp dat hij in gedachten al had uitgewerkt, de manier waarop Zuster Catherine hem tijdens het hele gesprek had aangesproken als *mr. Leck*. Pas toen ze opstond om weg te gaan, bijna een uur later, besefte Rose dat Pa noch Reuben naar Henry had gevraagd, en dat zij niet eenmaal aan hem had gedacht.

'Ik heb je de afgelopen week gemist,' zei ze toen ze bij de deur afscheid van Reuben nam. Toen ze over de modderige landweg wegliep werd ze besprongen door een verontrustende drang om om te keren, weer naar binnen te gaan, alle ongerustheid en onzekerheid buiten te sluiten, en bij Pa en Reuben te blijven.

Reuben hinkte op het fornuis toe. 'Ik zal de ketel maar eens opzetten, hè?' zei hij monter, 'en dan gaan we d'r met de Friar's Balsam op los, hè, Tom. Kijken of we je wat gemakkelijker kunnen laten ademhalen...?'

Twee dagen later werd Rose' ergste angst bevestigd: Henry's regiment was inderdaad in Malakka, toen de Japanners Singapore onder de voet liepen. '...*naar wordt gehoopt is hij in veiligheid*,' stond er in de brief van het ministerie van Oorlog, '*hoewel hij krijgsgevangene kan zijn. Vooralsnog echter zal hij in afwachting van definitieve berichten als vermist moeten worden aangemerkt...*'

Iedereen wist wat 'vermist' betekende. John werd stil en somber en frunnikte onafgebroken aan zijn snor, Betty was ongewoon bits, en haar voordeel doend met het betere weer hervatte Elsie haar bezoekjes aan The Star and Garter, waar ze de teugels kon laten vieren zonder het gevoel 'op een begrafenis te dansen', zoals ze het verwoordde. 'Je zou eens met me mee moeten gaan,' zei ze tegen Rose terwijl ze op een regenachtige middag in maart knollen voor de stiertjes stonden te vermalen, 'een verzetje zo nu en dan zou je goeddoen, heb je eens wat afleiding.'

'Ik weet het niet hoor...' Rose was in verleiding gebracht; ze had Elsie een paar dagen eerder op haar wandeling terug van Waterslain in de avondschemering achter de strohopen zien rondhangen, met een van de soldaten van het bataljon dat naast het station van Market Needing gelegerd lag. Ze had bij Rose' passeren vrolijk gewuifd en daarna een vinger tegen haar lippen gelegd. Rose had haar bijna twee uur later op haar tenen de trap op zien gaan, met uitgesmeerde lipstick en stukjes stro in haar haar.

'Tante Betty,' vroeg Rose de volgende ochtend langs haar neus weg, 'zou u het erg vinden als ik vanavond naar Market Needing ging?'

'Natuurlijk niet, kind. Wat wilde je gaan doen?'

'O, niets bijzonders. Elsie zei alleen dat ze het leuk zou vinden als ik meeging en ik dacht dat eens een andere omgeving...'

'Elsie? En waar dachten jij en *Elsie* dan wel heen te gaan?'

'O, u weet wel...' Rose keek even naar Elsie die tegen het aanrecht geleund gezichten stond te trekken achter Betty's rug, '... zomaar ergens heen. We dachten misschien even te gaan kijken bij het Legion?'

Ze had nu Betty's volledige aandacht. 'Je bedoelt het thé dansant?'

'Ja...'

'Geen spráke van!' zei Betty, 'en ik sta verbaasd, Elsie, dat jij Rose aanpraat dat zulk gedrag gepast is voor een getrouwde vrouw!'

'Wat voor...'

'Zou ik niet alleen maar...'

'Nee, en daarmee uit!'

'Wat denkt ze wel dat je van plan bent?' fluisterde Elsie tegen Rose, terwijl ze schaapachtig achter elkaar aan de kamer uit liepen om de afwas te gaan doen. 'Als ze het nou over mij had...' ondeugend giechelend met haar arm door die van Rose, '...zou ze wel gelijk hebben – ik zou d'r vandoor zijn met de eerste vent die me ten dans vroeg. Maar jij... Brave Hendrika.'

'Hoezo, Brave Hendrika?' protesteerde Rose. 'Dat ben ik helemaal niet!'

'Kom kom,' suste Elsie, 'je hoeft niet op je teentjes getrapt te zijn. Ik bedoelde alleen maar... nou ja, logisch toch? Je moet wel gek op die Henry van je zijn, anders was je niet met hem getrouwd, waar of niet?'

'Nee,' zei Rose. 'Nee, natuurlijk niet.'

'Dus waarom zou je dan met een ander gaan rotzooien, alleen omdat ie weg is?'

Elsie ging alleen naar het thé dansant, maar Betty liet haar afkeuring goed blijken door beide meisjes de rest van de dag koel en afstandelijk te bejegenen, en toen John zachtmoedig opperde: 'Vind je niet dat je een pietsje overdrijft?', kon ook hij geen goed meer doen.

Rose was op Ten Acre bezig Horrie te laten zien hoe hij de heggen recht moest aftoppen met een zeis, toen ze Betty met een ernstig en geagiteerd gezicht heftig naar hen zag zwaaien bij het hek.

'Rose, hoor 's,' begon ze toen zij en Horrie bij haar waren.

'Wat is er? Is er iets met Henry? Zeg het maar, tante Betty! Hij is gewond, hè? O Heer, hij is toch niet...'

Betty schudde haar hoofd. 'Nee, nee, liefje, het gaat niet om Henry. Heeft een van jullie tweeën Elsie soms gezien?'

'Die was daornet op Bottom Twenty,' zei Horrie, 'met de baas. Wâ'ster loos?'

'Ik heb zonet Elsies moeder aan de telefoon gehad. Ze moet haar spreken.'

'Waarom?' vroeg Rose. 'Wat is er gebeurd?'

'Het is niet aan mij om dat te vertellen.'

'Ah,' raadde Horrie. 'Een of andere stakker 't hoekie om sekers?'

'Gaat je niet aan,' zei Betty op scherpe toon, 'ga 'r nou maar gewoon halen, Horrie, en vlug een beetje!'

Rose staarde naar de grond en liet de opluchting door zich heen stromen. Godzijdank, *niet Henry.*

'Als jij weer eens aan het werk ging, meisje?' opperde Betty, terwijl Horrie de heuvel af draafde. 'Elsie hoeft ons niet allemaal om haar heen hebben hangen als ze met haar moeder praat.'

'Horrie had dus gelijk?'

Betty knikte. 'Haar verloofde, schijnt 't. Kenneth, heette hij.'

'Verloofde?' herhaalde Rose verbijsterd, 'maar...'

'Ik weet 't, kind. Ik wist ook niet dat ze verloofd was. Gisteravond omgekomen, zei Elsies moeder, niks in verband met de oorlog, gewoon overreden door een auto.'

'Die hem in het donker niet kon zien omdat we nergens licht mogen hebben?'

'Ja, zal wel. Ga nu maar weer aan het werk, meiske. Geloof me, dat helpt.'

Haar schoonmoeder had nu eens een keertje gelijk. Rose zwoegde tot diep in de middag voort, haar woede koelend op de heg, hakkend en slaand, daarna de takken opstapelend en er de brand in jagend, intussen vreselijk opziend tegen de confrontatie met Elsie.

Ze worstelde zich door het avondmelken heen. Toen ze later vermoeid in het donker over het erf naar het huis terugliep, vroeg ze zich af wat ze in hemelsnaam moest zeggen. Hoe kon ze haar medeleven betonen zonder... nou ja, *opgelucht* te klinken dat Elsie en niet zij haar geliefde had verloren?

Onderweg naar de badkamer bleef ze bij Elsies deur staan, en klopte.

Elsie zat ineengedoken in de brede vensterbank met haar rug tegen de muur en haar knieën opgetrokken tot onder haar kin. Ze hield een doorweekte zakdoek in haar ene hand en haar ogen zagen rood en dik van het huilen.

'Elsie, ik vind het zo ontzettend voor je,' begon Rose.

'Het is zo on*eerlijk*!' jammerde Elsie hikkend van tomeloos verdriet. 'Hij is nog maar twintig!'

'Ssjj,' murmelde Rose, haar eigen zakdoekje aanbiedend, dat groezelig was van de rook en verfrommeld, maar tenminste droog.

'En ik ben zo... zo *slecht* geweest, en nou weet ie *alles*...'

Niets wat Rose kon zeggen zou enige vertroosting bieden, Elsie was vastbesloten te boeten voor haar zonden. 'O Rosie,' zei ze maar steeds, 'is deze oorlog niet gewoon verschrikkelijk...?'

Tante Betty heeft geen gelijk, dacht Rose terwijl ze langzaam de trap afliep om aan tafel te gaan, je hebt er geen behoefte aan om alleen te zijn wanneer het ergste gebeurt, je hebt behoefte aan steun, begrip, een schouder om op uit te huilen.

Oom John was als bij toverslag net toen zij Elsies kamer uitliep verschenen om Elsie te troosten, net zoals hij haar getroost had, al die jaren geleden, toen haar moeder stierf...

19

<hr />

$\mathcal{E}$lsie deed haar uiterste best om manmoedig verder te gaan, maar haar worsteling bood een hartverscheurende aanblik. Bij de geringste aanleiding verdronk ze bijna in een vloed van tranen en tegen het einde van de week was het John duidelijk dat wat ze nodig had niet de eindeloze reeks werkjes was waar Betty mee aan kwam zetten, maar haar moeder. Hij nam haar vriendelijk terzijde en zei haar naar huis te gaan. Twee dagen later pakte ze haar spullen in en reisde terug naar Oxfordshire. Bij haar vertrek stroomden opnieuw de tranen, maar hoewel Rose de vrijmoedige opgewektheid miste die ze op Holly Farm had gebracht, nam ze haar werk met een gevoel van opluchting over. Door druk bezig te blijven gingen de uren sneller voorbij en hield ze geen energie over om zich zorgen te maken om Henry, duizenden kilometers ver weg in een land waar ze nauwelijks van had gehoord, en vrijwel zeker een gevangene van de Japanners.

Terwijl Betty de bezorging organiseerde van lunchmaaltijden bij de afgelegen boerderijen, voor de extra arbeidskrachten die het platteland binnenstroomden, demonstreerde Rose Horrie hoe hij kippen met een korte kurkentrekkerbeweging en een ruk de nek om moest draaien en daarna de stuiptrekkende lijkjes in kokend water dompelen om ze gemakkelijker te kunnen plukken. Terwijl Betty haar rondgang deed door het dorp en overal aanklopte om een bijdrage voor de Krijgsgevangenenweek, ging Rose op Waterslain met Pa's slijpsteen aan de gang om alle keukenmessen van

Holly Farm weer scherp te krijgen, omdat de scharensliep die sinds mensenheugenis het dorp bediend had voor het eerst in bijna dertig jaar zijn opwachting niet maakte. Jed Harkins maakte, door lucratievere bezigheden in beslag genomen, sinds afgelopen november zijn ronde als voddenman niet meer, de visboer en de stoffenverkoper kwamen nog maar sporadisch langs, in het zeldzame geval dat ze iets te verkopen hadden, en alleen mr. Smithin, die de ijzerhandel in Market Needing dreef, zette nog steeds elke woensdag zijn busje aan de rand van het dorpsplein neer om soda en kachelzwart, kaarsen, talk, stoffers, bezemstelen, paraffine, suikergoed en lijnzaad (wanneer hij het te pakken kon krijgen) te slijten.

Rose leerde leven met de kleine kramp van spanning in haar maag iedere keer dat ze aan Henry dacht, en met de droefheid bij ieder bezoek aan haar dochtertje in haar grafje op het kerkhof.

In juli kwam Alice met verlof, met een grote, joviale Canadees die Brad heette. Ze arriveerden beladen met geschenken: nylons voor Rose, een thuispermanentpakket voor Betty, Hershey-repen, schandalig lekker, en perziken in blik. Brad schaterde van pret om de gretigheid waarmee iedereen zich op zijn schatten stortte en vroeg John daarna rood van verlegenheid om diens goedkeuring voor zijn verloving met Alice.

'Je hoeft mij niets te vragen,' zei John, aan zijn snor trekkend, 'Alice bepaalt zelf wel wat ze wil, net als altijd.' Toen de serieuze kant van de dingen aldus naar tevredenheid was geregeld, vertrokken beide mannen naar The Bell voor een dronk op elkaars gezondheid, zodat de vrouwen op Alice' toekomstig geluk konden drinken met de rabarberwijn van afgelopen jaar.

Na Alice' vertrek, twee dagen later, voelde Rose zich nog eenzamer dan gewoonlijk. 'Als ik nou alleen maar zeker kon weten,' zei ze in vertrouwen tegen Horrie, 'dat alles goed met Henry is, zou ik wat meer zin in feestvieren hebben.' De namen van nog eens drie jongens uit de buurt – Frank Clayton, Archie King en Robin Futter – waren aan de groeiende lijst van gesneuvelden toegevoegd, en nog steeds was er geen bericht over Henry.

Reuben was degene die haar wist op te vrolijken door haar een bruine wulp voor haar verjaardag te brengen, met een lange fijne gebogen snavel en een wetende blik in zijn heldere houten ogen. Zij op haar beurt kocht een gloednieuwe set stalen deegvormpjes voor hem en voelde zich rijkelijk beloond met de glimlach die hij haar schonk.

Bij het vorderen van de zomer nam de schaarste aan voedingsmiddelen wat af. Het wemelde van de konijnen, en van dikke houtduiven, en de bloementuin vóór Holly Farm, waar nu groenten in stonden ter aanvulling van de moestuin, en langs de zuidmuur peren- en appelbomen in leivorm groeiden naast frambozen en kruisbessen, begon het eindelijk goed te doen en beloofde een overdadige oogst.

De zigeuners kwamen weer door het laantje, dit jaar in een sterk verminderd aantal, met grote passen meelopend naast hun vrolijk beschilderde woonwagens en op de voet gevolgd door hun scharminkelige honden en meerennende donkere kinderen. Reuben liet een boodschap bij Betty achter toen Rose uit was. 'Hij zal er de eerstkomende paar dagen niet zijn, zegt hij, of je dus een oogje op Tom wilt houden, omdat hij op het ogenblik nogal last van zijn borst heeft.'
'Wat bedoelt hij, hij zal er niet zijn?' wilde Rose weten. 'Waar kan hij dan anders zijn?'
De volgende morgen zag ze hem toen ze door het laantje liep om bij Pa te gaan kijken. Hij lag in half opgerichte houding op East Meadow in het lange gras onder de heg, met zijn slechte been onbeholpen voor zich uit gestrekt, terwijl een zwartharige zigeunerin over hem heen gebogen zat en hem in het gezicht kietelde met een strohalm. Rose voelde een felle boosheid door zich heen slaan. Waar dacht hij wel dat hij mee bezig was, zo op het veld te liggen lanterfanten, terwijl hij geacht werd op Waterslain te zijn en voor Pa te zorgen? En wie was dat *mens* dat over hem heen gedrapeerd hing alsof hij haar privé-eigendom was?
'Bemoei je met je eigen zaken, wil je,' zei Reuben toen hij bijna een uur later in de keuken verscheen, en ze stampte nijdig het huis uit en ontliep hem daarna een hele week bij wijze van straf.

20

---

*T*oen Rose de volgende dinsdag de heuvel opliep om wat bloemen op het grafje van haar dochtertje te gaan leggen, hing Reuben in het laantje rond.

'Het was zakelijk,' begroette hij haar op strijdlustige toon, 'ik had haar wat houtsnijwerk verkocht en ze wou nog meer hebben. Het was zakelijk, meer niet.'

'O ja?' Rose stapte met haar kin in de lucht langs hem heen. 'Nou, wel een *heel* rare manier van zakendoen, moet ik zeggen, lekker lui in het gras liggen met je klanten. Wat ging je dan wel *precies* voor haar doen?'

Hij liep met haar mee, haar hoon negerend. 'Ze is Pools.'

'Wie is Pools?'

'Nina. De vrouw met wie je me zag. Dat is een Poolse.'

'O,' zei Rose met grote passen doorlopend.

Reuben hinkte achter haar aan, met af en toe een extra sprongetje om haar bij te houden. 'Ze is er vorig jaar weggekomen,' legde hij haar uit terwijl ze Church Lane insloegen, 'ze heeft haar moeder en twee broers achtergelaten en is de oude wijk uit gekropen via het riool en daarna heeft ze zich verstopt in het Lomiankibos tot het verzet haar weg kon smokkelen. Daarvóór had ze op Nowolipki gewoond, in iemands flatje op de vloer geslapen.' Hij duwde het hek open en stapte achteruit om Rose voor te laten gaan, het kerkhof op.

'Halinka had altijd muziekles op Nowolipki...' Nu hij eenmaal begonnen was, kon hij niet meer ophouden. 'Nina had helemaal niet in het getto horen te zijn. Ze werd met haar hele familie opgepakt, toen een soldaat ze voor joden aanzag en ze begon uit te vloeken omdat ze de ster niet op hadden. Alle joden moeten een gele ster dragen, zodat ze te herkennen zijn, zegt Nina.' Hij bleef staan, 'En ze lieten het zo omdat sommige Nazi's nog erger de pest aan zigeuners hebben dan aan joden. Ze waren doodsbang dat hij ze ter plekke zou doodschieten.' Hij staarde over het kerkhof. 'Warschau is voor de helft weg, zegt Nina, tot puin gebombardeerd, en ze hebben een muur om de oude wijk heen gezet van tweeënhalve meter hoog, met glasscherven er bovenop... Nee...' verbeterde hij zichzelf, 'nee, *zij* hebben die muur niet gezet, die hebben ze door de joden laten bouwen. Slim, huh? Je laat je slachtoffers hun eigen gevangenis bouwen en dan sluit je ze erin op. Er zitten joden uit heel Polen, zegt Nina, uit Wloclawek, Bialystok...' Hoe gemakkelijk rolden de namen hem over de tong, dacht hij, als je bedacht dat hij al meer dan acht jaar geen Pools meer had gesproken. 'Eén man was uit het getto in Lodz ontsnapt en kwam daarna in Warschau meteen weer in het andere terecht.'

Al de herinneringen die hij veilig weggestopt dacht te hebben, had Nina weer boven doen komen, alleen door aan zijn deur te kloppen en hem in het Pools te begroeten. Drie nachten was hij van Waterslain weggebleven en had hij zich bij haar kampvuur gewarmd en naar haar verwarde relaas geluisterd, zich inspannend om haar gebroken Engels te begrijpen, dat doorspekt was met de vertrouwde cadansen uit zijn kindertijd. Uur na uur had hij haar aan de praat gehouden en toen ze niets meer wist te vertellen was hij domweg omgevallen waar hij zat, door uitputting geveld, en had die nacht onrustig geslapen op de harde grond. Hij had gedroomd, verschrikkelijke levendige dromen waarin sinistere kerels in donkere uniformen hen allen – Mama, Tatus, Zosia, Halinka – de binnenhof onder het flatgebouw aan de Siennastraat opdreven en hen vervolgens van vlakbij neerschoten, terwijl hij er hulpeloos bij stond, onmachtig zich te verroeren of iets te zeggen.

Hij was even naar Waterslain teruggegaan om een handvol van Mama's brieven uit het zwanenkistje te grissen en toen helemaal terug naar Marsh End gehinkeld in zijn wanhopig verlangen om zijn moeders stem weer te horen. Hij was ermee naar het goeie adres gekomen, verzekerde Nina hem, ze kon hem precies vertellen wat erin stond, en op goed geluk een brief openend was ze in onverstaanbaar Pools begonnen de inhoud voor te dragen, voordat ze hem met een schelle schaterlach weer neergooide en riep dat dit gewoon te stomvervelend was om te lezen. Toen had ze, zijn heftige teleurstelling ziend, haar armen om hem heen geslagen en gezegd dat ze hem maar plaagde, dat ze maar had gedaan alsof, dat ze in feite nauwelijks haar eigen naam kon schrijven. Hij was blij dat hij de foto niet had meegebracht, omdat ze zich daar zonder twijfel ook spottend over zou hebben uitgelaten. Vervolgens had ze hem in verwarring gebracht door hem *kochany,* schatje, te noemen, en daarna had ze hem gekust, waardoor hij nog meer in de war was geraakt...

'Nina vertelde me een verhaal,' zei hij, 'over een man die ze gekend heeft, een oom van haar kennis op Nowolipki. Dat was een *rzeznik.'*

'Een wat?'

'Een *rzeznik,* slager. Hij had een zaak aan de Wielkastraat en hij werd vermoord door een soldaat die iets tegen zijn gezicht had. Nina was erbij toen die soldaat binnenkwam. De slager zag er te joods uit, zei hij, zijn gezicht stond hem tegen... Kun je je dat voorstellen? Je gezicht staat me niet aan, dus laat ik je voor me uit de straat op lopen en schiet ik je dood, voor de ogen van al je klanten. Denk je dat eens in, dat je zoveel macht hebt dat je een ander kunt vermoorden zonder dat iemand je tegen durft houden.' Nina had het tafereel levendig en tot in details beschreven; de manier waarop de slager ogenblikkelijk in elkaar was gezakt, alsof zijn beenderen in water waren veranderd, en hoe het bloed uit de gapende wond in zijn borstkast was gegolfd, zijn witte hemd had doorweekt en zich over zijn voorschoot had verspreid als een kloppende rode rivier langs zijn zij op de straatstenen was gestroomd en de goot in gesijpeld, waar er dadelijk een wolk vliegen op was neergedaald om zich aan de onverwachte traktatie te goed

169

te doen. '*Olbrzymi*, enorm veel bloed,' had Nina gezegd, haar armen uitspreidend, '*jezioro*, een heel meer,' en die nacht had hij gedroomd dat de rivier onder aan Waterslain rood was verkleurd en daarna het grasland opgestroomd om de vogels te overspoelen met een dikke verstikkende karmijnrode vloedgolf. Toen hij naar buiten waadde om de zwanen te gaan redden had hij zichzelf in het stollende bloed weg voelen zakken en was hij zwetend en bevend wakker geworden.

'Mama kocht haar brood altijd maar een paar deuren verder vanwaar die slager is neergeschoten,' vertelde hij Rose. 'Ze kan die dag wel net boodschappen aan het doen zijn geweest. Wie weet, heeft ze het allemaal wel zien gebeuren.'

Rose was ontzet. 'Maar je vader is toch niet joods? Ik bedoel, zolang je moeder met een katholiek is getrouwd loopt ze toch geen enkel gevaar? Ze zijn daar vast weggegaan, ze hebben vast ergens anders een plek om te wonen gevonden. Nina is toch ook weggekomen?'

Reuben hinkte verder, zijn stok zakte telkens weg in het grint van het pad. 'We zijn kort nadat ik ziek was geworden naar de oude wijk verhuisd,' zei hij. 'Ze dachten dat m'n been alleen maar gekneusd was, dat ik beter zou worden, en Tatus had zo'n idee dat ik beter naar de...' Hij aarzelde, groef in zijn geheugen naar het woord. '... *Okopowa* kon gaan.' Okopowa was de joodse school. Dat zou gemakkelijker voor hem zijn, had Tatus toentertijd uitgelegd, met zijn uiterlijk, en Mama was er ook blij mee, opgelucht dat hij samen met andere *Zydzi*, andere joodse kinderen zou zijn, ook al geloofde ze zelf niet. Op Okopowa, beloofde ze hem, zou hij gewoon een van de velen zijn en niet meer gepest worden... Hij hompelde voort over het grintpad dat zich door het gras slingerde, Rose voorgaand naar de plek waar haar moeder en dochtertje naast elkaar begraven lagen.

'Heb je daarom zo lang met die vrouw opgetrokken?' vroeg Rose. 'Omdat ze je ouders heeft gekend?'

'Nee.' Reuben verliet het pad en ging verder over het gras. 'Er zitten duizenden mensen in het getto, zegt Nina, die overal in Polen zijn opgepakt en als sardientjes bij elkaar geprop in maar een paar straten. Ze worden met zovelen bij elkaar gestopt, veertien, vijftien man in een kamer, terwijl er elke dag meer bij komen en niemand weg mag, dat je nauwelijks je eigen buurman kent, laat staan die van een ander. Mama moet dat wel verschrikkelijk vinden.' Omdat ze zag hoe het hem allemaal aangreep, was Nina toen van onderwerp veranderd en had hem afgeleid door over zijn snijwerk te gaan praten en hoeveel geld ze er voor zou kunnen krijgen als ze het op jaarmarkten of langs de deur verkocht.

Ze waren bij het graf. Rose legde haar bloemen neer en naast elkaar stonden ze even op het grafsteentje neer te kijken: *Elizabeth Prudence Catherwood, door Jezus gehaald op 25 oktober 1941.* Het grafje was nu tenminste groen, dacht Rose, want er groeiden gras en madeliefjes waar enkele maanden geleden de grond nog kaal was geweest.

'Mijn vader was een driftige man,' zei Reuben. 'Als ze iemand konden neerschieten omdat zijn gezicht hun niet aanstond, wat denk je dan dat ze zouden doen met iemand die hun een grote mond gaf?'

'Ik vind het heel erg voor je,' zei Rose, opmerkend dat hij de verleden tijd gebruikte. Ze voelde zich machteloos.

'Hoeft niet.' Reuben wendde zijn hoofd af en staarde over de zerken weg naar de akkers erachter. 'Het is niet belangrijk.'

'Natuurlijk is het belangrijk,' zei Rose. Met Henry in gevangenschap aan de andere kant van de wereld, of nog erger, en het verlies van haar dochtertje en dat van Elsies verloofde, wist ze nu hoe het voelde om alleen achter te blijven en niets anders te kunnen doen dan wachten en piekeren en het ergste vrezen. Zijn stoïcijns aanvaarden maakte haar beschaamd.

Toen ze langzaam door het laantje terugliepen liet ze haar hand verlegen in de zijne glijden. 'Je zult altijd mij hebben,' bracht ze hem in herinnering. 'En Pa, vergeet dat niet.'

'Beloof me dan,' zei Reuben, met een zijdelingse blik in haar vingers knijpend, 'beloof me dan dat je niet weer zo lang van Waterslain weg zult blijven.'

'Dat beloof ik je.' Zijn huid was koel en droog tegen de hare en hij hield haar hand stevig omklemd. Het was een fijn gevoel, haar hand in de zijne, zo troostrijk, dat had ze nog het meest gemist sinds Henry's vertrek, vertrouwelijkheid, door iemand te worden aangeraakt, gestreeld, het gevoel te worden... *bemind.*

21

⸻◦◉◦⸻

*D*e oogst was dat jaar de beste sinds mensenheugenis. Het ministerie stuurde een groep Italiaanse krijgsgevangenen, energieke donkere mannetjes met drukke gebaren die zingend over de smalle landwegen van boerderij naar boerderij marcheerden, en in het dorp werden iedere man en vrouw en ieder kind ingeschakeld om de nog steeds in Walters boomgaard kamperende zigeuners te helpen.

Begin september gingen de Italianen weg en werden opgevolgd door een groep Amerikaanse soldaten. Betty vond hun onomwonden taalgebruik shockerend, maar Rose ervoer hun innemende, tegemoetkomende en open optreden als heel charmant. Ze bonden schoven en bouwden hooibergen, repareerden oom Johns dorsmachine toen die kapotging met onderdelen uit hun eigen voorraad, deden enthousiast aan de rattenjachten mee. Ze lieten vanaf zonsopgang tot zonsondergang gelach over de akkers opklinken, wekten wrevel onder de enkele mannen uit de buurt die nog niet onder de wapenen waren gegaan vanwege de onweerstaanbare exotische uitstraling van hun filmsterrenaccent en strak gesneden uniform, en vertrokken toen even plotseling als ze waren gekomen.

Toen de bladeren begonnen te verkleuren en er nog steeds geen uitsluitsel over Henry kwam, was de spanning op Holly Farm aan alles te merken. Halverwege oktober beklaagde Horrie zich vrijwel dagelijks tegen Rose over het korte lontje van zijn voorheen zo gelijkmoedige werkgever. John snauwde een enkele keer zelfs tegen Rose, iets wat hij zelfs toen ze nog een kind was nooit had gedaan. Betty daarentegen had het van de ochtend tot de avond druk met haar vrijwilligerswerk en weigerde aan pessimistische gedachten toe te geven. 'Let op mijn woorden,' zei ze tegen John, terwijl ze aan haar toilettafel zo zuinig mogelijk cold cream zat op te brengen. 'Zodra Henry weer thuis is, levensgroot en twee keer zo knap als vroeger, zul je je afvragen waarom je je zo druk hebt gemaakt!' Hetgeen John bij zichzelf deed bedenken hoe heerlijk het moest zijn om geen verbeeldingskracht te hebben...

Rose zocht haar troost zoveel mogelijk bij Reuben. 'Als Henry dood was,' hield hij haar kalmpjes voor, 'zou je dat nu wel gehoord hebben. We gaan deze oorlog winnen,' drukte hij haar op het hart, alsof Engeland net zozeer zijn land was als het hare, 'en dan worden de gevangenen vrijgelaten, toch?' Maar Rose vermoedde dat hij op zijn eigen familie doelde, al zo lang zonder bericht in het niets verdwenen.

En toen verschenen in oktober, bijna negen maanden na de val van Singapore, in het plaatselijk nieuwsblad de eerste lijsten, en werd Rose' grote angst bewaarheid: Henry was inderdaad een krijgsgevangene van de Japanners.

Vreemd genoeg was het bijna een opluchting. Dank u God, bad ze toen ze de volgende zondag neerknielde in de bank van de Catherwoods, hij leeft tenminste nog...

Toen de nachten langer werden, en zich mistbanken vormden langs de rivier en in Marsh Hill Spinney de bladeren begonnen te vallen, kreeg Tom meer last van zijn longen.

In november kwam hij met bronchitis op bed te liggen. Rose ging vaker naar Waterslain toe, zodat Reuben elk uurtje daglicht in de koude schuur aan het werk kon blijven, tot zijn oren ingepakt in vele lagen kleding om niet achterop te raken met al het werk dat Tom in de zomer had aangenomen.

Dr. Hills kwam langs, bezorgd over de slijmvorming in de longen van de oude man en de zware hoest die hij had ontwikkeld.

Begin december deed Tom niet eens meer alsof hij werkte, maar zat hij de hele dag ingezakt in zijn stoel bij het keukenvuur of lag met kussens in zijn rug in bed, piepend en hijgend als een stoomtrein.

'Hij lijkt zo *moe*,' zei Rose tegen Reuben, 'hij kan het tegenwoordig nog nauwelijks opbrengen iets tegen me te zeggen.'

'Dat moet je je niet aantrekken, het ligt niet aan jou. Hij weet niet meer hoe hij adem moet halen, da's alles...'

Soms dacht Tom als hij zo zat te dutten bij het keukenvuur dat hij Prue naar zich hoorde roepen. Dan hield hij in zijn halfslaap zijn hoofd scheef, zijn oren spitsend om te verstaan wat ze zei en hopend dat nu eindelijk zijn tijd gekomen was. Hij was niet meer nodig, zei hij tegen zijn dode vrouw: Reuben werd elke dag zelfredzamer en Rose' leven was nu, als getrouwde vrouw, op Holly Farm.

'Ik ben geen goede vader geweest,' zei hij in vertrouwen tegen Reuben toen ze op een avond nog laat aan een karige maaltijd zaten. 'Ik heb Rose niet gegeven wat ze nodig had op het punt van... hm, *affectie*. Ik ben blij dat ze jou heeft... en Henry natuurlijk, wanneer hij terugkomt.'

'Maakt niet uit of hij terugkomt of niet,' zei Reuben vlakweg. 'Ik zal altijd hier zijn om voor haar te zorgen.'

22

Rose begroette 1943, haar tweede Nieuwjaar zonder Henry, op Waterslain, waar ze haar vader verpleegde. Sommige dagen leek het wel alsof er voor elk brokje goed nieuws ook een slecht bericht moest komen. Toen generaal Montgomery zegevierend Tripoli binnentrok, werd Peter Harling als vermist in India opgegeven; terwijl RAF-toestellen stoutmoedige aanvallen bij daglicht op Berlijn uitvoerden, werd Edward Brownings torpedobootjager in de Atlantische Oceaan aangevallen en tot zinken gebracht, met verlies van alle bemanningsleden. 'Maar toch,' zoals Betty zei om nog een positief licht op de situatie te werpen, 'onze jongens dringen in elk geval tot in het hart van de vijand door,' wat toch wel *moest* betekenen, nietwaar, dat het einde snel in zicht moest komen?

Met elke dag die voorbijging, gleed Henry verder uit Rose' bereik weg. Tegenwoordig werd ze wanneer ze bij het ontwaken naar de foto naast haar bed keek, bekropen door hetzelfde gevoel dat ze op haar trouwdag had gehad, alsof ze in de ogen van een onbekende keek.

Steeds vaker moest ze haar toevlucht nemen tot fantasie – zich voorstellen hoe het zou zijn wanneer hij door de deur binnen kwam stappen, hoe hij haar aan zou kijken, hoe zoet hun eerste kus na zo'n lange tijd zou smaken – omdat ze alleen zo de herinnering aan hem fris en helder kon houden.

In maart werd Tom opnieuw ziek, omdat hij de borstkasinfectie niet kwijt kon raken. Rose wilde de dokter er weer bij halen, maar Reuben zei nee.

'Dat waar jouw Pa aan lijdt, kan geen enkele dokter beter maken,' zei hij. 'Het is alsof hij genoeg van het leven heeft. Zelfs de uiterwaarden interesseren hem niet meer.' Tom kwam in die dagen het huis nog maar nauwelijks uit en zelfs toen het weer verbeterde en Reuben hem overhaalde om de binnenplaats op te gaan, ging hij daar alleen maar domweg naar de muur zitten staren. Hij sloeg zijn ogen niet meer op naar de rivier en hoewel zijn borstklachten in de frisse lucht verbeterden, nestelde hij zich toen Reuben hem aanmoedigde om weer aan het werk te gaan, alleen maar dieper in zijn stoel en sloot zijn ogen, alsof zijn wil om verder te gaan tegelijk met de versmalling van zijn horizon wegzakte.

In april meldden de kranten dat de Duitsers bezig waren het getto in Warschau met de grond gelijk te maken. Rose hield die informatie voor zich, en als Reuben er elders iets over had gehoord, gaf hij er geen blijk van. Al zijn aandacht was op Tom gericht, omdat hij de oude man de koude vochtige lente door wilde helpen. 'Wanneer de zomer komt zal het beter met hem gaan,' zei hij vol vertrouwen tegen Rose. 'Wat warmte, dat is wat hij nodig heeft, wat zonneschijn.'

De tekorten namen toe. De kaasrantsoenen werden verlaagd van een half pond tot twee ons en daarna tot anderhalf ons, in mei tot 125 gram. Dezelfde kranten die vol stonden met juichverhalen over de totale nederlaag die de geallieerde troepen de Duitsers en Italianen in Noord-Afrika hadden toegebracht, begonnen een 'Eet Minder Brood'-campagne. De visboer in Market Needing ging een week lang dicht omdat hij de winkel niet kon bevoorraden. Rose nam extra werk aan in de vorm van een uurtje inspringen bij de dorpsschool, aan het eind van elke middag, zodat Ellie Haskins naar Ipswich kon fietsen om daar in een fabriek mee te draaien in de avondploeg. Ook bracht ze om de week de kinderen uit het dorp naar zondagsschool. Er trok een golf van vandalisme door het dorp, waarbij een half dozijn tuinschuurtjes werd opengebroken en een geit werd gestolen van de meent, en Alice kwam een weekend thuis, met de klacht dat Betty's laatste brief gecensureerd was.

In augustus trouwde Sue Burkiss' dochter Janet met een piloot van de RAF, de vierde bruiloft in het dorp in evenzovele weken.

'Verdacht vlug, als je het mij vraagt,' merkte Betty in een gefluisterd terzijde tegen John op toen ze de kerk binnenliepen, 'ik sta ervan te kijken dat ze het lef heeft om wit te dragen, terwijl iedereen weet dat ze heus niet zo'n braaf meisje is.' Maar John luisterde niet, hij trok alleen somber aan zijn snor, rouwend om zijn Cheviot-ooien die de volgende maandag naar de markt gingen, vanwege het verzoek van de onverzadigbare heren op het ministerie om nóg meer land onder de ploeg te brengen.

Gehoorzamend aan het voorschrift dat alle brieven voor het Verre Oosten getypt moesten zijn, schreef Rose eens per week naar Henry op Betty's schrijfmachine. Het was wel heel demoraliserend om niet te weten of haar epistels hem bereikten. Terwijl de zomer vergleed kon ze haar man mee weg voelen glijden. Soms kon ze uren, zelfs dagen, bezig zijn zonder één gedachte aan hem en dan moest ze weer hele nachten allerlei denkbeeldige herenigingen liggen verzinnen om hem terug te krijgen. Toen de kranten meldden dat de Nazi's bezig waren Warschau van alle joden te zuiveren, zat ze er dagen over in of ze dat al dan niet aan Reuben moest vertellen. Ze hield het bericht vóór zich, en wrong daarna opnieuw in gedachten haar handen in twijfel of ze niet het verkeerde besluit had genomen.

Voor de eerste keer kwamen de zigeuners helemaal niet opdagen voor de oogst, maar Reuben leek Nina's afwezigheid niet op te merken, bezorgd als hij was over Toms blijvend zwakke gezondheid, en voortdurend hard aan het werk om al het achterstallig werk in te halen. Ter compensatie voor het wegblijven van de zigeuners kwamen de Amerikanen in nog grotere getale dan het vorig jaar terug, en Rose werkte drie dagen lang naast de eerste zwarte man die ze ooit gezien had.

'Onberispelijke manieren,' vertrouwde ze Betty toe, 'een heel leuk slepend accent, helemaal niet zoals dat van Brad.'

'Nou nou liefje,' zei Betty afkeurend, 'hij zal vast en zeker heel aardig *lijken*, maar je zult toch niet *te* dik met hem worden, hè? Die zwartjes zijn anders dan wij, weet je.'

Toen haar gevraagd werd te verduidelijken *hoe* ze dan wel anders waren, kon ze dat niet zeggen, maar viel op haar gebruikelijke dooddoener terug: 'Dat moet je maar gewoon van me aannemen, kind. Geloof je tante Betty nou maar, ik heb verstand van dat soort dingen.' En het Amerikaanse leger stond er net zo tegenover als zij, ontdekte Rose, toen haar nieuwe vriend haar in vertrouwen meedeelde dat hij, wanneer het op een biertje drinken aankwam, niet in dezelfde kroeg binnen mocht als zijn blanke landgenoten.

In oktober keerde Italië zich tegen haar vroegere bondgenoot en verklaarde Duitsland de oorlog. 'Daar!' zei Betty triomfantelijk, 'wat heb ik je gezegd? De ratten die het zinkende schip verlaten!' Rose ontving een briefkaart van Henry, het eerste levensteken dat ze in meer dan zeven maanden kreeg. Er stond niet veel op, alleen maar dat hij in veiligheid was en gezond en hard werkte, maar onderaan stond een hele rij X-en en het was een hele hoop beter dan niets. Toen ze het poststempel bekeek, ontdekte Rose tot haar teleurstelling dat de kaart bijna een half jaar eerder verstuurd was, maar zoals Betty opmerkte: 'Het is tenminste positief bewijs dat hij nog leeft, en daar gaat het maar om!'

Het was verbluffend, zoveel verschil als dat onnozele kaartje maakte. Het bracht Henry bij Rose terug, net toen ze begon te vrezen dat ze bezig was hem volledig te verliezen. Het arriveren van nog meer Amerikaanse manschappen, duizenden soldaten van de land- en luchtmacht die de pas voltooide bases overal in Suffolk binnenstroomden om zich voor te bereiden op de grote definitieve stormloop op Europa, hielp ook. Het bood haar een welkome afleiding van haar zorgelijke gedachten. 'En ook niets te vroeg!' verklaarde Betty. 'We zouden die ellendige Nazi's in een week in de pan kunnen hakken als iedereen maar eens wilde ophouden met praten!'

23

Op de eerste dag van het jaar 1944 lag er een dikke laag rijp, zodat elk twijgje, elke tak, elke grashalm met glinsterende witte kristallen was omkleed. Maar tegen eind februari was de koudeperiode voorbij, het weer werd warm en droog, het planten kwam goed op gang en Rose voelde zich, opgekikkerd door haar briefkaart en de eerste tekenen van de lente, optimistischer dan ze in maanden was geweest ten aanzien van de kans dat Henry gauw thuis zou komen.

Begin april lag er al een heldergroen waas van jonge scheuten over Ten Acre en was de lucht opnieuw vervuld van het geluid van vliegtuigmotoren. Niet van de vijand deze keer, maar van de Amerikanen, die haast achter hun oefeningen in laag-vliegen zetten, zodat de bommenwerpers ternauwernood vijftien meter boven de grond over Long Tye ronkten en de koeien zozeer de stuipen op het lijf joegen dat de melkgift daalde tot bijna nul. John belde het ministerie op om zich te beklagen. Rose, die zich volledig inzette op de boerderij, zag Pa en Reuben maar weinig, maar Tom leek nu met het mooie weer dan toch eindelijk aan de beterende hand te zijn. 'Hij is beter dan hij in eeuwen is geweest,' vertelde Reuben haar toen ze tegen eind mei op een avond binnenviel. 'Hij is zelfs weer aan het werk, bezig met een gewerenkast voor Peter Oakes op Stackyard Leys.'

Maar toen in juni de eerste Britse troepen in Frankrijk landden, de geallieerden Rome binnenmarcheerden en de Amerikanen de Jappen op het eiland Saipan er goed van langs begonnen te geven , laaide de strijd weer op. Vijandige raketten vlogen over Ipswich, de hemel lichtte elke nacht op door lichtspoorammunitie, en het brommen van Britse gevechtsvliegtuigen langs de kust.

Overal waar Rose dezer dagen heen ging, kwam ze jonge moeders met hun eerste kindje tegen; meisjes van haar eigen leeftijd en nog jonger die kinderwagens door de straten duwden, een klein handje vasthielden wanneer hun telg zijn of haar eerste wankele stapjes deed, op een rijtje op het bankje buiten het postkantoor verhalen over de vorderingen van hun baby's uitwisselden, gewicht en lengten vergeleken, praatten over de onmogelijkheid om aan babykleertjes en luiers te komen. Janet Clooney, voorheen Janet Burkiss, wier echtgenoot op zee zat, had volgens de verhalen haar drie maanden oude tweeling meegenomen naar een zaterdagse dansavond in de dorpszaal en ze daar jammerend in hun kinderwagen in het portaal achtergelaten, terwijl zij zich energiek over de dansvloer bewoog in de armen van een hele reeks soldaten met verlof. '*Volkomen* onverantwoordelijk,' was Betty's oordeel, 'mensen zouden helemaal geen kinderen moeten krijgen als ze niet voor ze willen zorgen!' en voor deze ene keer was Rose, die praktisch al wat ze bezat zou hebben gegeven voor een tweetal jongetjes als die van Janet, geneigd haar gelijk te geven. In september werden de verduisteringsvoorschriften minder stringent, maar net toen Rose begon te hopen dat haar gebeden om Henry's veilige terugkeer weldra zouden worden verhoord, kwamen er berichten over een groep Britse militairen die van een door de geallieerden getroffen Japans gevangenenschip was gered. Deze mannen verhaalden over primitieve kampen, over ziekten – cholera, tyfus, malaria, beri-beri, dysenterie – en over vele doden, honderden, duizenden mannen die gestorven waren door ontberingen en een slechte behandeling. De vertrouwde gespannenheid, waar Rose enkele korte weken zo heerlijk van verlost was geweest, keerde terug met dat knagende gevoel onder in haar maag. Toen Bert Tindall bij de nachtmis op kerstavond met het bericht kwam dat Charlie Cottle, bijna drie jaar geleden Henry's getuige, was opgegeven als vermist, vermoedelijk gesneuveld, leek dat de laatste druppel...

24

Het jaar 1945 ging van start met zware sneeuwval, die het ploegen vertraagde. Er waren bijna dagelijks stroomonderbrekingen en het gebrek aan kolen werd nijpender.

Rose bracht haar dagen bij Horrie in de voerschuur door, waar ze voer voor de kalveren maalden, of in de tractorschuur, waar ze John hielp bij het nakijken van de zware machines om te kunnen gaan planten zodra het genoeg had gedooid. De raketaanvallen verhevigden. De suikerbietenfabriek net buiten Ipswich ging tijdelijk dicht, zodat John bleef zitten met een berg weezoet ruikende bieten die wegrotten op het erf. Rose klemde zich wanhopig vast aan ieder snippertje goed nieuws (Amerikaanse troepen in Manilla, de Britten die oprukten in Mandalay), slechts om haar hoop door de volgende tegenvaller weer de bodem ingeslagen te zien: meer krijgsgevangenen verdronken toen de geallieerden de aanvallen op Japanse schepen intensiveerden. De enkele soldaten die levend uit zee werden gevist, kwamen thuis met verhalen over martelingen, uithongering en ziekten in de kampen in de jungle. Ze werd met de dag lichtgeraakter, snauwde terug toen Betty haar een standje gaf omdat ze vergeten was het licht in de zitkamer uit te doen en stampte woedend weg toen John haar afblafte omdat ze een hark met de tanden omhoog in de moestuin had laten liggen. Niettemin, zoals Reuben haar in een poging haar op te vrolijken in herinnering bracht, het ging in ieder geval beter met Pa. Die was weer aan het werk in de schuur en ademde bijna normaal. Tenminste één zorg minder in de zee van zorgen waarin ze naar haar gevoel bijna verdronk.

De kranten stonden vol over de oorlog in Europa en elke dag kwam er een eindeloze stroom vliegtuigen over, dezer dagen meestal geen vijandelijke, godzijdank. Overal waren troepen, Britse, Amerikaanse, Canadese, maar er kwamen geen berichten meer over het lot van de gevangenen die nog steeds in het Verre Oosten werden vastgehouden, en het leek er ook nog niet op dat de Japanners zich gingen overgeven.

En toen was het zomaar opeens bijna voorbij. De kranten stonden vol foto's van bomschade in Duitse steden. De verduisteringsvoorschriften werden verder versoepeld, en tegen Pasen kwamen de Amerikaanse vliegtuigen in de andere richting over, om eindelijk de gevangenen naar huis te brengen.

Ze kwamen van overal in Europa: Dan Prettiman, die in 1940 onder de wapenen was gegaan en nog geen week later gevangen was genomen, Willy Thompson, die zich in 1939 voor de RAF had aangemeld en boven de Ruhr was neergeschoten, Simon Roberts, Charlie Cottle, eind vorig jaar als omgekomen opgegeven, die onverwachts op een zondagochtend bij zijn moeder op de stoep stond net toen ze naar de kerk wilde gaan om voor zijn overgegane ziel te bidden, zodat de arme vrouw ter plekke bezwijmde van de schok. Bob en Eddie kwamen thuis, langer, magerder, zelfbewuster, maar er was geen bericht van Joyce Metlers man Fred, en Richard Browning zou niet terugkeren naar het huisje van zijn ouders aan Tye Lane.

Van de achttien jongemannen uit Nettlebed die de oorlog waren ingegaan, waren er tot dusver maar zeven thuisgekomen. Zes waren er dood, twee vermist en drie, onder wie Henry, werden nog steeds door de Japanners vastgehouden. Wat viel er te juichen? vroeg Rose zich af, terwijl ze wachtend in de rij op het postkantoor stond te luisteren naar het gepraat over de zelfmoord van Herr Hitler. Ze was zo *moe* van alles, moe van haar angsten om Henry, moe van het eindeloos wachten op nieuws dat nooit kwam, moe van haar innerlijke verdeeldheid tussen haar belofte aan haar man om op

Holly Farm te blijven en haar plichten jegens Pa en Reuben op Waterslain, moe van al het getob om uit te blijven komen met steeds kleinere rantsoenen. Het herstel van de oorlogsschade – gebombardeerde schuren en pakhuizen, verwoeste woningen en bedrijven, vernietigde middelen van bestaan, dode of invalide vrienden en buren – ging jaren kosten, en nog *steeds* wilden de Japanners zich niet overgeven.

Het werd met de dag moeilijker om Reuben nog moed in te praten. Hij had gehoord van de Russische opmars in Warschau, en hij zag niet hoe zijn familie nog in leven kon zijn. Het was Betty die contact voor hem opnam met het internationale Rode Kruis, terwijl Rose in ademloze spanning haar dagelijkse bezigheden afwerkte en elke zondag in de kerk bad: Alstublieft God, laat Henry gauw thuiskomen, God, laat alstublieft Reubens familie nog leven, alstublieft, alstublieft, alstublieft...

'Henry zal wel dood zijn,' zei Reuben tegen Tom, 'we hadden het nu toch wel gehoord als hij nog leefde.' Rose ging hem nodig hebben, dacht hij zo, wanneer het slechte nieuws kwam. Net zoals hij haar nodig ging hebben.

'Wat kan mij dat schelen?' zei hij toen ze een week later in de schuur verscheen, zwaaiend met het plaatselijk nieuwsblad, op de voorpagina waarvan een grote kop over de hele breedte aankondigde: OORLOG IN EUROPA AFGELOPEN – HEDEN DAG VAN DE OVERWINNING IN EUROPA, en hij sloeg haar uitnodiging af om mee te gaan naar het op stapel staande feest.

Upper Street werd voor de gelegenheid afgezet en ieder huis rond het dorpsplein werd met slingers behangen. Er werd een tiental schraagtafels neergezet, vanaf het postkantoor tot aan The Bell, Alf Tindall kwam met zijn accordeon, Simon Roberts met zijn viool, en Jed Harkins, die al maanden niet meer in het dorp gezien was, verscheen onverwacht met een dozijn kratten bruin bier. Rose, die over de theeketel ging, keek leunend tegen de tafel naar de langswalsende Bob Partridge en Jessie Roberts en vroeg zich af wanneer zij aan de beurt zou zijn om feest te vieren. Pa noch Reuben was gekomen. Natuurlijk niet, zag ze spijtig in, waarom zou ze ook verwachten dat Reuben even enthousiast als zij over het einde van de oorlog zou zijn, wanneer dat bijna zeker inhield dat zijn familie ten onder was gegaan?

De laatste weken was hij voortdurend uit zijn humeur geweest, en toen ze hem vertelde dat Betty contact met het Rode Kruis voor hem had opgenomen, snoof hij alleen maar honend en hinkte weg, zijn stok de grond in borend zoals hij altijd deed wanneer hij uit zijn doen was...

De onzekerheid sleepte zich tot in juli voort. Het was heel warm weer; hevige onweersbuien legden de rijpende gerst plat, en de komende algemene verkiezingen leken van geen belang bij het feit dat Henry maar niet kwam. Terwijl de slonzige moeder en haar vijf kinderen, de enige evacués die nog steeds in het dorp waren gebleven, ten langen leste Silverlea ontruimden en Bob Partridge, onlangs met Jessie Roberts getrouwd, erin trok; terwijl de zigeuners in de laan verschenen, weer vrijwel voltallig, en mr. Attlee de onverwachte grootse overwinning van zijn partij vierde – 'Zo ondankbaar,' fulmineerde Betty, 'na alles wat mr. Churchill voor ons heeft gedaan!' – spelde Rose de *East Anglian,* op zoek naar nieuws over de gevangenen. Ze werd ziek van ongerustheid toen ze het vond, omdat bij het oprukken van de geallieerde strijdkrachten het risico steeds groter heette te worden dat de Japanners hun gevangen zouden ombrengen voordat ze konden worden gered. Toen de Amerikanen hun verschrikkelijke nieuwe wapen tegen Hiroshima inzetten, dacht ze dat de Japanners zich nu toch wel *zeker* zouden overgeven. En toen op de vijftiende augustus het nieuws kwam dat de Japanners zich dan toch eindelijk gewonnen hadden gegeven, knielde ze tussen John en Betty in de kerk neer en dreigde God met de verschrikkelijkste gevolgen als Hij er niet voor zorgde dat Henry gauw thuiskwam.

Alice kwam aanwippen om mee te delen dat zij en Brad in juni hun boterbriefje hadden gehaald op het kantoor van de burgerlijke stand in Kensington.

Betty was vertoornd, met de toorn der rechtvaardigen: 'Dat wil dan zeker zeggen dat je in verwachting bent. Na alles wat ik je geprobeerd heb bij te brengen! Hoe *kon* je?'

'Nee Mam,' legde Alice geduldig uit, 'langer wachten leek gewoon geen zin te hebben. Brad kan nu elke dag naar huis moeten.'

'En ook nog op het kantoor van de burgerlijke stand,' jammerde Betty diep geschokt, maar ik veronderstel dat Gods huis niet meer goed genoeg voor je is, nu je je boterbriefje hebt gehaald, met een Amerikaan!'

'Canadees,' snauwde Alice terug. Van het een op het andere moment gingen ze tekeer als blazende katten, waarbij Alice vond dat haar moeder toch op zijn minst onderscheid kon leren maken tussen een Amerikaan en een Canadees, en Betty Alice verweet dat ze waarden vergooide waarin ze was opgevoed, 'heel *anders* dan onze lieve Rose, die haar huwelijksgeloften voor haar Schepper heeft afgelegd, zoals het *hoort*, ook al regenden de bommen tegelijkertijd praktisch om haar heen neer!' Toen Alice losliet dat ze in een groen mantelpakje was getrouwd in plaats van in een lange witte japon, en John binnensmonds opmerkte: 'Let maar niet op je moeder, ze is alleen kwaad dat ze niet alles heeft kunnen organiseren,' was voor Betty helemaal de maat vol.

Binnen twee dagen was Alice er weer vandoor, terug naar haar nieuwe echtgenoot. 'Volgende week vertrekken we naar Banff,' vertelde ze Rose in vertrouwen toen ze de avond voordat ze weer terug moest, in haar kamer zaten. 'Daarom is Brad niet meegekomen, hij zit tot zijn nek tussen de pakkisten. Maar ik durf het Mam niet te vertellen, met dat humeur van haar op het ogenblik. Je voelt er zeker niet voor het haar voor me te vertellen, Rosie?'

'Als je dat graag wilt,' zei Rose met tegenzin. 'Alice, hoe wist je dat Brad de ware voor je was?'

'Wist ik gewoon,' zei Alice, over het bed naar een sigaret reikend, 'vergeet niet dat ik hem met genoeg anderen kon vergelijken, anders dan jij. Ik wist de eerste keer dat ik mijn oog op hem liet vallen, dat hij anders was.' Ze streek een lucifer af en zoog de rook diep in haar longen. 'Het is zo'n onmiddellijke... *herkenning*, weet je, alsof je elkaar altijd gekend hebt, zo'n beetje zoals bij jou en Henry, denk ik. Ik bewonder jou ontzaglijk, weet je.'

'Mij? Waarom in hemelsnaam?'

'Omdat je trouw aan Henry bent gebleven. Ik durfde toentertijd niks te zeggen, je weet hoe Mam is, maar ik vond dat je een vreselijke fout maakte met zo jong te trouwen. Maar je hebt volledig mijn ongelijk bewezen door hem de afgelopen vier jaar zo trouw te blijven. Ik hoop alleen dat Henry het zal waarderen als hij thuiskomt.'

'Wat bedoel je?' vroeg Rose bevreemd. 'Wat waarderen?'

'Nou ja, *jou* natuurlijk, malle meid.' Alice liet zich tegen de kussens terugzakken, kruiste haar elegante enkels en blies een rookwolk naar het plafond. 'Ik weet niet zeker of ik dat had kunnen doen, zelfs voor Brad. Je moet wel enorm van hem houden.'

'Ja,' zei Rose, 'ja natuurlijk doe ik dat.' Na*tuur*lijk deed ze dat... toch?

Alice kwam de volgende zondag samen met Brad terug. Ze rolden het erf op in een glanzende nieuwe Alvis, net toen Betty het middageten op tafel zette. Ze hadden voldoende cadeaus voor drie Kerstmissen bij zich plus een enorme ruiker geurende violieren, Betty's lievelingsbloemen.

'Je hoopt zeker dat ik jullie ook te eten ga geven nu je hier bent?' vroeg Betty spinnijdig. 'Nou, als je denkt dat ik je vaders eten koud ga laten worden...'

'Ik vind het niet erg hoor,' begon John, onzeker achter haar manoeuvrerend met een fles champagne die Brad hem zojuist had overhandigd. 'Mam,' begon Alice, 'hoor nou eens, ik weet dat je van streek bent.'

'Van streek?' Betty zette de schaal aardappelen die ze in haar handen had met een klap op tafel, 'van *streek*? Eerst trouw je zomaar zonder me er iets over te vertellen, en nou moet ik van Rose horen dat je weggaat...' En toen liet ze zich met een plof op de dichtstbijzijnde stoel vallen en barstte in tranen uit.

Brad was degene die in zijn binnenzak tastte en een grote, witte, smetteloos schone zakdoek tevoorschijn haalde. Het was Brad die de tegenwoordigheid van geest bezat om haar royaal van champagne te voorzien. Tegen de tijd dat ze zich aan de maaltijd zetten, was het eten zoals Betty had voorspeld vrijwel steenkoud, maar deed dat er niet meer toe. Rose warmde de jus op, Alice kwam met frambozen in blik en gecondenseerde melk, en Brad schakelde al zijn charmes in om zijn nieuwe schoonmoeder voor zich te winnen, terwijl John aan het hoofd van de tafel achteruit in zijn stoel gezeten over zijn snor streek en genoot van dat allermerkwaardigst tafereel: zijn trouwe gezellin van meer dan 26 jaar die schandalig flirtte met haar dochters echtgenoot. Zo zie je maar weer, dacht hij, toekijkend hoe Betty stevig aangeschoten met haar wimpers naar haar schoonzoon knipperde, net wanneer je denkt alles te weten van de mensen die je het meest nabij zijn, kunnen ze je tóch nog voor verrassingen stellen.

Tegen de tijd dat Brad en Alice weggingen, drie uur later, was de champagne uitgewerkt en Betty weer in tranen, maar dat waren ze allemaal, Brad inbegrepen, die tot Betty's stomme verbazing en verrukking een tweede brandschone zakdoek tevoorschijn haalde, luid zijn neus snoot, haar in een ribbenkrakende omarming sloot en haar deed beloven dat: 'U ons in Banff komt opzoeken, mevrouw, zo gauw u kunt!' Daarop drukte hij John de hand, Rose en Alice wisselden omhelzingen en gesnuf uit, en weg waren ze.

'Nou zeg!' zei Betty, haar gezicht dat vlekkerig was van de tranen deppend met Brads zakdoek, 'wat een ontzéttend aardige jongen blijkt die Brad te zijn! John, heb je dat gezien? Niet *een*, maar *twee* absoluut spierwitte zakdoeken. Er is nog hoop voor Alice!'

'Absoluut, meid,' zei John en hij boog zich voorover en plantte een tedere kus op de wang van zijn verraste echtgenote.

25

———⊸◦◦◦⊷———

Tom lag in bed omdat hij een slechte dag had, zoals steeds vaker de laatste tijd, dus was Reuben alleen toen Nina in de schuur verscheen.

'*Dzien dobry, kochany*,' groette ze, even nonchalant alsof ze maar een paar dagen in plaats van een jaar was weggebleven, 'goedemorgen, schatje. Jij missen mij? Ik jou missen als een gek.' Daarop sloeg ze haar armen om zijn hals, trok zijn hoofd omlaag en kuste hem tot zijn verschrikte verrassing vol op zijn mond. 'Zo,' ging ze voort, haar sterke witte tanden ontblotend in een grijns, 'alles voorbij, *tak*? Is geen weg terug naar huis. Jij nou met mij meegaan, eh?'

'Wat?' vroeg hij verbijsterd, en ze vertelde hem, even kalmpjes alsof ze het over een onbetekenend verkeersongelukje had, wat het Rode Leger had aangetroffen toen het Warschau binnentrok. 'Nowolipki, Zamenhofa, Ostrowska, Sienna, alles weg, zelfs de grote synagoge – dichtbij Swierczewski, je weet nog, *kochany*? – helemaal kapot.' Na hem aldus in de diepste wanhoop te hebben gestort, legde ze haar arm om zijn schouder, wreef met haar neus tegen zijn wang zodat hij omhuld werd door een zware kruidige lucht van knoflook en peper waar hij van moest niezen, en deed haar best om hem op te vrolijken. 'Wij nou *male sieroty*,' zei ze, 'kleine weesjes, eh? Wij maken afspraak, *tak*? Ik leren jou weer Pools praten en jij maken *kubbas* voor mij.'

'Ik maak wát voor je?'

'*Kubba,* is Roma-woord, jij raken in de war, eh? Betekent dingen, spullen, *rzeczy, tak*? Jij maken *kubbas* voor mij om te verkopen en ik zorgen voor jou –' Ze boog zich over de werkbank naar hem toe, tikte met een vuile vingernagel tegen zijn wang. '*Od czasu do czasu,* ik werken voor deze vrouw.'

Reuben staarde haar wezenloos aan.

'Soms,' vertaalde Nina, geïrriteerd door zijn domheid. 'Hoe zeg je? Ik werk voor deze vrouw.' Ze wuifde met een bruine arm naar ergens buiten de schuur, in min of meer noordelijke richting. 'Zij is... bazig iemand, net als die...,' met een rukje van haar duim in de richting van Holly Farm, '*Pani* Catherwood...'

Ze deed het met opzet, besefte Reuben, om hem onder zijn neus te wrijven hoe ver hij was afgedwaald, en dat hij met geen mogelijkheid terug zou kunnen gaan, wanneer hij zelfs zijn eigen taal nauwelijks meer sprak...

'Ze is, hoe zeg je, *snobistyczna,* deze vrouw, neus in de lucht, alsof iets vies ruiken daaronder.'

'Een snob,' vulde Reuben in.

'Snob, *tak*. Altijd goed doen, net als *Pani* Catherwood, maar zij heel enthousiastiek.'

'Enthousiast.'

'*Tak*, zij enthousiast over jouw snijwerk. Zij willen alles kopen wat jij kunnen maken. Zij heeft geld, zij goed betalen.' Nina boog zich naar hem toe en staarde hem met haar felle zwarte ogen strak aan. 'Is thuis niets meer voor jou,' zei ze, 'dus gaan mee met mij, uh?'

'Nee,' zei Reuben. 'Ik kan Tom niet alleen laten. Hij heeft me nodig. En Rose ook.'

Nina snoof verachtelijk. 'Waarom jij verspillen jouw tijd met deze mensen? Jij meekomen met mij en ik geven jou leuke tijd, niet op één plek blijven en oud worden met deze *gadjikano,* deze *mali ludzie,* deze *kleine* mensjes.' Ze draaide zich op haar hakken om. 'Ik nou gaan,' zei ze, 'jij denken over wat ik zeggen, *tak*? Ik vanavond terugkomen, wanneer jij hebben besloten...'

Na haar vertrek ging hij in de open deur staan en overdacht uitstarend over het grasland wat ze had gezegd. Hij *wist* het niet meer, dat was het probleem. Hij hinkte terug naar het huis om de foto van diep onder in zijn kist tevoorschijn te halen en staarde naar de gezichten achter het spinnenweb van kreukels. Hij voelde er geen band meer mee, er kwam geen heimwee, geen verlangen om bij hen te zijn, alleen maar een sterk gevoel van hopeloos verlies. Nina had gelijk, het was te laat om nog terug te gaan.

Maar wat Waterslain betrof had ze het verkeerd. Hij had hier wortel geschoten, was aan deze plek gehecht geraakt. Hoe zou hij Tom achter kunnen laten? En Rose, met haar zachte bruine ogen, haar sproetige armen, de kuiltjes die in haar wangen verschenen wanneer ze lachte; hoe zou hij Rose achter kunnen laten? Bovendien, binnenkort zou ze hem nodig hebben, ook al wist ze het nog niet...

Hij was bezig thee te zetten toen Rose de keuken binnenliep. 'Nina is terug,' zei hij ter begroeting. 'Die Poolse zigeunerin, weet je nog? Ze heeft me net opgezocht.'

'O,' zei Rose, 'die zal wel naar Polen teruggaan nu het allemaal voorbij is, hè?'

De ketel begon te fluiten. 'Nee,' zei Reuben, 'Warschau is weg, verdwenen.'

'Hoe bedoel je, verdwenen?' Rose pakte de bekers van het buffet. 'Hoe kan een hele stad nou verdwijnen?'

Reuben schonk het kokende water in de theepot. 'De oude wijk is weg. Ze hebben 'm met de grond gelijkgemaakt, zegt Nina, hij is van de kaart verdwenen.'

'Misschien is het toch niet zo erg als ze zegt,' opperde Rose, 'ik bedoel, ze is er niet *geweest*, toch?'

'Het maakt niet uit.' Reuben duwde haar beker over tafel naar haar toe. 'Ik blijf hier.'

Nina kwam die avond terug. Het was warm en benauwd en ze haalde hem over een eindje te gaan lopen. Het was koeler op de heuvel, zei ze, daar was de lucht nog een beetje in beweging. Ze nam hem bij de hand en voerde hem mee de weide door, dan het kronkelpaadje langs Pringle Beck op, met vermijding van het laantje en het zigeunerkamp. Onder het voortlopen vertelde hij haar dat hij niet met haar mee op reis wilde. Ze lachte alleen maar en trok hem mee naar Bailey's Pond, stevig zijn hand vasthoudend wanneer hij in het donker uitgleed of struikelde.

Ze had het allemaal al van te voren overdacht. Ze gaf hem telkens wat pruimenjenever uit de kan die ze in het ondiepe water onder de houten brug te koelen had gezet, en toen hij te dronken was om zich nog te verweren, begon ze hem te verleiden. Haar lichaam was hard en gespierd en de doordringende lucht van haar huid, die rook naar knoflook en jenever, en peper en scherp zuur zweet, steeg hem naar het hoofd en deed hem duizelig en dronken alle voorzichtigheid uit het oog verliezen. Tegen de tijd dat hij besefte wat er gebeurde, was hij al te ver heen om nog verzet te bieden en wilde hij dat ook niet meer. Naderhand had hij nog maar een vage herinnering aan wat ze hadden gedaan, aan een wazige mengeling van zwoele nachtlucht en maanlicht, wild rondwervelende sterren boven zijn hoofd, ge-kabbel van water, benevelde zintuigen, terwijl hij met Nina door het natte gras rolde; een ogenblik van intens genot.

De volgende morgen had hij een barstende hoofdpijn, maar de herinnering aan het genot deed hem teruggaan voor meer. Nina liet hem het deze keer rustiger aan doen, vertelde hem waar hij haar aan moest raken, liet hem plekjes zien waarvan hij het bestaan niet gewe-ten had, stookte zijn vuurtje op, terwijl ze dat van haarzelf bluste.

'Is afgesproken, *tak*?' vleide ze toen ze na afloop naast elkaar over Bailey's Pond gebogen ijskoud water op hun naakte lichamen pletsten. 'Is nu geen thuis om naartoe te gaan. De *Ruski* hebben ons arme *Polska* bij de keel, erger dan de Nazi's, *nie*? Dus wij gaan naar noorden, en jij maken *kubbas* om te verkopen op de herfstmarkten. Verdienen veel geld, eh? Jij zien hoe ik voor jou zorgen, *kochany*!' Heel even werd hij in verleiding gebracht. Het zou iets anders zijn, opwindend, een nieuw begin. Er zou seks aan verbonden zijn, meer dan genoeg om hem Rose te doen vergeten. Het was Nina die hem met een schok tot zijn positieven bracht.

'Ik zal *rodzina* voor jou zijn,' zei ze, en nu verstond hij haar eens een keer perfect, omdat dat een van de weinige restantjes Pools was waar hij zich zijn hele eenzame kindertijd als invalide patiëntje aan had vastgeklemd. *Rodzina* – familie. Hij had al een familie, Tom, en Rose. 'Rot op,' gaf hij Nina ten antwoord, terwijl hij van haar wegrolde en zijn kleren bijeenraapte, 'ik heb al een familie...'

Haar lach achtervolgde hem toen hij de heuvel afstrompelde. 'Jij komen terug, *kochany*,' riep ze hem na, 'jij vinden 't neuken lekker...' En dat was ook zo. De tweede keer dat ze het deden had hij ontdekt dat hij zich als hij zijn ogen sloot kon verbeelden dat het Rose was die hij beminde, wat zijn genot sterk verhoogde.

Nina vertrok de volgende week zonder nog zelfs maar afscheid te komen nemen, en hij miste haar in het geheel niet. Maar wat het neuken betreft had ze gelijk. Dat miste hij wel, en niet zo weinig ook.

26

*D*e herfst was al gearriveerd toen de telegrambesteller bij Holly Farm aanklopte. Rose wist onmiddellijk wat de oranje envelop betekende. Toen de besteller weg was, bleef ze in de deur staan terwijl de koude wind haar wangen geselde, het telegram om en om draaiend in haar handen, te bang om het te openen.

Ze sloot haar ogen, zag oom John voor zich, verschrompeld van ellende, tante Betty die volhield dat het een vergissing moest zijn, dat het de zoon van iemand anders moest zijn die dood was omdat het onmogelijk Henry kon wezen... Ze maakte een klein scheurtje in het bovenste hoekje van de envelop, en liet het daarbij. Zo lang ik hem maar niet openmaak, dacht ze, is er niets gebeurd. Ze propte het telegram in haar broekzak, griste haar jas en shawl van de haak en verliet het huis op een holletje. Het enige wat ze kon bedenken was dat ze naar Reuben moest: Reuben was degene die ze nodig had.

Hij stond bij de rivier naar de zwanen te kijken. Je stelt je belachelijk aan, hield ze zichzelf voor, terwijl ze zich naar hem toe haastte, je gaat veel te gauw van het ergste uit. Stel dat het allemaal niets met Henry te maken heeft? Hier buiten in het open veld was de wind nog kouder; haar ogen traanden en ondanks haar dikke mantel liep ze te rillen.

'Dit is zonet gekomen,' zei ze zonder enige inleiding, terwijl ze de verkreukelde oranje envelop uit haar broekzak trok.

Reuben staarde er niet-begrijpend op neer. 'Wat is dat?'

'Een telegram. Die sturen ze wanneer... wanneer...' Reuben werd plotseling angstwekkend bleek en Rose voelde zich dadelijk overstroomd door schuldgevoel.

'Voor mij?'

'Nee!' Waarom was het niet bij haar opgekomen dat hij zou kunnen denken dat het telegram voor hém was? 'O Reuben, wat spijt me dat, ik wou je niet... Nee, het is voor mij.' Haar hand beefde toen ze hem het telegram toestak. 'Je moet het voor me openmaken.'

'Waarom?' Hij reageerde onvriendelijk van de schrik. 'Maak het zelf open!'

'Dat kan ik niet,' zei Rose. 'Ik ben te bang. Toe?' Ze drukte hem het telegram in de hand en liep toen weg naar het groepje bomen enkele meters verderop langs de oever, om uit de wind te zijn.

Naderhand herinnerde ze zich de kleine dingetjes; de rivier die bruisend voortkolkte tussen zijn oevers; de lucht vol bladeren van els en wilg, gele, groene, bruine; Reuben die glibberend en glijdend naar haar toe kwam omdat hij geen houvast voor zijn stok kon vinden in de natte bodem; het oplichten van de oranje envelop tegen het sombere grijs van de dag. Ze was nu bijna gelaten, wachtte alleen nog maar op de bevestiging van wat ze al wist.

Reuben hing zijn stok over zijn ene arm, ging met zijn rug tegen een oude es geleund staan, en vouwde met bedaarde, bedachtzame bewegingen het telegram open.

'Nou?'

'Als je me even de kans geeft,' zei hij kortaf, 'zeg ik het je zo.' Hij verplaatste zijn gewicht, zette zich schrap met zijn goede been. 'Het gaat over Henry...'

'Na*tuur*lijk gaat het over Henry. Wat *staat* er?'

'Maak je niet dik.'

Zijn kalmte was gewoon onverdraaglijk. Henry was dood, haar hele toekomst lag aan scherven, en hij zei dat ze zich niet dik moest maken.

Hij schraapte zijn keel. 'Mor- morgen... thuis... stop... bel op uit Liv... Liverp...'

'Wat?'

'Liver-'

'Nee, dat eerste!'

'Morgen – thuis.'

Thuis. Hij was niet dood. Hij kwam naar huis.

'Bel op uit...'

'Liverpool?' Haar stem klonk zwak, als van heel ver weg. 'Wat doet hij in Liverpool?'

'Als je me nou niet steeds in de reden valt,' zei Reuben kribbig, 'zal ik het je verder voorlezen... Bel op uit Liverpool *Street*. Stop. Henry. Daar. Dat staat er, ja? Je hoeft niet meer in je piepzak te zitten.' Hij nam zijn stok van zijn arm, maakte zich los van de boom. 'Hier.' Hij drukte haar het telegram in de hand en hinkte zonder nog iets te zeggen weg in de richting waaruit hij gekomen was. Rose bleef hem een ogenblik staan nakijken en liep toen in de andere richting de heuvel op. Haar hart bonsde nog na, de tranen prikten vinnig in haar ogen en haar benen voelden wiebelig van de schok.

Tegen de tijd dat ze Bailey's Pond passeerde, kreeg ze weer wat greep op zichzelf. 'Henry komt naar huis,' murmelde ze, terwijl ze met grote stappen door West Meadow beende. 'Henry komt naar huis!' schreeuwde ze in de wind, al voortrennend door Middle Twelve, 'Henry komt naar HUIS!'

Oom Johns modderlaarzen stonden op de mat, met in elk een dikke wollen sok die stijf omhoogstak als een spookbeen, en ze kon tante Betty in de keuken met de pannen horen rammelen.

Ze haalde diep adem, duwde de deur open. 'Tante Betty,' begon ze, 'oom John, ik moet jullie iets vertellen. Jullie moesten maar even gaan zitten...'

Toen ze later op haar bed liggend het telegram herlas, hoorde ze oom Johns stem door het open raam binnenwaaien. Hij was in de voerschuur, waar hij *Colonel Bogie* beurtelings floot en zong, terwijl Horrie in een verrassend melodieuze bariton de woorden aanleverde: 'Hitler – has only got – one – ball – Goering – two but very small.' Nu zong John uit volle borst met een doordringende bas mee: 'Himmler – is very sim-la...' gejoel van Horrie '...and poor old Go – balls – has no balls – at *all!*' Het geluid van tegen elkaar kletsende deksels van de voerton galmde over het erf, begeleid door schaterend gelach.

Hij komt naar huis, dacht Rose, Henry komt naar huis, maar haar euforie was met spanning doorvlochten. Ze had hem vier jaar geleden voor het laatst gezien, vier jaren vol hard werken en ontberingen. Ze was veranderd. Stel dat hij een vreemde voor haar was geworden? Stel dat ze de draad niet meer op konden pakken? En hoe moest het met Reuben, die al van haar hield toen ze nog niet eens getrouwd was, toen ze hem nog als een kleine jongen zag...?

Reuben scharrelde in de keuken rond, bezig Toms avondeten klaar te zetten. Hij kwakte kopjes en borden op tafel, sneed dunne plakjes kaas, het laatste restje van het weekrantsoen, dan het brood.

'Die verdomde Henry,' prevelde hij binnensmonds, terwijl hij met woeste zaagbewegingen grote hompen van het brood sneed. 'Die verdomde, verdomde, *verdomde* Henry.'

Het was bijna vier uur toen Henry vanuit Ipswich opbelde om te zeggen dat hij binnen een halfuur op het station van Market Needing zou arriveren. Rose en Betty waren druk geweest met het bakken van scones, taartjes met custardvulling, en een speciale pudding ter ere van de terugkeer van de held. Daarna liep Rose het laantje door om verse bloemen op Elizabeths graf te gaan leggen, opdat Henry zou weten dat ze het goed verzorgd had gehouden. Deze keer, beloofde ze Henry's foto terwijl ze haastig een schone blouse aanschoot. Deze keer zal het goed gaan. Deze keer weet ik hoe je eruitziet.

Maar toch bleek dat niet zo te zijn...

John kwam als eerste binnen; worstelend met Henry's zware plunjezak nam hij alle beschikbare ruimte in de smalle gang in beslag. Hij werd op de voet gevolgd door Henry zelf, in een slechtzittend marineblauw pak. Hij zag er uitgemergeld uit, verweerd, in de verste verte niet als de man op de foto naast Rose' bed voor wiens veilige terugkeer ze de afgelopen vier jaar had gebeden. Hij keek niet eens naar haar, laat staan dat hij haar omhelsde. Tegen de tijd dat ze hem bereikte lag hij op zijn knieën Bess af te weren, die zich jankend van vreugde steeds opnieuw op hem stortte om natte kledderige kussen op zijn gezicht te planten. Rose moest met bonzend hart en een droge mond van paniek haar beurt afwachten tot Bess gekalmeerd was. Toen hij ten slotte overeind kwam, schraapte Henry alleen maar zijn keel en zei: 'Hallo Rosie, hoe is het?'

Rose slikte de tranen weg die haar plotseling de baas dreigden te worden. 'Best, dank je,' zei ze, 'en met jou?'

'Niet zo kwaad.' Henry wreef over zijn wang, maakte een kort, nerveus gebaar met zijn hand. 'Het ouwe boeltje ziet er nog ongeveer hetzelfde uit.'

'Ja...' Rose' maag krampte hevig. Waarom stonden ze zo te praten, alsof ze wildvreemden voor elkaar waren? Werden ze niet verondersteld elkaar in de armen te vallen?

'Kom mee, jullie twee!' zei Betty die uit de keuken tevoorschijn kwam. 'Thee! Rose is de hele morgen aan het bakken geweest, hè, meiske? Er zijn scones met boter *en* custardtaartjes, we hebben de laatste ingemaakte kersen voor je bewaard. We willen dolgraag *alles* over je avonturen horen, hè, Rose?' Ze manoeuvreerde hen de keuken binnen. 'In hemelsnaam, John, doe iets aan die vreselijke hond voordat ze iemand z'n nek laat breken. Nou, Rose, wil jij inschenken of zal ik het doen?' Ze draafde bedrijvig heen en weer, zette rinkelend kopjes op tafel, verschoof borden, trok stoelen achteruit. 'Henry, als jij nou eens aan het hoofd van de tafel ging zitten. John, haal die ellendige hond daar toch weg...'

John liet zich op zijn stoel zakken en streek zijn snor glad. Hij wendde zijn blik geen ogenblik af van Henry's gezicht, en hij leek wonderlijk stil, als je bedenkt hoe wanhopig hij naar dit moment had uitgezien.

'We hebben je een heleboel te vertellen,' begon hij toen Henry zich aan het andere eind van de tafel zwaar op zijn stoel neerliet. 'Weet eigenlijk niet waar ik beginnen moet,' hij keek op, ontmoette

Rose' ogen, deed een poging tot glimlachen. 'We hebben je gemist als ik weet niet wat. Waar of niet, Rosie?'

'Heel verschrikkelijk.' Rose liet zich op de stoel naast Henry glijden. 'Je hebt geen idee hoe erg het is geweest om niet te weten of alles goed met je was of niet.'

Henry knikte, maar hij zei geen woord. Hij zat daar maar, liet zijn blik van het aanrecht glijden naar het buffet, van het raam naar de provisiekamer, keek naar de overalls, sokken en overhemden die over het droogrek hingen, de kanten kleedjes waar Betty zo naar gezocht had om de tafel leuk aan te kunnen kleden.

'Niet zo erg als het voor jou moet zijn geweest, natuurlijk... Was het heel erg vreselijk?' Ze zat nu te ratelen, maar kon niet meer ophouden. 'We hebben allemaal zo hard voor je gebeden. Je bent vreselijk mager. Vindt u hem niet mager, oom John? Die afschuwelijke Japanners hebben je zeker niet genoeg te eten gegeven.' Betty kwam met de theepot naar de tafel en Rose ging druk in de weer met het inschenken van melk, het doorgeven van bordjes, het uitzoeken van lepeltjes, opgelucht iets te doen te hebben. 'Suiker?' vroeg ze, en beet zich meteen op haar lip omdat ze heel goed wist dat hij geen suiker gebruikte. 'Nou ja,' ging ze gauw voort, in een poging de vergissing te herstellen en het alleen maar erger makend, 'ik weet natuurlijk dat je *vroeger* nooit suiker nam, maar het is al zo lang geleden dat ik me afvroeg...'

'Ja,' zei Henry, 'twee klontjes graag.'

Ze liet twee klontjes in een van Betty's beste Crown Derby-kopjes vallen, legde een lepeltje op het bordje, schoof hem het kopje toe. 'Melk?'

'Ja graag.'

'Een scone?' Het leek wel of ze per ongeluk op een theepartijtje van de Gekke Hoedenmaker terecht was gekomen. 'Boter? Jam?'

'Ja. Graag.' Een spier trok nerveus in Henry's wang. Hij pakte zijn lepeltje op en begon te roeren. Zijn hand beefde, de beenderen ervan tekenden zich scherp af onder de bruine leerachtige huid. Rose werd door medelijden overmand. Wat hadden ze hem in vredesnaam aangedaan?

Hij pakte het kopje met beide handen op en dronk gulzig, reikte dan naar een scone, besmeerde die dik met boter en propte hem in zijn mond. De eerste hap bleef in zijn keel steken en hij kokhalsde even, maar at daarna door. Toen hij de scone op was, likte hij zijn vingers af, nam daarna zorgvuldig alle overgebleven kruimels met een natte vingertop van zijn bordje op, reikte naar de volgende scone, besmeerde die met boter – genoeg boter voor een week, dacht Rose, ontzet over zijn gulzigheid – en nam nog een luid geslurpte grote slok thee.

'Nou, lieverd,' zei Betty, de gedwongen stilte verbrekend, 'je zult wel doodmoe zijn na al dat gereis.' Ze praat zoals je tegen een klein kind praat, dacht Rose, waarbij je zijn slechte manieren negeert in de hoop dat niemand anders ze opmerkt.

'We zullen het allemaal best begrijpen, als je misschien liever even boven wat gaat liggen.'

'Goed idee.' John trok aan zijn snor. 'Een goeie lange nacht, jong, dat is wat je nodig hebt. Rose, als jij Henry eens naar boven hielp?'

'Sorry hoor,' zei Henry, met zijn hand over zijn gezicht vegend. Toen hij van tafel opstond wendde iedereen uit gêne de blik af, maar Bess hees zich overeind en liep hoopvol kwispelend achter hem aan...

27

$\mathcal{H}$ij klom langzaam de trap op, de leuning omklemmend om steun. Hij voelde zich gedesoriënteerd, duizelig, zijn maag kwam in opstand: stom om die scones zo naar binnen te schrokken. Op de boot naar huis was hij al gewaarschuwd om het rustig aan te doen; zijn ingewanden waren nog te kwetsbaar en konden nog geen zwaar voedsel hebben; hij moest ook niet verwachten dat iemand thuis zou begrijpen wat hij had doorgemaakt, had een van de pursers hem gewaarschuwd. Hij zou geduld moeten hebben en hen en hemzelf tijd geven om te wennen. Maar hij had toch niet verwacht zich zo te zullen voelen als hij nu deed.

Alleen door de gedachte aan dit hier had hij zich de afgelopen vier jaar staande kunnen houden. De gedachte aan thuis, aan Holly Farm, Ma, Pa, Rose, en de troostrijke voorspelbaarheid van zijn vroegere bestaan. Bij het voortduren van zijn gevangenschap, waarbij zijn bewakers steeds wreder werden en zijn vrienden een voor een bezweken aan voedselgebrek, ziekte en opzettelijk toegebrachte wreedheden, had hij troost gevonden in het plannen maken voor de toekomst. Hij had zichzelf denkopdrachten gegeven met betrekking tot de uitbreiding van de boerderij, het rooien van de heggen tussen Top Field en Ten Acre, waardoor ze allebei gemakkelijker te beploegen zouden worden, het voor altijd uitroeien van alle konijnen waarvan East Meadow vergeven was, Walter Henderson overhalen om afstand van Marsh End te doen, Rose' Pa ompraten om het stuk grasland langs de rivier te draineren zodat het niet meer jaar na jaar zou overstromen. Hij had in gedachten al heel Marsh End, heel Waterslain, in Holly Farm opgenomen gezien. Met een stompje potlood en een vel papier dat hij met een andere gevangene had geruild tegen een gestolen blikje gecondenseerde melk had hij een gedetailleerde kaart van Holly Farm getekend: Top Field, Ten Acre, East en West Meadow, Middle Twelve, Bottom Twenty, Long Tye, alle gebouwen, wagen- en opslagschuur en andere schuren, melkstal. Doodsbang dat de Japanse bewakers het bij een van hun onverwachte inspecties zouden vinden, had hij het dwangmatig steeds van hot naar haar verplaatst en nu eens achter een muur en dan weer onder vloerplanken of in het handvat van een kookpot verstopt. Tijdens het trekken van het ene kamp in het oerwoud naar het andere, waarbij hij verzwakte door het zware werk, de hete zon, dysenterie, voedselgebrek, 's nachts wakker lag en luisterde naar de laatste reutelende ademstoten van de zoveelste stervende, had alleen dat kleine flardje papier hem zijn verstand doen bewaren. Plannen maken voor een toekomst die hij nauwelijks durfde hopen nog te zien, had in hem de wil tot overleven instandgehouden. Toen de bewakers op een haar na zijn laatste bergplaats ontdekten, in de uitgeholde poot van een bamboestoel, had hij opnieuw een ruil gesloten voor een tweede kostbaar stukje papier voor een reservekopie. Een verstandig besluit, gezien wat er enkele dagen later met de eerste tekening gebeurde. Sinds zijn vrijlating had hij die kopie overal mee naar toe genomen, had het geen seconde uit het oog willen verliezen...

En nu was hij dan eindelijk hier, maar waar was al dat verlangen, al die vastbesloten wil gebleven? Hij was *moe*, zo moe dat hij zijn ogen nauwelijks open kon houden. Rust, dat had hij nodig, stilte, alleen zijn...

Het was nu zes weken geleden dat hij uitgeput, uitgeteerd, met tientallen anderen uit het kamp was gekomen. De wandelende doden, visioenen uit de Hel, had een van hun redders bij hun aanblik opgemerkt. Hij was bussen in gedirigeerd en had daarbij een nieuwverworven afkeer voor besloten ruimten bij zichzelf ontdekt.

Dagenlange reizen over land waren gevolgd door weken op zee. Hij had gedaan wat hem gezegd werd te doen, was gegaan waarheen hij gestuurd werd, opgelucht niet te hoeven denken, zijn lot door anderen bedisseld te zien. Overal waar hij kwam had hij andere gevangenen op terugreis naar huis ontmoet die in meerdere of mindere mate dezelfde symptomen aan de dag legden die hij ervoer, een steeds toenemende vervreemding van hun redders. Tegen de tijd dat de *Corfu* de haven van Southampton binnenstoomde, op 7 oktober, was de kloof tussen geredden en redders uitgegroeid tot een gapende afgrond, want hoe kon iemand die er niet bij was geweest ook maar met enige mogelijkheid begrijpen wat zij hadden doorgemaakt?

Toen hij na hun ontscheping door versierde straten vol juichende burgers naar het doorgangskampement reed was zijn gevoel van vervreemding nog toegenomen. Toen hij werd uitgenodigd om gebruik te maken van de speciale telefoonlijn, had de gedachte om hen, Rose, Ma of Pa, nu echt te *spreken* te krijgen, hem de stuipen op het lijf gejaagd. Hij had gevraagd of hij in plaats daarvan een telegram mocht versturen.

De administratieve afwerking bleek eindeloos te duren. Hij kreeg bonnetjes uitgereikt voor burgerkleding, er moesten rantsoenbonnen worden opgehaald, reispapieren worden ondertekend, en dan nog een medisch onderzoek zodat ze met zekerheid konden vaststellen dat er geen blijvende schade was aangericht. Geen *fysieke* schade tenminste; het leek niemand te interesseren wat vier jaar gevangenschap met zijn geest kon hebben gedaan.

De volgende dag had hij een van de speciaal ingevoegde treinen naar Londen genomen, zijn nieuwe pak opgehaald, daarna zijn weg door de stad gezocht. De verwoestingen en de zes tot zeven meter hoge bergen puin langs elke straat en weg herinnerden hem aan Liverpool en Maura Mulligan. De hele weg over het stationsplein had hij zich aangegord voor het telefoontje om hen te laten weten dat hij onderweg was, maar toen hij het perron op kwam stond de trein er al, stoom uitstotend van onder zijn wielen. Henry werd abrupt door de geur ervan tot staan gebracht, teruggevoerd naar het oerwoud door die naar zwavel riekende mengeling van stoom en kolen en wist dat hij het niet zou kunnen, zelfs niet tot spreken in staat zou zijn. Het zou stom zijn om die snerttrein te missen, zei hij tegen zichzelf, alleen om op te bellen. Hij kon maar beter wachten tot hij in Ipswich was, en met gebogen hoofd was hij het perron op gerend, op de vlucht voor de nachtmerries die hem de halve wereld over hadden achtervolgd, om de laatste wagon in te springen net toen de perronwacht de deur wilde dichtslaan. Toen was hij trillend over zijn hele lijf op een hoekplaats neergezakt.

Toen de trein aan snelheid won en de wielen hun vaste ritme vonden, werd hij rustiger. De coupé was vol soldaten die praatten, lachten, rookten, stonden, zaten op de bank of op hun plunjezak, en op de gang stonden er nog meer. De meesten in hetzelfde goedkope burgerpak dat hij ook droeg. Toen hij op het station van Ipswich langzaam uit de trein was gestapt had hij peinzend toegekeken hoe tientallen vrouwen, jong en oud, gewoontjes en leuk om te zien, dik en mager, door de slagboom braken en het perron op renden, de wagons af zoekend naar een bekend gezicht. Van afkeer vervuld door het openlijk vertoon van emotie had hij de vreugdevolle tafereeltjes de rug toegekeerd en was naar het plaatskaartenkantoor gelopen om te vragen of hij de telefoon mocht gebruiken.

'Vanzelf, jong,' had de man gezegd, 'als je het maar kort houdt,' wat hem prima uitkwam. Toch dreigde zijn hart toen hij het vertrouwde nummer draaide, uit zijn borstkas te springen. Toen zijn vader opnam zei hij op een commandotoon: 'Ik zit in de trein van vier uur naar Market Meeding,' en liet daarna de telefoon vallen alsof het een tikkende bom was. 'Zó vlug hoefde ook weer niet,' zei de kaartjesverkoper droogjes.

Daarna was hij op het perron gaan staan, te midden van het lawaai en de drukte en vroeg zich af: wat *mankeert* me? Waarom voel ik me als een vreemdeling in mijn eigen woonplaats?

Het huis leek kleiner, armoediger dan hij het zich herinnerde. Hoewel Ma nog steeds dezelfde leek, zag Pa er oud en versleten uit, en die arme ouwe Bess kon de trap niet eens meer op. Hij kon haar nu meelijwekkend horen piepen in de hal beneden.

En wat Rose betrof: de beheerste jonge vrouw die hem bij zijn binnenkomen zo koeltjes had begroet, die had gevraagd of hij suiker gebruikte en tactloze opmerkingen had gemaakt over hoe zwaar het zonder hem geweest was, leek nauwelijks meer op de verlegen, zachte Rose die hij de afgelopen vier jaar in zijn hoofd had meegedragen. Hij wist niet wat hij tegen haar moest zeggen.

Haar voetstappen op de trap achter hem deden hem overeind springen. 'Wil je misschien een bad nemen?' vroeg ze, 'niet dat er tegenwoordig veel aan is. We mogen niet meer dan een klein plasje onderin vanwege het watertekort.'

Waar *had* ze het over? 'Slapen,' zei hij, 'ik denk dat ik maar wat ga slapen.'

'Goed, ik zal het bed even voor je openslaan...'

'Doe geen moeite.' Het klonk wel heel erg, dacht hij, ruw, onvriendelijk. 'Ik bedoel, ik kan het zelf wel.'

'Maar ik *wil* het voor je doen.' Haar stem klonk plotseling alsof ze op het punt stond in tranen uit te barsten. 'Wil je me niet laten helpen?'

Het viel hem in dat dit waarschijnlijk even moeilijk voor haar was als voor hem. 'Sorry,' zei hij. 'Het was niet mijn bedoeling...' Wat wilde ze van hem? Hij was te moe om helder te denken; waarom kon ze hem niet gewoon met rust laten?

Zijn pyjama, de oude vertrouwde verschoten blauw-wit gestreepte katoenen, lag aan zijn kant van het bed klaar alsof hij nooit weg was geweest. Rose' nachtpon van een of ander zijdeachtig spul met dunne schouderbandjes en afgezet met wit kant, leek nieuw. De gedachte kwam bij hem op dat ze verwachtte dat hij de liefde met haar zou bedrijven, en die gedachte ontnam hem zo volledig alle energie dat zijn knieën het onder hem begaven en hij met een bons op het bed neerplofte. Toen hij opkeek stond ze in de deuropening.

'Neem me niet kwalijk,' zei ze. 'Ik doe het helemaal verkeerd, hè?' En hij voelde zich door schaamte overweldigd.

'Het ligt niet aan jou,' zei hij. 'Het is gewoon dat ik het niet kan. Je moet begrijpen...'

Hij had het op de boot naar huis gezien, mannen die vier jaar lang als haringen in een ton op elkaar gepakt hadden gelegen die plotseling elkaars blik niet meer konden ontmoeten. Hij had volwassen mannen zien huilen als baby's, of dagen achtereen zien staren naar de voorbijglijdende oceaan zonder een woord te spreken. Hij had de moeizame pogingen gezien van de bemanning van het schip om enige communicatie te bereiken met mannen die bijna vergeten waren hoe ze zich als een mens moesten gedragen. Het besprong iedereen op een andere manier – sommigen snakten voortdurend naar gezelschap, anderen, zoals hij, wilden alleen maar met rust gelaten worden. Er waren gedurende die lange zeereis ogenblikken geweest waarop de woede in hem was opgevlamd en hij iemand had willen vermoorden, of zich in het grijze woelige water werpen en er voor eens en voor altijd een eind aan maken. Op die momenten had hij aan Rose gedacht, die lieve, zachtmoedige Rose die thuis zo geduldig op hem wachtte, en zich iets – een heel klein beetje maar – beter gevoeld. Zijn herinneringen aan de dag waarop zijn dochter was gestorven waren wazig, maar het had Henry toegeschenen dat Rose de enige was die had begrepen wat hij doormaakte. Dat was de essentie van het hebben van een vrouw, niet waar? Iemand die je onvolmaaktheden accepteerde, je narigheden verlichtte? En hij hield van haar, niet waar? Ze hadden samen een kind gemaakt en verloren, samen de vreugde en het verdriet gedeeld. Goed, het was een moeilijke tijd geweest, maar ze waren er doorheen gekomen, er sterker uit tevoorschijn gekomen. Die laatste nacht die ze samen hadden doorgebracht had hem zelfs in de ergste ogenblikken kracht gegeven, hem er aan herinnerd dat ergens aan de andere kant van de wereld iets beters op hem wachtte. Dus waarom zou ze het nu niet kunnen begrijpen...?

Het hielp om aan dat alles terug te denken. Hij voelde heel duidelijk een prikkeling daar beneden. Het moest ook hard voor Rose geweest zijn, bedacht hij, niet te weten of hij dood was of nog leefde. Hij moest greep op zichzelf krijgen, tenminste een *poging* doen. Hij haalde diep adem, stak zijn armen uit.

'Moest maar wat dichterbij komen, Rosie,' zei hij. 'Ik zal een beetje hulp moeten hebben.'

28

Rose beschutte haar ogen tegen de avondzon, die onregelmatige lichtstrepen over het verfrommelde beddengoed wierp. Haar dijen deden zeer, en haar borsten, en het beklemde gevoel op haar borst, dat bij Henry's aankomst was begonnen, werd erger. Naast haar lag Henry, plat op zijn rug uitgestrekt als een lijk, roerloos naar de zoldering te staren.

Ze had toen hij zijn armen uitstrekte, gedacht dat het dan toch allemaal goed zou komen. Maar de man die nu zwijgend naast haar lag, was niet de Henry die ze zich herinnerde, niet de man op de foto van wie ze zo lang had gedroomd. Om te beginnen was hij zo *mager*; ze kon zijn ribben tellen, en zijn huid rook raar, helemaal niet goed. Erger, van dichtbij rook zijn adem afschuwelijk, waardoor ze er toen hij haar begon te kussen moeite mee had zo te reageren als ze wist dat zou moeten. Toen ze hem hielp zich uit te kleden, was ze ontzet bij het zien van de striemen en littekens die kriskras over zijn rug liepen, en de half genezen zweer op zijn linkerheup. Hij interpreteerde haar onwillekeurige rilling ten onrechte als afkeer en had zich eerst onbehaaglijk en daarna gepikeerd gevoeld.

Het zou gemakkelijker zijn geweest als haar verwachtingen niet zo hooggespannen waren geweest, maar ze had zich zo lang op de been gehouden met de herinnering aan die laatste nacht voor zijn vertrek. Ze had er zo hongerig naar uitgekeken die intimiteit weer te beleven, dat haar teleurstelling er des te schrijnender door was. En nadat hij haar had uitgenodigd hem uit te kleden had hij geen woord meer gezegd, niet een keer aangekeken, ook al had ze bemoedigend 'Ik hou van je' gefluisterd, net toen hij zijn climax bereikte. Daarna was hij meteen van haar weggerold, had op de vloer naar zijn broek getast en een sigaret opgestoken. Nu voelde ze zich, naakt naast hem liggend in hun echtelijk bed, verder van hem verwijderd dan ooit.

Henry staarde ingespannen naar de lampenkap en balletjes die aan het plafond bungelden. Het felle licht deed pijn aan zijn ogen, maar hij durfde ze niet te sluiten voor het geval dat hij in slaap viel. De nachtmerries waren nu al weken aan de gang, en soms dacht hij gek te zullen worden als ze niet ophielden. Zonet was hij een seconde ingedut en was ook meteen weer in de droom teruggevallen, in de kooi. Hij kon de hitte door de bamboetralies op hem neer voelen branden en hij smeekte, jammerde: laat ik alsjeblieft, alsjeblieft, deze keer niet aan de beurt zijn. Laat het alsjeblieft andermans kreten van pijn zijn die vanavond door het kamp weergalmen...

Het feestdiner waar Rose en Betty zoveel uren voorbereiding in hadden gestoken – een duivenpastei, de laatste nieuwe aardappelen, pastinaken, worteltjes, en Henry's lievelingstoetje, klaargemaakt zoals hij die het liefste had – was een ramp.

De tafel in de eetkamer die alleen met kerst en Pasen werd gebruikt, was met Betty's beste damasten tafelkleed gedekt en John had zelfs een kostbare fles wijn opengetrokken om de terugkeer van de held te vieren. Henry verslond alles wat voor hem werd neergezet, alle pogingen tot conversatie in de kiem smorend, en spitste pas zijn oren toen Betty om de ongemakkelijke stilte te vullen Rose vroeg hoe het met Tom was.

'Ik neem aan dat je hem nog steeds niet hebt bepraat om die verdomde wei in orde te maken,' zei hij op beschuldigende toon tegen John met zijn mes in zijn vaders richting wijzend. 'Waarom nou gewoon niet er voor de donder mee voort te maken? En nu we het toch over verspilde kansen hebben, hoe zit het met Marsh End?'

'Eh?' vroeg John vriendelijk, langs zijn snor vegend. 'Hoezo Marsh End? Je weet toch hoe onze goeie oude Walter is, zolang hij nog adem in zijn lijf heeft, verkoopt hij het nooit.'

'Natuurlijk wel.' Henry keek woedend. 'En als hij niet wil, zullen we hem gewoon moeten dwingen. Als u niet zo verdomde slap met hem was...'

'Henry!' onderbrak Betty hem op afkeurende toon. 'Let op je woorden.'

'U had hem jaren geleden al moeten laten verkopen,' ging Henry voort, zijn moeder negerend, 'ik heb dat land nodig!'

'Het zou wel fijn zijn, dat geef ik toe,' beaamde John, harder langs zijn snor vegend, 'die extra hectares, maar...'

Henry was al weer verder, 'nou, wat Topfield aangaat, ik heb wat plannen opgesteld.' Hij liet zijn mes en vork vallen en voelde onhandig in zijn achterzak. 'Ik had het hier,' zei hij, 'ik weet het zeker. Ik heb het nog gecontroleerd toen ik mijn sigaretten eruit haalde...' Hij voelde opnieuw, fronste zijn voorhoofd. 'Waar is het nou, verdorie?'

'Wat?' vroeg Rose.

'Stukje papier.' Hij zat nu zwaar te ademen, al in paniek. 'In achten gevouwen.' Hij stak zijn vinger en zijn duim omhoog met een paar centimeter er tussen. 'Ongeveer zo groot. Vierkant.'

'O dat.' Rose knikte. Ze had het op de vloer gevonden toen ze het beddengoed weer rechttrok. 'Ik heb het op het tafeltje naast het bed gelegd.'

Hij was al weg voordat ze de zin had voltooid, en toen Betty bij zijn terugkeer het speciale toetje tevoorschijn haalde, een royale portie uit een kom schepte met een kloddertje ingemaakte kersen erop, snoof hij er een keer aan, sloeg toen zijn hand over zijn mond en stormde ten tweede male het vertrek uit, waarbij hij de deur zo hard achter zich dichtsloeg dat de borden op het dressoir ervan rammelden.

'Wat heeft die jongen in vredesnaam?' vroeg Betty op klaaglijke toon, 'het is nog wel zijn lievelings-'

Aan de andere kant van het erf, buiten het gezicht vanuit het keukenraam, bukte Henry diep over de afvoer van het spoelhok en braakte de zojuist genuttigde maaltijd op, ondraaglijk onpasselijk geworden door de aanblik en geur van een kom rijstpudding.

Zijn slechte adem bleek te wijten aan drie rotte tanden, hetgeen om twee redenen een opluchting was: er was iets aan te doen, en het gaf Rose een excuus voor Henry's eigenaardig gedrag. Het maakte het haar wel moeilijker om zich te verdedigen wanneer hij tegen haar uitvoer, omdat ze iedere keer dat ze haar mond opendeed om zich daarover te beklagen, naar zijn ingevallen gezicht keek, zijn bevende handen. Ze voelde zo'n medelijden dat ze op haar lip beet en het maar liet gaan. Hij leek zo verloren, zo alleen, maar wanneer ze hem vroeg, nee *smeekte*, om zijn hart voor haar te openen, wanneer ze hem bezwoer toch met haar te *praten*, trok hij zich terug naar een of andere duistere plek in zijn hoofd waar ze hem totaal niet kon bereiken.

Aan Betty had ze ook niets. 'Hoe vaak moet ik je nog vertellen,' zei die berispend, 'dat de *plicht* van ons vrouwen is, om de grillen en nukken van onze mannen te verdragen?'

'Ik denk niet dat Henry expres moeilijk is,' zei Rose, 'ik denk dat hij ziek is.'

'Ziek? Hoe bedoel je, ziek?'

'Ik weet het niet.' Hoe moest ze het uitleggen, vroeg Rose zich af, zonder trouweloos te zijn? 'Hij slaapt niet goed, en wanneer hij wel in slaap valt, heeft hij van die verschrikkelijke dromen waaruit hij zwetend en trillend wakker wordt. Ik maak me ongerust over zijn... Nou ja, zijn...'

Over zijn geestelijke gezondheid, wilde ze zeggen, maar Betty weigerde de mogelijkheid te accepteren. 'Als je echt zo ongerust bent,' zei ze nonchalant, 'laat dokter Hills dan naar hem kijken.'

'Uiteraard,' zei dokter Hills, 'laat hem maar eens op het avondspreekuur komen, dan bekijk ik hem wel even.' Maar Henry was woedend. 'Hoe *durf* je?' tierde hij. 'Wanneer ik een dokter nodig heb, zal ik het je wel laten weten, en in de tussentijd kun je je goddomme met je eigen zaken bemoeien!'

'Hij is gewoon niet in *orde*,' zei Rose in vertrouwen tegen John terwijl ze op een kille ochtend in begin november de koeien voor het melken naar binnen dreven. Henry was nog geen uur geleden eindelijk in slaap gevallen na een vreselijke nacht die geheel in het teken van nachtmerries had gestaan. 'Ik heb al duizend keer geprobeerd hem aan het praten te krijgen, maar hij scheept me gewoon af. En toen ik voorstelde dat hij eens naar dokter Hills ging, schoot hij alleen maar vreselijk uit zijn slof.'

John liep langzaam langs de boxen op en neer, hier en daar een klopje op een achterhand gevend, de pompen aansluitend, de slangen recht leggend. 'Nou, als je Henry niet kunt laten gaan,' opperde hij, 'waarom ga je dan niet zelf bij dokter Hills langs?' Hij stapte opzij voor een zwiepende staart, streek langs zijn snor die duidelijk grijzer was dan het vorige jaar. 'Vertel hem wat er aan de hand is en kijk of hij misschien wat ideeën heeft.'

Het klonk Rose in de oren als een goed idee, maar toen ze er tegen Betty over sprak was die er tegen. 'Bemoei je er maar niet mee,' zei ze. 'Henry heeft alleen maar tijd nodig om zich aan te passen. Als je zo'n drukte blijft maken, terwijl hij je gevraagd heeft het niet te doen, zul je het alleen maar erger maken.'

Alsof het nog erger *kon*, dacht Rose bitter.

'Wat is er aan het handje?' was het eerste wat Reuben tegen Rose zei, toen ze met een brief van het Rode Kruis de laan door kwam lopen, 'je ziet er verschrikkelijk uit.'

'Dank je wel,' zei Rose. De afgelopen week was het deprimerend weer geweest, laaghangende grijze wolken, af en toe een regenbui en een kille oostenwind. Vanmorgen, toen ze na de zoveelste slapeloze nacht ontwaakte met een duf hoofd en pijnlijke ledematen, had ze gedacht misschien de griep onder de leden te hebben en even met het idee gespeeld maar thuis te blijven om Pa niet te besmetten. Pas toen ze de laan af liep was ze zich beter gaan voelen, doordat de gedachte Reuben te zullen zien haar opfleurde. 'D'r is niks aan het handje. Henry is... ik heb alleen een slechte nacht gehad, da's alles.'

'O ja?'

Sinds Henry's thuiskomst had ze slechts enkele korte bezoekjes aan Waterslain kunnen brengen, waarbij ze net lang genoeg was gebleven om naar Pa's gezondheidstoestand te vragen.

'Hoe lang is hij nu al thuis?' vroeg Reuben. 'Drie weken? Vier?'

Rose slikte de prop in haar keel weg. 'Bijna vijf. En het is niks beter dan... ik bedoel, het ligt waarschijnlijk aan mij.'

'Wat?'

'Niks,' zei Rose. '*Als* we problemen in ons huwelijk hebben,' had Betty haar gisteren gewaarschuwd. 'Als we ongelukkig zijn, lijden we in stilte. En wat we nóóit,' met een kort tuiten van haar lippen en een waarschuwende blik, 'nóóit doen, is onze echtgenoot bekritiseren tegenover buitenstaanders.' De gefluisterde twistgesprekken die door de slaapkamermuur sijpelden, raakten echter met de nacht meer verhit. Tegenwoordig wist zelfs Betty niet meer wat met Henry aan te vangen. 'Vertel eens wat er in de brief staat.'

Reuben keek snel de brief door, gooide hem op de werkbank, pakte dan zijn beitel op en ging bij de slijpsteen zitten. 'Het gebruikelijke, ze zullen het me laten weten wanneer ze iets weten, bla, bla, bla.' Rose zag er vreselijk uit, dacht hij, aan het eind van haar krachten.

'Wil je erover praten?' vroeg hij over zijn schouder.

Ze slenterde naar de werkbank, pakte een rasp op, legde hem neer, frunnikte aan een guts met gebogen mes. 'Nee,' zei ze. 'Niet echt.'

Hij klauterde onhandig van de kruk en hield haar omvat, terwijl ze huilde, en hij 'Ssjj, stil maar, stil maar,' prevelde, en haar onhandig op haar rug klopte alsof ze een hond was.

'Wat zou ik zonder jou moeten,' mompelde Rose, hikkend in zijn overhemd. Ze was vergeten hoe het was, te worden aangeraakt, gestreeld, vastgehouden.

Reuben ademde diep haar geur in, van frisse lucht, koude huid, karbolzeep. 'Daar zul je nooit achter hoeven komen,' zei hij. 'Ik ga nergens heen.'

Het gevoel van troost bleef Rose de rest van de dag bij, maar vergezeld van een toenemende verwarring, een onbehaaglijk gevoel dat de genegenheid die ze altijd voor Reuben had gevoeld, bezig was meer dan dat te worden...

De aanblik van zijn knokige lichaam in de badkamerspiegel vervulde Henry van weerzin. Niet dat Rose had geklaagd – ze deed haar uiterste best hem gunstig te stemmen, wat op zich al een bron van ergernis was.

Soms werd de razernij in zijn hoofd door het meest onbenullige dingetje ontketend: een op de tafel achtergebleven kruimel, een half opgegeten aardappel die door Bess werd gestolen, een oudbakken korst brood die naar de voertrog werd verwezen. Waar hij zo lang van zijn vrijheid beroofd was geweest, kon hij er niet tegen in een ruimte opgesloten te zitten. Hij was voortdurend op zoek naar ontsnappingsroutes, zodat hij midden onder een maaltijd opstond om de deur open te gaan zetten, en 's avonds niet bij de anderen wilde blijven zitten, omdat hij het gevoel had te zullen stikken. Hoewel hij nooit bijzonder netjes was geweest, werd hij dat nu in obsessieve mate, zodat hij zich ontzaglijk ergerde aan een verbogen vork en de voeropslag niet kon verlaten voordat alle voertonnen in een rechte lijn stonden opgesteld. En hoe meer zijn moeder en vader, en in het bijzonder Rose, probeerden hem weer op te nemen in het leven dat hij vroeger had gehad, hoe meer hij terugweek, zich terugtrok in de enige plek waar ze niet bij hem konden, in zijn hoofd. Tijdens de jaren van gevangenschap was dat het enige verdedigingsmiddel dat hij had gehad. Maar hoe kon hij Rose uitleggen dat hij het tumult in zijn brein alleen maar kon laten bedaren als hij alleen was, dat er dagen waren dat hij haar wel iets aan kon doen wanneer hij haar bij het wakker worden op een elleboog geleund naast hem naar hem zag kijken. Zelfs Bess, die goeiige, aanhankelijke, sullige ouwe Bess, was soms meer dan hij verdragen kon, wanneer ze tegen zijn knie leunend trouwhartig naar hem opblikte, alsof ze wilde zeggen: ik heb zo lang op je gewacht, waarom negeer je me toch steeds...?

Wat Rose aanging, wanneer hij nu eens een poging deed om de kloof tussen hen te overbruggen, raakte ze zo buiten zichzelf van verrukking, dat het net zoiets was als te worden doodgeknuffeld door Bess. Dan stak die ergernis de kop weer op, onlogisch, onredelijk, onvriendelijk, onbeheersbaar. Hij had te lang moeten oppassen met alles wat hij deed, dat was het probleem, had te goed geleerd zijn emoties te verbergen wanneer een of andere arme donder uit zijn hut werd gesleurd, zijn gezicht onbewogen gehouden toen de man die naast hem stond bij het appèl van vlakbij werd neergeschoten, omdat hij een stuk snoer bezat. En wanneer hij zag hoeveel pijn hij haar deed, kon hij alleen maar verhinderen dat hij nog kwaadaardiger werd door weg te lopen, haar voor nog ergere dingen te beschermen door zich van de plek des onheils te verwijderen. Toch had hij juist door die gedurende de afgelopen vier jaar aangeleerde gewoonten kunnen overleven waar zovelen van zijn vrienden daar niet in waren geslaagd. Nu echter, nu hij dat nietsontziend instinct tot zelfbehoud niet meer nodig had, leek hij het niet meer kwijt te raken. Zelfs tijdens de meest intieme momenten met Rose, fluisterde een stem in zijn hoofd onafgebroken: blijf op je hoede of je bent verloren.

Het aan Horrie overlatend om de voerknollen in de kuil met stro te bedekken tegen de vorst zette John zijn kraag op, propte zijn handen in zijn zakken en liep over het erf naar het goudgele lichtschijnsel dat op de kinderhoofdjes onder het keukenraam viel. Fijn om dat weer te zien, dacht hij, na zo lang in het donker, al ontstonden met die stakingen van de havenarbeiders steeds grotere tekorten...

Rose stond brood te snijden en Betty was bezig de tafel te dekken voor de thee, zoals ze nu al meer dan een kwart eeuw elke dag deed, elke week, elke maand, elk jaar.

Onberispelijk in orde, hij had niets te klagen. Wanneer hij naar binnen stapte zouden zijn sloffen bij de kachel warm staan te worden, zou een kop thee al voor hem ingeschonken staan...

Bijna 27 jaar geleden had hij net terug van zijn huwelijksreis bij dit raam gestaan. Hij was meteen bij de beesten gaan kijken, omdat hij er in die dagen niet op vertrouwde dat George in zijn afwezigheid goed voor ze had gezorgd. Daarna had hij voor dit raam naar zijn vrouw staan kijken en bedenken hoe mooi ze was, wat een ongelooflijke geluksvogel hij was om haar tot vrouw te hebben. Toen ze zich over de tafel boog om de borden neer te zetten was het licht net zoals nu op haar haar gevallen. Het had opgegloeid met een warme diep kastanjerode gloed en haar met een stralend halo omgeven. Zijn hart was opgesprongen bij die aanblik, bij de gedachte dat dat van *hem* was, dat hij de enige man ter wereld was die het recht bezat zijn gezicht erin te begraven, het door zijn vingers te laten glijden, zich erin te verliezen wanneer ze de liefde bedreven. En hij had het naar voren zien vallen wanneer ze zich vooroverboog om de messen neer te leggen, had haar het met een frons van ongeduld over haar schouder weer naar achter zien vegen. Was ze toen al van plan geweest het af te knippen, vroeg hij zich af?

Het was vandaag een van die dagen geweest waarop de zon geen moment geschenen had, waarop de koude in zijn botten doorsijpelde en zijn gewrichten pijnlijk maakte. Hij had zich oud gevoeld, moedeloos, had zich betrapt op gedachten over de toekomst en over wat er met de boerderij zou gebeuren wanneer hij er niet meer was. Nu leek dat het enige dat hem nog op de been hield: de praktische problemen en werkjes van elke dag, het bezig zijn in de buitenlucht.

Betty draaide zich om, om Rose een of andere instructie te geven. Zijn aandacht naar zijn schoondochter verplaatsend zag John haar even een gezicht trekken achter Betty's rug voordat ze gehoorzaam weg liep om de haar opgedragen taak te gaan verrichten. Als Rose het zo ergerlijk vond om niet de baas in haar eigen huis te zijn, hoe moest het dan wel zijn voor Henry, vroeg hij zich af, om steeds verteld te krijgen wat hij doen moest?

Opeens viel hem in hoe alles op zijn pootjes terecht kon komen, en nu hij het eenmaal bedacht had leek het zo vanzelfsprekend; hij hoefde het alleen maar in daden om te zetten. Nu hij het besluit genomen had, begroef hij zijn handen dieper in zijn zakken en liep op de keuken toe. Het enige probleem, bedacht hij toen hij de deur openduwde, zou zijn hoe hij Betty moest overhalen.

Het kon dan voor hem al te laat zijn om te vliegen, misschien, *misschien*, als Henry de kans kreeg...

Het was een beroerde dag geweest, grijs en somber. Henry zat ingezakt op de rand van het bed toe te kijken hoe Rose zich uitkleedde, in de schaduwen frunnikte met haakjes en oogjes, haar lichaam zoveel mogelijk verbergend. Ze werd schuwer, had hij opgemerkt, kreeg er meer moeite mee haar kleren in zijn bijzijn uit te trekken. Ze was ook minder genegen zijn blik te ontmoeten, en iedere keer dat ze haar mond opendeed, draaide ze als een kat om de hete brij heen, op ieder woord lettend voor het geval ze hem onbedoeld boos maakte. *Niet doen*, wilde hij dan tegen haar zeggen, behandel me niet als een invalide, of een krankzinnige, omdat het daardoor erger wordt, omdat daardoor de woede die ik al haast niet kan beheersen me wrede dingen laat doen, en die bezorgen me schuldgevoelens, waardoor ik nog bozer word dat ik in iemand ben veranderd die ik niet meer herken.

Ze zat met gebogen hoofd de ceintuur dicht te knopen, en haar haar viel voorover over haar gezicht. Ze was magerder dan hij zich herinnerde, waarschijnlijk vanwege de rantsoenering. Niemand leek meer over iets anders te kunnen praten en naar het scheen werd het nog erger, al was de oorlog afgelopen – en ze leek ouder. Als hij nu alleen maar weer de tederheid terug kon halen die hij voor haar gevoeld had, het instinct om te beschermen in plaats van pijn te doen...

Ze bukte zich om haar sokken uit te doen, liet ze daarna naast haar schoenen op de vloer vallen en strekte haar blote tenen tegen de eiken planken. Hij voelde woede opwellen en wendde zijn blik af. Soms was de waanzin zo dichtbij dat hij haar kon proeven. Zelfs de kleinste slordigheid, alles wat hem er aan herinnerde hoe het was om machteloos te zijn, geen privacy te hebben, niet terug te kunnen vechten, voedde zijn obsessie met orde, zijn behoefte alles onder controle te hebben.

'Rose...' begon hij.

'Mm?'

Nu zat ze aan de toilettafel haar haar te borstelen. Help me, wilde hij zeggen, *help* me, ik ga hier *kapot* aan, maar dan zou ze zeker weten dat hij gek was. En als ze eenmaal enig idee kreeg van de demonen die in zijn hoofd woonden, ging ze beslist bij hem weg. Hij had het al een keer of wat gezien, de angst in haar ogen wanneer hij haar zonder reden afblafte. Haar erover vertellen zou het alleen maar nog erger maken.

'Ja,' zei ze bemoedigend, en hij kon het in haar stem horen, de onzekerheid: wat heb ik gezegd, wat heb ik nu weer gedaan om hem boos te maken?

'Niks.' Hij stond op en slenterde de kamer door naar het raam dat wijdopen stond, zoals het dat tegenwoordig altijd moest staan zodat hij adem kreeg...

Hij keek even om, en ze glimlachte hem toe. Hij had haar glimlach altijd verrukkelijk gevonden: hij deed haar gezicht oplichten en maakte haar zo jong, zo aantrekkelijk, maar toen hij terug probeerde te glimlachen bevroor zijn gezicht. Hij keerde zich weer om naar het raam en legde zijn voorhoofd tegen de middenstijl, zich tot kalmte dwingend met de scherpe herfstgeuren. Maar opnieuw drongen de herinneringen op, en sleurden hem terug het duister in...

Soms, gewoonlijk wanneer ze een extra sadistische vuile streek van plan waren, kwamen de bewakers plotseling met iets leuks: extra rantsoenen, pakjes van thuis die ze maanden achter hadden gehouden, een bad, allemaal bedoeld de gevangenen een vals gevoel van veiligheid te geven...

Hij wreef met zijn hand over zijn ogen – schei ermee uit, verdomde idioot, *schei uit het te bederven.* Je bent thuis, het is voorbij, alles is weer normaal. Het probleem was dat hij niet meer wist hoe normaal aanvoelde.

Hij naaide haar, had behoefte aan de ontlading. Ze was net ongesteld geweest, dus was het voor het eerst na bijna een week, maar hij voelde geen enthousiasme van haar kant. Toen hij later op zijn rug aan een sigaret lag te trekken, hoorde hij zijn ouders murmelen in de kamer ernaast. Eerst de stem van zijn vader, rustig en vast als altijd, dan die van zijn moeder die tegenwerpingen maakte. Waar de discussie ook over ging, zijn moeder leek niets te bereiken; voor de verandering zette zijn vader nu eens door. Hij keek opzij naar Rose, donker haar dat uitstroomde over het witte kussen, opgetrokken schouders onder de deken, al in slaap, opgerold met haar rug naar hem toe. Misschien zou het helpen als ze opnieuw een baby konden maken, zodat ze allebei iets zouden hebben om naar uit te kijken.

Hij stak zijn hand naar haar uit, veranderde dan van gedachte, tastte naar een nieuwe sigaret, stak die aan met de peuk van de eerste en ging opnieuw op zijn rug naar de zoldering liggen staren.

Rose lag op haar zij toe te kijken hoe Henry's rook naar het raam zweefde. Hij had haar altijd zo'n veilig gevoel gegeven toen ze nog kinderen waren. Eens, toen ze zeven of acht was en over het steile pad van Bailey's Pond naar de rivier omlaag rende, merkte ze dat ze steeds harder ging en besefte toen dat ze niet meer kon afremmen. Henry had haar gered, Henry was opzij gesprongen en had zijn armen uitgespreid om haar op te vangen en haar toen lachend en buiten adem weg gezwaaid, weg van het gevaarlijke pad. Hij had haar het gevoel gegeven onoverwinnelijk te zijn. Maar sinds zijn terugkeer leek hij op de loer te liggen of hij haar kon laten struikelen, haar ergens op betrappen. Ze werd er zo *moe* van om op elk woord te moeten letten om hem niet boos te maken, met alsmaar dat gevoel dat ze in de weg zat, zich bemoeide met dingen die haar niet aangingen.

Hij was toch niet de enige die het ellendig had gehad. Die vier jaren dat hij weg was geweest hadden ze het *allemaal* heel moeilijk gehad. Reuben vooral, Henry had een thuis, een familie, die ondanks alles nog intact was. Ze hadden gebrek aan van alles doorstaan, stroomstoringen, bombardementen, dood en verderf, verduisteringen, de boerderij draaiend gehouden zodat hij haar net zo zou vinden als hij terugkwam.

Hij was nu al bijna twee maanden thuis, dacht ze wrokkig, en er was niets verbeterd.

'Hoe moet het met Kerstmis?' wilde Reuben weten.

'Weet ik niet,' zei Rose om tijd te winnen.

'Je bent hier nog geen enkele keer langer dan tien minuten geweest sinds Henry terug is.'

'Jawel hoor. Ik ben laatst nog minstens een uur geweest.'

Ze had bij Pa gezeten en hem soep gevoerd, en daarna over zijn borst gewreven in een zinloze poging zijn luchtwegen te openen. Hij moest in bed blijven, waar hij grote klodders groen slijm ophoestte. Rose werd permanent verteerd door schuldgevoelens, verscheurd als ze was tussen haar plicht jegens haar vader, haar nauwelijks bewust erkend verlangen om bij Reuben te zijn, wiens gezicht oplichtte wanneer ze kwam en betrok wanneer ze ging, en haar onafgebroken worsteling om Henry te bereiken en terug te halen van waar hij ook heen was. Als ik nou maar zwanger kon worden, hield ze zichzelf voortdurend voor, kwam het allemaal goed. Op eerste kerstdag rende ze de hele dag heen en weer tussen Holly Farm en Waterslain, en snauwde tegen iedereen omdat ze ongesteld was geworden, drie dagen te laat, net toen ze begon te hopen...

Alice stuurde cadeautjes uit Canada: een enorme doos chocolaatjes en het vaste paar nylons. Het huwelijksleven met Brad was begonnen: *Je gelooft gewoon niet hoeveel ruimte we hier hebben,* schreef ze in de begeleidende brief, *wegen die zich uitstrekken zover je maar kunt zien en echte bergen met besneeuwde toppen, net als op de prentbriefkaarten. Jij en Henry zouden het prachtig vinden, Pa. Jullie moeten ons komen opzoeken zodra we het hier op orde hebben, vooral mijn kleine broer, die nu toch hopelijk helemaal van zijn beproevingen zal zijn bijgekomen. Veel liefs...*

Er was nog een naschrift voor Betty: *P.S. ja, Ma, ik zorg heus goed voor Brad. Hij lijkt tenminste niet al te veel over zijn oorlogsbruid te klagen te hebben, en nee, ik heb zijn sokken nog niet hoeven stoppen om hem tevreden te houden. Hij heeft me beloofd dat hij de mijne zal stoppen, als ik eerder een baan heb dan hij...* hetgeen Betty deed uitbarsten in een gejammer over haar dochters radicale ideeën over de plaats van een vrouw en het naderend einde van haar huwelijk.

John wachtte tot oudejaarsavond om met zijn verrassing op de proppen te komen. Toen de klok in de eetkamer middernacht sloeg, bracht hij een dronk uit op een gelukkig en voorspoedig 1946 en vervolgens kondigde hij aan dat hij met pensioen ging. Hij zou zo gauw mogelijk de hele verantwoordelijkheid voor de boerderij aan Henry overdragen, zei hij, en dan zouden hij en Betty in eerste instantie verhuizen naar Silverlea. Dat was onlangs ontruimd door Bob Partridge, omdat hij een huis had gevonden in Market Needing. Daarna zouden ze naar de kust gaan, zodra ze een plek hadden gevonden die Betty aanstond. 'Southwold, waarschijnlijk, zodat Ma bij tante Winifred in de buurt zit.'

John had zich nu eens onverzettelijk betoond tegen Betty's krachtig verwoorde tegenwerpingen, maar haar zusters geestdrift voor het idee had de weegschaal doen doorslaan. 'Het spreekt natuurlijk vanzelf,' sloot hij af, zijn glas in zijn vrouws richting heffend, 'dat je moeder het volledig met me eens is,' en bij haar serene knikje als van de loyale echtgenote die ze altijd was geweest, stond hij zichzelf een klein moment van binnenpret toe...

De eerstvolgende dagen daalde de temperatuur sterk. Toen ze op een ochtend de trap af kwam stommelen om thee te maken vond Rose Bess languit tegen de kachel liggend, zo dood als een pier.

29

*W*orstelend met de zware kleigrond boven Bailey's Pond was Henry bijna een uur bezig met het graven van een graf, liet daarna Bess' lijk in een oude deken in het gat zakken en gooide het gat dicht. Bij het ploegen op Top Field had hij gisteren voor het eerst sinds zijn terugkeer iets van innerlijke rust ervaren. Hij was aan de beterende hand, had hij zichzelf gefeliciteerd, en nu was hij weer helemaal terug bij af.

Ze waren samen opgegroeid, hij en Bess, in vroeger dagen zou hij om haar heengaan hebben getreurd. Maar op dit moment voelde hij aan haar graf staand alleen maar woede, niet alleen om de jaren die hij zonder de gezellin van zijn jeugd had doorgebracht, maar om de vrienden die hij in het oerwoud had achtergelaten, de vrienden die nooit meer thuis waren gekomen.

Vandaag had hij zich voor het eerst sinds een week zonder zijn geweer de deur uit gewaagd. Op kerstavond was hij naar Marsh Hill Spinney geploeterd om de roeken op te ruimen die daar hun kolonie hadden gevestigd. Hij had de grote glanzende vogels in zijn vizier opgezocht en zich voorgesteld dat de zwarte gestalten op iedere tak Japanse bewakers waren. Toen zijn eerste slachtoffer ter aarde stortte, had hij gejoeld in een triomfantelijk vermaak en was daarna als een dolleman blijven vuren, totdat de grond bezaaid lag met de restanten van tientallen nesten en het pad zwart zag van de fladderende, krijsende, stervende vogels. Daarop had hij zijn geweer omgedraaid en elk ervan met de kolf bewerkt tot ze niet meer waren dan hoopjes gebroken veren en bloederig vlees. Sindsdien was hij het geweer overal mee naar toe gaan nemen, en knalde hij op alle ongedierte dat het ongeluk had zijn pad te kruisen: ratten, eekhoorns, eksters, een vos die hij op een dag had betrapt, terwijl hij net zijn laatste voor van de dag trok, zelfs een van de wilde boerderijkatten die hij in de avondschemering aanzag voor een hermelijn. Zijn privé-mortuarium was steeds verder uitgebreid: hij had een jonge plataan tot bijna twee meter hoog behangen met al die rottende lijkjes, als een macabere kerstboom vol halfvergane versierselen. Oog om oog, tand om tand, had hij gezworen, een lijkje voor elke vriend die hij verloren had, Freddie, Rob, Tony, Arthur, Eddie, Baz, Paul, kapitein Harper, sergeant Cooper... begraven waar ze neervielen, langs de weg, op open plekken in het oerwoud en stoffige kampementen. En dan Davey, die Henry het leven had gered en daarbij het zijne verloren...

Davey was homo, en sommige van de jongens plachten hem ermee te plagen door zijn aanvallig vrouwelijk uiterlijk te bespotten. Na een tijdje kon Davey niet meer zo goed tegen de pesterijen en als de enige korporaal in de hut had Henry het als zijn plicht gevoeld om voor hem op te komen. Welhaast meelijwekkend dankbaar begon Davey hem daarna als een trouw hondje achterna te lopen, had met een ander van slaapplaats geruild om dicht bij hem te zijn, en ook geen geheim gemaakt van het feit gevoelens voor Henry te koesteren. Woedend over de geïmpliceerde belediging van zijn mannelijkheid had Henry de jongen bevolen op te houden met om hem heen te hangen, en iedereen er grondig van doordrongen dat hij zelf niet zo was. Maar de afwijzing had Davey alleen tot een verdubbeling van zijn inspanningen jegens Henry aangezet.

Niemand had een tweede inspectie verwacht, er was er die morgen al een geweest en de Jappen overvielen de gevangenen gewoonlijk niet twee keer op een dag. Dus toen de bewaker aan het andere einde van de hut in de deuropening verscheen, zat Henry aan zijn plan te werken. Hij bracht net de laatste details van zijn eerste uiteenvallende exemplaar met een voor een flintertje zeep geruild potloodstompje over op het nieuwe. Om het risico te spreiden had hij er afzonderlijke bergplaatsen voor bedacht, het oude in een uitgeholde gleuf in het houten frame van zijn brits, het nieuwe in een smalle spleet waar de vloerplanken aansloten op de muur. Toen de bewaker op hem toekwam had hij maar net tijd om beide plannen in het bed-onderstel weg te stoppen, het potlood in de tailleband van zijn korte broek te schuiven, en te bidden dat de bewaker niet al te grondig zou zoeken.

Hij had al gedacht het te zullen redden. De bewaker deed maar zo'n beetje, hield hen alleen maar voor de lol in spanning. Hij rammelde onder het voorbijlopen wat aan de britsen, prikte met zijn bajonet in het zielige stapeltje bezittingen van elke man. En toen, op de terugweg, vond hij een van de plannen.

Hij raapte het op, vouwde het open, liet een stroom scheldwoorden los, wilde weten van wie het was. Henry herkende zijn oude plan onmiddellijk. Het was zo verbleekt en bekrabbeld dat het van alles had kunnen voorstellen, maar de bewaker besloot dat het een plattegrond van het kamp moest zijn, bedoeld om de vijand te helpen. Henry had geen idee hoe het op de vloer terecht was gekomen – misschien was hij in zijn haast onhandig te werk gegaan en had hij het laten vallen, of misschien had de bewaker het los laten schieten toen hij de brits heen en weer schudde. In beide gevallen was het een gruwelijke onvoorzichtigheid en hij bereidde zich voor op de gevolgen.

Het was niet zijn bedoeling, maar dat wilde niet zeggen dat het geen daarna gebeurde niet zijn schuld was. Hij had zich meteen als de bezitter kenbaar moeten maken, maar tegen de tijd dat hij voldoende beheersing over zichzelf had verkregen om te reageren was Davey al naar voren gestapt en sleurde de bewaker hem de hut uit. Toen Henry tussenbeide wilde komen, sloeg de Jap met zijn geweer naar hem zodat hij achteruit tegen de muur viel.

De jongen keek nog achterom, toen de bewaker hem de treetjes af sleepte. Hij knipoogde, grijnsde, en wierp de moeizaam overeind krabbelende Henry nog een kushand toe.

Natuurlijk ging Henry naar de kampcommandant, bezwoer dat Davey onschuldig was, maar al wat hij voor zijn moeite kreeg, was een tweede stomp in zijn gezicht en vierentwintig uur in de kooi. Vanuit zijn gevangenis van bamboe kon hij Davey horen, evenals alle anderen in het kamp. Zijn gegil weergalmde vier dagen en nachten tussen de gebouwen door en toen het eindelijk ophield was de stilte erger dan het geluid.

Henry had zichzelf wel duizend keer voorgehouden dat hij zijn best had gedaan om dit te verhinderen, maar diep in zijn hart wist hij dat het niet waar was. Door zijn aarzeling had hij Davey de kans gegeven om de schuld voor zijn fout op zich te nemen. Sinds die dag werd hij achtervolgd door de wetenschap dat hij de dood van de jongen had veroorzaakt, even duidelijk alsof hij een geweer tegen zijn hoofd had gehouden en de trekker overgehaald. Schuldgevoel bleef knagen, zonder ophouden, genadeloos.

Oog om oog, tand om tand, maar hoe neem je wraak op jezelf? Zijn spade over zijn schouder zwaaiend liep hij weg in de richting van Nettlebed, om een bezoek te brengen aan het graf van zijn dochtertje.

Toen Rose uit Church Lane kwam, waar zij en Betty Silverlea een schoonmaakbeurt hadden gegeven, zag ze Henry het kerkhof betreden en volgde hem. De aanblik van hem bij Elizabeths zerk schonk haar bemoediging. Hier was tenminste iets van hen gezamenlijk. Ze liep over het natte gras naar hem toe. 'Ik hou echt van je,' prevelde ze, haar arm door de zijne stekend, 'dat weet je toch, hè?'

Ze had het opnieuw verkeerd aangepakt. Ze bleven een ogenblik stijfjes arm in arm staan en toen schudde Henry haar van zich af en stapte weg. Gekrenkt en vernederd verloor Rose haar zelfbeheersing. 'Hoe kan ik je nou helpen,' betoogde ze woedend, 'als je me niet bij je in de buurt wilt laten komen?'

Hij trok zijn schouders op. 'Mij helpen? Waarmee dan?'

'Waarom wil je toch niet met me praten?' De maandenlang opgekropte gekwetstheid en frustratie borrelden over. 'Je sluit me alsmaar buiten, je behandelt me als een vreemde! Horen getrouwde mensen die dingen niet met elkaar te delen? Wat hebben we met elkaar gedeeld sinds je terug bent? 's Avonds aan tafel negeer je me; wanneer ik je vraag hoe je dag is geweest, praat je gewoon door tegen oom John over hoeveel banen je geploegd hebt, of dat de zaad-handelaren te laat hebben bezorgd. Ik wist niet eens dat je de heg langs Ten Acre aan het rooien was tot oom John het me vertelde en sinds je terug bent heb je niet *een* keer tegen me gezegd dat je van me hield. Ik zou beter af zijn als ik je huishoudster was, dan zou ik tenminste *betaald* worden om je strijkwerk te doen!' Ze zweeg ab-rupt. Er begon een spier in Henry's kaak te trekken, tegenwoordig altijd een onheilspellend teken.

'Waarom moet je toch altijd zo'n drukte over alles maken?' grauwde hij. 'Waarom kan je me niet gewoon met rust laten?' Daar-op zwaaide hij zijn spa over zijn schouder en liep weg zodat zij al-leen achterbleef, terwijl de vinnige wind haar wangen striemde en hete boze tranen haar ogen vulden.

Toen hij die avond in bed zijn hand naar haar uitstak, keerde ze hem haar rug toe. Het was voor het eerst sinds zijn thuiskomst dat ze hem afwees. Het was een opluchting nee te zeggen, nu eindelijk voor haarzelf op te komen, maar ze sliep onrustig, droomde dat ze Reuben kuste, en ontwaakte al voor het ochtendkrieken, verwarder dan ooit. Toen hij de volgende ochtend opnieuw een poging deed, liet ze hem zijn gang gaan, maar wist dat ze het allemaal alleen nog erger had gemaakt.

In maart verhuisden John en Betty naar Silverlea verderop langs de weg, met medeneming van alleen wat potten en pannen uit de keuken en een half dozijn prullaria uit de zitkamer. Betty had ge-zegd bij haar pensionering graag alles nieuw te willen hebben. Rose en Henry trokken in de grote slaapkamer aan de voorkant, maar als Rose had gehoopt dat de extra ruimte gunstig zou werken had ze dat verkeerd gedacht. Henry wilde nog steeds het raam open heb-ben en de deur op een kier voordat hij slapen kon, en de nachtmer-ries hielden niet op.

Overdag was hij zakelijk, afstandelijk, accepteerde haar aanwe-zigheid zolang ze hem niet voor de voeten liep en 's avonds stond hij zonder een woord te zeggen van tafel op, hees zich in zijn jack en verdween naar The Bell, om pas terug te keren als ze al in bed lag.

De meeste avonden deed ze alsof ze sliep en bleef opgerold aan haar kant liggen, en hield haar adem in tegen de lucht van verschraald bier en sigaretten. Ze begon zich af te vragen of het allemaal aan haar lag, of zij degene was die te veel verwachtte, en niet hij. Ze was veranderd; haar verlangen om hem aangenaam te zijn, haar huwelijk te laten slagen, was weggeëbd, vervangen door een toenemende wrokkigheid. Wat het ook mocht zijn dat Henry van haar verwachtte, ze kon het hem kennelijk niet geven, dus wat had het voor zin het maar te blijven proberen?

'Zie je wel!' merkte Betty triomfantelijk tegen John op, toen het laatste theekastje voor de verhuizing naar Southwold werd ingeladen, 'heb ik je niet gezegd dat het allemaal wel in orde zou komen als we het maar aan hen over lieten?'

30

Rose installeerde Pa in zijn stoel, legde het belletje op de kruk bij zijn elleboog zodat hij het haar kon laten weten als hij iets nodig had, en ging toen langzaam de trap af naar de keuken. De geur van versgebakken brood zweefde haar op de trap tegemoet, vermengd met een vleugje scherpe zwavel van de kolen in het fornuis.

De lente was gekomen, met een explosie van nieuwe groei, en het was verstikkend benauwd in de keuken, ondanks de openstaande deur. Reuben stond in zijn hemdsmouwen de broden op het rek te schuiven om af te koelen. 'Thee?' vroeg hij zonder op te kijken.

'Nee,' zei ze. 'Het is te warm voor thee.'

'Gek weer.' Reuben trok de ovenhandschoenen uit, duwde het rek naar het raam en streek met zijn arm over zijn gezicht. 'Het lijkt wel augustus in plaats van april.'

Hij veegde de kruimels van de tafel in de emmer met kippenvoer, richtte zich op en streek zijn handen langs zijn zijden af zodat hij een vaag meelspoor op zijn broek achterliet. Naar hem kijkend voelde Rose onder in haar buik een – de afgelopen weken steeds vertrouwder – schrijnend, verrukkelijk verlangen opspringen en ze keek gauw weg. Wanneer was het begonnen, vroeg ze zich af? Wanneer was het begonnen, dit elkaar niet helemaal aankijken, het voeren van stijve gesprekjes, het voorzichtig manoeuvreren door het vertrek om elkaar niet per ongeluk aan te raken? Is het mijn schuld? Kan hij voelen wat ik denk, wat ik voel, alleen door me aan te kijken?

'Tom heeft alles wat hij nodig heeft?' vroeg Reuben.

'Mm,' zei ze. 'Ik heb hem het belletje gegeven voor het geval hij nog iets moet hebben. Denk je dat hij ooit nog weer beneden zal komen?'

'Wie weet?' De oude man zat nu dag na dag te luisteren of hij Prue hoorde komen. Wanneer iemand iets tegen hem zei schrok hij op en maakte zich met tegenzin los uit de schemerwereld waarin hij in steeds sterkere mate leek te vertoeven.

Met een steelse blik naar Rose dacht Reuben bij zichzelf dat ze er gespannen uitzag, vermoeid. Het was maar een kwestie van tijd, had dokter Hills bij zijn laatste bezoek gezegd, nog een winter zou zeker het einde voor de oude man betekenen. Hij had zich nu bijna bij de gedachte neergelegd, maar nog niet de moed gevonden om het tegen Rose te zeggen. Hij verzette zich tegen de verleiding om zich over de tafel heen te buigen en haar hand te pakken – het liep allemaal al stroef genoeg tussen hen en als hij het overdreef zou hij haar misschien helemaal op de vlucht jagen.

'Ik moest maar eens verder,' zei ze, en langs de andere kant van de tafel wegglippend was ze even plotseling verdwenen als ze was verschenen. Komt het door mij, vroeg Reuben zich af? Wil ze daarom altijd zo vlug weg, omdat ze weet hoe ik tegenover haar sta?

De hittegolf hield aan tot in mei. Langs het laantje barstten in de meidoornhaag de geurige bloesems uit de knoppen en op de rivieroever schoten overal de gele engelwortel, het roomwitte hondskruid en frisse groene scheuten wilde knoflook uit de grond.

Henry was de hele dag buiten op de akkers, en na het avondeten verdween hij meteen naar The Bell om tot sluitingstijd in een hoekje te zitten mokken. Het was in het dorp algemeen bekend dat hij op een avond de kroeg uit was gegooid, omdat hij Charlie Cottle had gestompt, vóór de oorlog nog zijn beste vriend. Die had gezegd dat de gevangenen van de Japanners het nog gemakkelijk hadden gehad, vergeleken met die van de Duitsers.

'Wat zou jij daar godverdomme van weten?' had Henry tegen hem staan tieren, 'wat heb jij in de oorlog gedaan dat jou het recht geeft om...' en toen was hij tot ieders gegeneerde ontzetting als een baby in snikken uitgebarsten. Ralph, de barkeeper, had hem het pand uit laten werken omdat hij de andere klanten hun biertje tegen maakte. Bij zijn thuiskomst had hij zijn vuist door de keukendeur geramd en Rose had de nacht in hun oude slaapkamer doorgebracht om hem niet tot meer geweld te prikkelen. Ze had medelijden met hem, deed haar best met zijn stemmingswisselingen om te gaan, maar ze had geen idee hoe ze hem moest bereiken, laat staan hoe ze hem moest helpen; maar het griezeligst was nog het besef dat ze niet van hem hield, en begon te betwijfelen of ze dat ooit gedaan had, althans op de manier zoals een vrouw van haar man behoorde te houden.

Ook Reuben verkeerde in het luchtledige. Hij had opnieuw een brief van het Rode Kruis gehad, maar daar stond alleen in hoe moeilijk het was om onderzoek naar individuele gevallen te doen, terwijl er zovele duizenden vluchtelingen in heel Europa op de been waren.

De junimaand was heet en benauwd, met laaghangende bewolking en neergutsende regen, die voor het tweede jaar achtereen de gerst op Middle Twelve plat geselde, de rijpende tarwe op East Meadow teloor deed gaan en de uiterwaarden onder dertig centimeter water zette. Henry, die op een goede oogst had gerekend om hem de winter door te helpen, werd met de dag korter aangebonden en Toms borstklachten verergerden in de vochtige bedompte atmosfeer.

Dokter Hills wilde de oude man laten opnemen. 'In het ziekenhuis zal hij comfortabeler liggen,' drong hij aan, 'en zijn ademhaling staat me niet aan,' maar Reuben weigerde het idee te overwegen.

'Zonder mij houdt hij het geen week uit,' zei hij afwerend. 'Ik ben de enige die hem iets kan laten eten.'

Het was volkomen waar. Pa werd met de dag waziger. Hij raakte nu geagiteerd wanneer hij Rose alleen maar zag; hij verwarde haar met Prue en huilde van frustratie wanneer hij dat besefte, waardoor hij weer begon te hoesten en daarna te kokhalzen.

'Reuben heeft gelijk,' zei Rose tegen dokter Hills, 'als u hem van Waterslain weghaalt zal het zijn dood betekenen.' Dus haalde de dokter zijn schouders op, gaf Reuben nog wat zalf om Toms borstkas mee in te wrijven, en vertrok hoofdschuddend.

'Vind je het prettig als ik nog wat blijf?' vroeg Rose toen hij weg was.

Reuben stond in de keukendeur over de weide uit te staren. 'Natuurlijk vind ik dat prettig,' zei hij, 'wat een stomme vraag.'

Zijn stem haperde, brak, en haar vaste besluit om de afstand te bewaren vergetend, stak Rose haar armen uit om hem te troosten. Anders dan Henry duwde Reuben haar niet weg. In plaats daarvan draaide hij zich om, sloeg zijn armen om haar heen en begroef zijn gezicht in haar haar. In haar eigen behoefte aan troost liet ze hem begaan, leunde tegen hem aan, legde haar hoofd op zijn schouder...

De zigeuners kampeerden nu al bijna een week in Walters boomgaard, en de lucht boven Marsh End zag blauw van de rook van hun vuren. Toen Rose op de terugweg naar Holly Farm het karrenspoor naar Marsh End naderde, verscheen daar een vrouw, op weg naar het dorp. Ze was lang, met een dichte massa zwart warrig haar, tamelijk knap, op een donkere, zuidelijke manier. Toen ze dichterbij kwam, riep ze Rose met een diepe, mannelijk klinkende stem aan, met het aanbod haar voor sixpence de toekomst te voorspellen. Verhit en beschaamd, nog geschrokken van wat zij en Reuben bijna hadden gedaan, zei Rose kortaf: 'Nee dank u!' En pas toen de vrouw met een nijdig gezicht vol verachting op de grond spuwde en doorliep herkende ze haar: Reubens Poolse vriendin, Nina.

Reuben had haar niet gekust, maar ze wist absoluut zeker dat hij dat wel had willen doen. En zij had het ook gewild, had hem zijn gang laten gaan als ze niet waren gestoord door Walter Henderson die opeens de keuken binnen was komen vallen. Dat had haar weer bij haar positieven gebracht, zodat ze van Reuben weg was gesprongen en met een gemompelde afscheidsgroet was gevlucht. Maar ze was er vrij zeker van dat Walter hen gezien had, en stel dat hij iets tegen Henry zei?

Henry was in de keuken. Hij had net de ketel opgezet en verkeerde in een betere stemming dan ze hem in weken had gezien. Hij had de hele dag op West Meadow klaver geoogst, en het was de beste oogst die hij ooit van dat veld had gehaald, vertelde hij haar. 'Ik heb zulke grote plannen, Rosie,' zei hij onder het opschenken van het water, 'ik ga dit tot het meest efficiënte boerenbedrijf van Suffolk maken, let maar eens op.'

Hoe lang is het geleden dat je me Rosie noemde? vroeg Rose zich af, wrokkiger dan gewoonlijk door haar eigen schuldgevoel. Hoe lang is het geleden dat je waar dan ook over ook iets tegen me zei?

Die avond was hij in bed ook anders – niets waar ze de vinger op kon leggen, alleen minder *afstandelijk*, waardoor het haar onmogelijk werd hem af te wijzen. Na afloop lag ze wakker, het moment met Reuben in gedachten opnieuw belevend en zich afvragend waarom Henry uitgerekend *nu* aardig tegen haar moest zijn? Daardoor had hij haar weer herinnerd aan de geloften die ze op haar trouwdag had afgelegd en opnieuw haar geweten wakker geschud.

'Smeer 'm,' luidde Reubens begroeting toen Nina de volgende dag in de schuur verscheen. 'Ik wil jou hier niet.'

'Maar ik morgen weggaan, *Kochany*,' zei ze, pruilend in een gespeeld beledigd-zijn. 'Ik heb speciaal zaakje in het noorden en ik kom dag zeggen.' Ze legde een sterke bruine arm om zijn hals, knabbelde aan zijn oor. 'Jij verdrietig ik gaan, eh?'

'Nee,' zei Reuben haar arm afschuddend. Hij was er nog niet overheen hoe dicht Rose hem gisteren had toegestaan te komen en hij was niet in een stemming voor Nina's spelletjes. 'Kan me geen donder schelen.'

Ze bleef niet lang, wel voelend dat ze niet welkom was, maar hij moest haar toch een paar vogels verkopen, een gevlekte kwikstaart die hij van een restje lindehout had gesneden, en een bruingrijze heggenmus, om haar weg te krijgen. Bij haar vertrek liep ze in zichzelf te lachen, alsof ze een binnenpretje had. Toen ze weg was bleef hij aan zijn werkbank zitten nadenken over Rose en vroeg zich af wat het kon hebben betekend: werd ze Henry misschien eindelijk beu? En als dat zo was, wilde dat dan zeggen dat er hoop voor hém bestond?

Toen ze eindelijk kwam, was ze koel, alsof ze wist dat ze te ver was gegaan, en ze bleef misschien maar net tien minuten. Reuben vierde zijn frustratie bot in de schuur om Tom niet met zijn slechte bui van streek te maken. Terwijl de oogst op zijn eind liep en de bladeren begonnen te verkleuren, werd ze nog schuwer, alsof ze door hun bijna-kus nog minder graag in zijn aanwezigheid verkeerde dan daarvoor. Met Kerstmis bleef ze ook weg, met als excuus dat ze bezoek had van haar tot Nieuwjaar blijvende schoonouders. Reuben wist dat er niets veranderd was.

31

$\mathcal{J}$ohn en Betty waren er net na Nieuwjaar nog toen Toms bronchitis verergerde. Na drie dagen van hazenslaapjes omdat de oude man de klok rond verzorging behoefde, strompelde Reuben de heuvel op om Rose te halen. Samen kregen ze Tom uit bed en zetten hem in de stoel bij het raam, terwijl ze zijn doorgezwete lakens verschoonden. Rose maakte soep en Reuben voerde hem, na elke lepel even wachtend zodat de oude man het slijm dat voortdurend dreigde hem te doen stikken, kon ophoesten. Daarna ging hij over het jaagpad op weg naar Market Needing om de dokter te waarschuwen, terwijl Rose de lakens schoon boende in de gootsteen in de bijkeuken, ze door de mangel haalde en boven het fornuis te drogen hing.

Dokter Hills was pessimistisch. 'Als we hem er doorheen kunnen slepen tot het weer beter wordt,' zei hij weifelend, 'heeft hij misschien wel een kansje, maar eerlijk gezegd zou ik maar geen al te hoge verwachtingen koesteren. Zijn longen zijn behoorlijk slecht. Heel veel vocht geven en zien dat je hem warm houdt. Meer kunnen jullie niet doen.'

Bij het verstrijken van de dag ging Tom verder achteruit. Steeds indommelend en weer wakker schrikkend, tuurde hij naar Rose op wanneer ze hem thee bracht. Dan mompelde hij: 'Prue? Ben jij dat, meisje van me?' En dan schudde Rose haar hoofd en zei: 'Nee Pa, ik ben 't, Rose,' en zag zijn gezicht ineenschrompelen van teleurstelling. Reuben was degene die hem met de intieme verzorging moest helpen, Reuben die hem waste, zijn pyjama verschoonde, de was deed, het bed afhaalde, en thee en kommen hete soep maakte – het enige wat hij naar binnen kon krijgen omdat hij vanwege het hoesten zijn gebit niet in kon houden.

De oude man begon af en toe buiten bewustzijn te raken. 'Ik blijf wel,' zei Rose op de trap tegen Reuben, 'dan kunnen we vannacht om beurten bij hem zitten.' Reuben knikte en liep door naar boven om Toms hoofd te ondersteunen, terwijl hij kokhalsde en vocht om elke ademtocht. Rose sjokte met een enorme wilsinspanning de heuvel weer op naar Holly Farm om hen daar te laten weten wat er gaande was.

De temperatuur was sterk gedaald en aan de lucht te zien dreigde er sneeuw. Henry was in de tractorschuur de sneeuwploeg een goede beurt aan het geven, voor alle zekerheid, maar John en Betty, die pas de volgende dag naar Southwold terug hoefden, beloofden hem op de hoogte te brengen en togen aan het werk om te helpen. Betty hevelde de restanten van de konijnenstoofpot van de vorige dag over in een Keulse pot zodat Rose die mee kon nemen, terwijl John de auto uit de schuur haalde om haar de heuvel weer af te rijden.

'Is alles wel goed, meisjelief?' vroeg hij met een onderzoekende blik, terwijl ze in het vage licht over de oprit naar het laantje hobbelden, 'je ziet er doodmoe uit.'

'Ja,' zei Rose, 'ja, het gaat best hoor. Ik maak me alleen zorgen om Pa.' Ze legde haar hoofd tegen het raampje en sloot haar ogen. Wat is dit voor huwelijk, dacht ze bij zichzelf, dat ik zo opgelucht ben wanneer ik mijn man *niet* zie?

De auto bonsde door een kuil in de weg zodat haar tanden klapperden, en ze verstevigde haar greep op de Keulse pot. 'Goddank dat je Reuben hebt,' zei John, snelheid terugnemend en overschakelend. Ze deed haar ogen weer open, staarde naar het laantje vol plassen dat in het licht van de koplampen voor hen uit kronkelde, dacht *ja*, goddank heb ik Reuben, en voelde onmiddellijk haar geweten prikken. Zodra Pa beter was, beloofde ze zichzelf, zou ze haar bezoeken aan Waterslain beperken, zich harder inspannen om haar huwelijk te laten slagen...

Tegen de tijd dat John de auto het erf opdraaide, was het al begonnen te sneeuwen. Hij wilde wel blijven, maar Reuben maakte hem duidelijk dat hij alleen maar in de weg zou lopen.

'Tom slaapt,' zei Reuben na Johns vertrek tegen Rose, 'en hij krijgt ook wat makkelijker lucht.' Ze aten de opgewarmde stoofpot aan de keukentafel, onder begeleiding van het haperende gesnurk van de oude man boven hun hoofden, op gedempte toon de mogelijkheid besprekend dat hij zou sterven. 'Ik moet erbij zijn,' probeerde Rose haperend uit te leggen, 'ik moet bij hem zijn, gewoon voor het geval...' Gewoon voor het geval dat hij haar herkende, gewoon voor het geval dat er nog een kansje bestond dat hij haar in de laatste momenten van zijn leven niet als een kleurloos, teleurstellend surrogaat voor haar moeder zou zien, maar als de liefhebbende, toegewijde dochter die ze haar hele leven zo van ganser harte had geprobeerd te zijn. 'Misschien zal hij me dan bij mijn eigen naam noemen,' zei ze op vertrouwelijke, verlangende toon, 'misschien zal hij me dan echt aankijken en accepteren als degene die ik ben, niet als degene die hij graag zou willen dat ik was.' Opnieuw haar vaste voornemen vergetend reikte ze naar Reubens hand, en hij vlocht zijn vingers door de hare en luisterde geduldig, terwijl het laatste daglicht verstierf.

Twee keer hield Tom op met ademen, bijkans stikkend in het dikke slijm dat zijn longen verstopte. Ze hesen hem overeind en zetten hem rechtop tegen de kussens om zijn luchtwegen vrij te maken. Daarna waste Reuben zijn gezicht en handen en legde hem weer gemakkelijk neer. 'Ik blijf wel bij hem zitten,' zei hij tegen Rose. 'Zie jij maar wat slaap te krijgen, dan kun je het weer overnemen wanneer ik mijn ogen niet meer open kan houden. Ik heb je bed al opgemaakt.'

Rose kwam stijfjes overeind, rekte zich uit. Ze kon zich niet herinneren ooit in haar hele leven zo moe te zijn geweest. 'Wek me over een uur,' zei ze, en liet hem het beloven. Daarna stak ze de smalle overloop over, kroop zonder zich uit te kleden in bed, en viel ogenblikkelijk in slaap.

Toen ze wakker schrok, stond Reuben bij haar bed met een mok thee in zijn handen. Ze kon de kou op haar wangen voelen en haar adem in het zwakke licht over de overloop zien wegzweven. 'Ik heb Toms kruik opnieuw gevuld,' murmelde hij. 'De paraffinebrander in zijn kamer staat aan en ik heb het keukenvuur toegedekt zodat het aan zal blijven tot ik het weer overneem.' Hij stak haar de mok toe. 'Hier, daar zul je van opknappen.'

Rose zwaaide haar benen over de rand van het bed. De vloer voelde koud aan door haar sokken heen en haar vingers deden pijn van de hitte van de mok. 'Waarom kruip je er hier niet in?' opperde ze, 'het bed is nog warm en het is vast ijskoud in de nette kamer.' Toen ze zich in de stoel naast Pa's bed liet zakken, hoorde ze de metalen springveren piepen onder het gewicht van Reuben op de matras.

Tom lag te slapen, zijn adem ging met horten en stoten. Het was benauwd in de kamer door de paraffinedamp. De brander, die om brandstof te sparen laag was gezet, wierp flakkerende gele patronen op het plafond. Rose trok de deken die Reuben had achtergelaten om haar schouders en installeerde zich om haar wake te beginnen.

'Koud...'

Ze schoot abrupt wakker uit haar gedommel. 'Wat Pa?'

'Koud,' herhaalde Tom en begon te hoesten.

Ze spreidde haar deken uit over het bed en ondersteunde hem terwijl hij rochelde en spuwde, stopte daarna zijn armen onder het dek, veegde zijn gezicht af en tastte onder de dekens naar zijn kruik. Ze nam die mee naar beneden, vulde hem opnieuw, maakte thee, maar toen ze ermee terugkwam sliep hij alweer, dus dronk ze de thee zelf maar op. Toen ging ze, terwijl haar ogen bijna dichtvielen van de slaap, terug de overloop op. Heel even bij Reuben kijken, dacht ze, met een blik door de open deur, en dan beneden controleren of het vuur nog aan is.

Zijn kleren lagen her en der over de vloer verspreid, en hij zelf lag dwars over haar bed, met een naakte arm onder de dekens vandaan, diep in slaap. Sterker dan ooit tevoren overspoelde het haar – die tederheid, dat schrijnend verlangen dat ze de afgelopen maanden zo onverbiddelijk had geprobeerd te negeren. Ze liep op haar tenen de kamer in, bleef een ogenblik op hem staan neerkijken, stak dan aarzelend haar hand uit. Zijn arm bewoog even onder haar vingers en toen hij zijn hoofd op het kussen omdraaide kon ze zijn ademhaling tegen haar hand voelen. Moe, dacht ze, ik ben zo *moe*. Vijf minuutjes maar...

Ze knoopte haar vest open, dan haar blouse, liet beide van zich afglijden en bij Reubens kleren op de vloer vallen. Ze trok haar schoenen van haar voeten, worstelde met vingers die onhandig waren van de kou met de knopen van haar broek, stapte eruit. Toen tilde ze de dekens op en gleed naast hem in bed.

Huid. Huid tegen huid, warmte, zachtheid, *hemels*...

Al dromend voelde Reuben de matras inzakken toen Nina naast hem onder het dek glipte. 'Reuben?' fluisterde ze in zijn oor, 'Reuben, ik heb het zo koud. Sla je armen om me heen.' Hij was heel levendig, deze droom, zo levendig had hij nooit eerder kunnen dromen. Hij kon zelfs haar armen om zijn hals voelen. Hij schoof wat op om haar meer ruimte te geven, voelde haar ledematen, ijskoud, zich tegen de zijne drukken, en met zijn ogen stijf dicht speelde hij het oude alsof-spelletje. Het had nog nooit zo goed gewerkt. Toen hij zijn gezicht in Nina's haar begroef, rook ze net als Rose en de beleving was zo echt dat hij zijn hoofd terugtrok, niet meer zeker wetend of hij nu droomde of dat zijn vermoeide geest hem een poets bakte.

Nina drong dichter tegen hem aan, prevelde: 'Toe, Reuben, hou me vast...' Ze klonk zelfs net als Rose. Droom of illusie, dacht Reuben, duizelig van begeerte, wat kan het schelen? Hij trok haar heftig naar zich toe, en in plaats van Nina's schrale, gespierde benen, haar platte harde buik en weelderige boezem, voelde hij onder zijn verkennende handen Rose' tengerder, zachter lichaam, haar ronde heupen en kleine hoog aangezette borsten. Zijn opwinding steeg en voerde hem mee.

Hij was al begonnen te stoten, toen ze hem nog tegen probeerde te houden. *Nee*, fluisterde ze met Rose' stem, *nee, dat mogen we niet doen*. Droom? Illusie? Wat het ook was, het was al te laat om nog op te houden.

Toen hij wakker werd was hij alleen. Vaal ochtendlicht vulde de kamer en al wat hem restte was een overweldigend gevoel van leegte en een koude vochtige plek op het laken. Rose had een briefje op de keukentafel achtergelaten. *Pa slaapt, haalt gemakkelijker adem. Moet nu terug, of ze zullen denken dat ik ben weggelopen. Rose.* Misschien was het *inderdaad* een droom geweest, dacht hij, een wensdroom, het gevolg van uitputting en slaapgebrek.

Hij bleef de hele morgen in huis wachten, heen en weer lopend door de keuken, maar ze kwam niet terug. In haar plaats verscheen Betty Catherwood in de Morris met een halve zak kolen, 'want Rose zegt dat jullie nog maar weinig hebben', een jerrycan paraffine en een thermoskan ossenstaartsoep met veel smakelijke brokjes vlees erin, net wat Tom nodig had.

'Ik heb haar naar bed gestuurd', zei Betty, toen hij naar Rose vroeg, 'het arme kind kon niet meer. Zullen we nu even bij de patiënt gaan kijken?'

Hij ging ermee akkoord dat ze dokter Hills zou bellen en werkte haar toen zo snel mogelijk de deur uit. Reuben keek of Tom van alle gemakken was voorzien en hinkte daarna naar buiten, naar de koude schuur, om er een paar uur te gaan werken en de verwarring in zijn hoofd met zware fysieke arbeid te doen verdwijnen. In ieder geval, dacht hij terwijl hij zijn slechte bui afreageerde op de bidstoel die hij voor zuster Catherine repareerde, in ieder geval hoefde de oude man niet meer naar adem te happen. Nog bemoedigender was dat hij de energie had gevonden om twee grote porties ossenstaartsoep te verorberen.

Dokter Hills verscheen laat in de middag. 'Nou, kerel', zei hij tegen Tom, 'je longen klinken minder verstopt en je ademhaling gaat absoluut beter. Uit de gevarenzone zou ik zeggen, voorlopig althans, maar ik denk zo dat onze...'

'Reuben', vulde Reuben in.

'Ik denk zo dat onze Reuben hier nog maar een paar dagen een oogje op je moet houden, voor alle zekerheid, eh?'

Tom draaide zijn hoofd nerveus om naar Reuben, als een kind dat geruststelling zoekt bij een ouder. Reuben stapte naar voren, nam de hand van de oude man tussen de zijne, en gaf er een kneepje in. 'Tuurlijk doe ik dat,' zei hij, 'we zullen het best redden, waar of niet, Tom?' Tom glimlachte zwakjes, kneep terug, sloot zijn ogen en viel weer in slaap.

Reuben bracht de nacht door in de stoel bij het keukenvuur, telkens even wakker schietend uit een onrustige slaap. Waar was Rose? Waarom was ze niet teruggekomen? Droom, fantasie, werkelijkheid vervaagden en liepen dooreen. Stel dat ze hem werkelijk had toegestaan, nee *gesmeekt,* haar te beminnen? Waarom zou ze dat doen als ze niet met hem samen wilde zijn? Hij kon maar één reden bedenken: hij was mank, hè? Goed genoeg voor een enkel vluggertje, maar niet voor meer dan dat...

Pas na twee dagen raapte Rose de moed bijeen om opnieuw naar Waterslain af te dalen. Ze had een verschrikkelijke zonde begaan; enkele zalige uren had ze verzachting van haar eenzaamheid gevonden, maar daarmee had ze die alleen maar erger gemaakt. De gedachte Reuben te moeten zeggen dat het nooit meer mocht gebeuren, dat iets wat juist zo volmaakt had gevoeld, nooit mocht worden herhaald, was bijna ondraaglijk.

Ze had kunnen weten dat hij het haar niet gemakkelijk zou maken.

'Wel, wel,' luidde zijn sarcastische begroeting, toen ze het huis binnenliep. 'Wat aardig dat je eens langskomt.' En toen ze hakkelend uitleg probeerde te geven, weigerde hij te luisteren maar schreeuwde met zijn rug naar haar toe naar boven: 'Tom, Rose is hier om je op te zoeken,' tilde de ketel van het haardvuur en verdween om die bij de gootsteen in de bijkeuken te gaan vullen.

Tom zat bij het raam in het luchtledige te staren. 'Dag Pa,' zei Rose, 'hoe is het vandaag?'

Zijn zware ademhaling ronkte door de kamer en zijn borstkas ging hijgend op en neer van de inspanning die het hem kostte om zijn longen te vullen. Toen ze zijn voorhoofd aanraakte, voelde dat klam en koud aan en zijn handen leken wel van ijs.

Ze trok een stoel bij, ging zitten, en boog zich dicht naar hem toe zodat hij haar beter kon verstaan. Hij rook oud, met een weeë lucht van kleding waarin geslapen was en potdichte kamers. 'Dag Pa,' zei ze nog maar eens. 'Ik ben 't, Rose. Ik kom even bij je kijken.'

Langzaam, bedachtzaam, alsof hij niet meer wist hoe hij zijn spieren in beweging moest krijgen, draaide hij zijn hoofd om. 'Prue?' vroeg hij.

Zijn ogen waren troebel, met een melkwitte ring om de irissen.

'Nee, Pa,' zei ze, 'ik ben het, Rose, weet je nog?'

Hij knipperde met zijn ogen, boog zijn hoofd achterover, tuurde. 'Rose?' zei hij op vragende toon. 'Ben jij dat, Rose?'

'Ja, Pa,' herhaalde ze geduldig. 'Hoe voel je je vandaag? Kan ik iets voor je halen?'

Zijn blik dwaalde rond en hij plukte onrustig aan de deken over zijn knieën. 'Ik heb dorst,' zei hij. 'Waar is Reuben nou met mijn thee?'

Rose knipperde haar tranen weg. 'Hij komt zo boven,' zei ze. Toms oogleden zakten neer en zijn kin viel op zijn borst. Ze liet zijn hand los, legde die zachtjes in zijn schoot, en liep langzaam de trap weer af.

De ketel floot al, en Reuben stond in de deur naar het winterlandschap te staren. Het grasland stond onder dertig centimeter water en was nu een woelig grijs meer; het was moeilijk uit te maken waar de rivier eindigde en het land begon. Uit het oosten klommen zware wolken log tegen de hemel op, als voorboden van nog meer slecht weer.

'Zou het weer goed komen met Pa?' vroeg Rose, de stilte verbrekend.

Reuben haalde zijn schouders op. 'Hoe zou ik dat weten?'

'Reuben...' begon ze, maar hij bracht haar tot zwijgen met een driftig gebaar.

Hij had het al geraden zodra ze de keuken binnenliep, aan de manier waarop ze zijn blik vermeed, haar bleke wangen. Ze straalde onbehagen, gêne, spijt uit. Het had even geduurd, maar nu was hij erachter. Hij mocht dan stom zijn, maar hij mocht ook barsten als hij zich net zo door haar zou laten gebruiken als door Nina.

239

'Het lijkt me het beste als je eens een tijdje niet komt,' zei hij op koude toon. 'Ik kan Tom alleen ook wel verzorgen, en jij brengt hem alleen maar in verwarring.'

Rose had wel verwacht dat hij boos zou zijn, maar dat hij zo wreed zou zijn, had ze niet gedacht. 'Maar hij is mijn vader!' protesteerde ze.

'En hij verlangt alleen maar naar zijn vrouw.' Hij krenkte haar heel doelbewust, uit wraak voor wat ze hem had aangedaan.

'Hoe kun je me vragen om weg te blijven?' zei ze, 'terwijl je weet dat hij stervende is?'

Haar vraag negerend wees Reuben met zijn stok naar de donkere wolk die zich als een inktvlek over het uitspansel uitbreidde. 'Het gaat weer sneeuwen,' zei hij. 'Je kunt beter gaan voordat het begint.'

'Reuben...'

De ketel stond nu te gillen en de keuken vulde zich met stoom. Reuben duwde zich weg van het deurkozijn en hinkte langs haar heen. 'Mag ik even,' zei hij, 'Tom wacht op zijn thee.'

'Beloof me,' begon ze.

'Wat?'

'Als er iets met Pa is...'

'Zal ik het je laten weten. Nou, als je het niet erg vindt...'

Hij tilde de ketel van het fornuis, goot het water in de pot. Hij schonk thee in een mok, deed er suiker en melk bij. Daarna hing hij zijn stok over zijn ene arm, pakte de mok en verdween naar boven. Rose kon zijn voeten met onregelmatige tred over de kale planken horen gaan.

Toen ze naar buiten stapte, begon het te regenen, met korte felle vlagen op vinnige kille windstoten. Verderop het laantje keek ze nog eens om. Ze kon beide mannen zien bij het slaapkamerraam, de een zittend, de ander staand. Ze stak haar hand op, maar er kwam geen reactie. Terwijl ze verder de heuvel opploeterde begon het harder te regenen. Het water sloeg in haar gezicht tot ze nauwelijks meer iets zag, doorweekte haar jas, sijpelde in haar schoenen. De druppels stuiterden en spetterden over de grond, verzamelden zich in de greppels aan weerszijden van het laantje en stoven de heuvel af om de rivier nog verder te doen zwellen. De regen droop uit haar haar, liep over haar wangen, vermengd met de tranen die over haar gezicht stroomden.

Reuben hielp de oude man weer in zijn bed en schoof de kussens achter zijn rug.

'Reuben?'

'Ja?'

Tom probeerde uit alle macht op adem te komen. 'Ik wil...' *gehijg* '... ik moet...' *hevige hoestbui.*

Reuben zette de dampende mok neer, hield het hoofd van de oude man vast terwijl deze dikke slijmklodders in zijn zakdoek spoog, veegde zijn kin af.

'Notaris. Ik moet... een notaris hebben.'

'Een notaris? Waarvoor?'

Tom kreeg een nieuwe hoestaanval en viel uitgeput in de kussens terug. 'Nu... vandaag.'

Reuben fronste. 'Ik weet niet of dat vandaag lukt. Waar zou ik een notaris moeten vinden?'

Tom dacht na. 'Greaves,' zei hij, '...notaris, Market Needing... die kan wel. Vraag dokter Hills maar.'

'Goed hoor.' Reuben boog zich voorover en streelde de oude man over het voorhoofd. De huid voelde zo droog als papier, alsof ze tot stof zou kunnen verkruimelen als hij te hard wreef. Een golf van liefde welde op in zijn borst en kneep zijn keel samen. Hoe zou hij het kunnen verdragen als de oude man stierf? Zou hij zonder hem verder kunnen, zonder Rose? Hij rechtte zich, schraapte zijn keel, knipperde heftig met zijn oogleden. 'Ik zal kijken wat ik doen kan,' zei hij. 'Probeer nu maar wat te rusten, eh? Maak je geen zorgen, het komt voor elkaar.'

Dokter Hills dacht dat de oude man misschien om een priester had willen vragen, maar toen Reuben aanbood de eerwaarde Glasswell te laten komen, raakte Tom gevaarlijk over zijn toeren: 'Ik wil...

een... notaris, verdomme,' hijgde hij klaaglijk, 'niet een of andere...
uitslover van een priester met hocus-pocuspraatjes...'

Tegen het eind van de week was de handtekening gezet, en dat
leek te helpen. Zodra alles geregeld was, begon Tom gemakkelijker
te ademen.

Het weer verslechterde. In de eerste week van februari vielen er zware
sneeuwbuien en de temperatuur leek maar niet boven het vriespunt
uit te kunnen komen. Op Holly Farm verdwenen de keitjes van het
erf onder een zachte witte deken en langs de voorgevel bogen de go-
ten door vanwege het gewicht van de ijspegels. 'We komen er nooit
doorheen,' zei Henry, toen Rose hem buiten zichzelf van ongerustheid vroeg haar op de tractor naar Waterslain te brengen, 'de sneeuw-
hopen zijn op sommige plekken zowat twee meter hoog. Bovendien
komt er rook uit de schoorsteen, dus zal alles wel in orde zijn.'

De elfde van de maand begon het al voor de ochtendschemering
te sneeuwen en bleef dat de hele dag doen. Om de oprit open te
houden leverde Henry de hele ochtend strijd met hevige windvla-
gen die de sneeuw sneller terugbliezen dan hij hem kon wegrui-
men, terwijl Rose wel tien keer per uur naar boven liep om een
gaatje in de ijsbloemen op het raam te blazen en daar diep ongerust
doorheen uit turen, op zoek naar het sliertje rook dat nog steeds uit
de schoorsteen van Waterslain opsteeg. Toen Henry tegen enen de
ongelijke strijd opgaf, kon Rose de overkant van het erf niet meer
zien, laat staan Waterslain op anderhalve kilometer afstand. Ze
moest de feiten onder ogen zien; wat daar ook gebeurde, zij kon er
niets aan doen of verhelpen...

De wind floot door de kozijnen en sponningen van Waterslain,
zuchtte onder de deuren door en deed de grendels rammelen. De
schoorsteen weigerde behoorlijk te trekken, zodat bij elke wind-
vlaag bijtende rook de kamer in wolkte, en de paraffinebrander in
Toms kamer raakte door zijn brandstof heen.

Toen Reuben die ochtend naar de schuur strompelde, had hij de
schuurdeur onderaan versplinterd aangetroffen en de vloer bezaaid

met bebloede lijkjes. Een vos had de kippen stuk voor stuk uitgemoord, alvorens zich met slechts eentje uit de voeten te maken. Liever dan ze helemaal verloren te laten gaan, had Reuben zoveel karkassen opgeraapt als hij kon dragen en was daarna naar het huis teruggewankeld om ze te plukken en schoon te maken. Het was veel extra werk waar hij niet op zat te wachten, en al helemaal niet toen hij de ketel ging vullen en ontdekte dat de pomp in de bijkeuken stijf bevroren was.

Zichzelf in gedachten uitfoeterend om zijn domheid trok hij de schoorsteenschuif open, stookte het vuur in de keuken op tot het loeide en zette toen de deur onderaan de trap wijdopen, in de hoop dat iets van de warmte naar boven op zou stijgen. Hij vulde Toms kruik opnieuw, kookte de kippenbotjes op om er bouillon van te maken, bracht de oude man talloze bekers hete thee. Tegen etenstijd begon hij door zijn energie heen te raken.

'We zouden je eigenlijk naar beneden moeten verhuizen,' zei hij tegen Tom. 'Het is hier steenkoud.' De ijslaag op het raam was te dik om er nog af te kunnen krabben. Uit de olielamp steeg een dun sliertje zwarte rook op, hetgeen wilde zeggen dat ook die nog maar gevaarlijk weinig brandstof bevatte. Als de paraffine eenmaal op was, had hij alleen nog maar kaarsen.

Tom zat rechtop in bed met een deken om zijn schouders en een tot over zijn oren omlaaggetrokken wollen muts op, maar zijn ogen traanden van de kou en zijn adem ging nog stotender dan gewoonlijk. 'Kan niet...' mompelde hij hoofdschuddend, 'gaat niet... met de trap.' Hij stak een bevende hand uit, gaf Reuben een klopje op zijn pols, snoof piepend. 'Maak je... geen zorgen over mij... komt best goed...' Een nieuwe hoestaanval deed zijn lichaam schokken, hij kokhalsde, herstelde zich. 'Wanneer komt... mijn lieve... Prue?'

'Gauw.' Reuben wist niet meer hoe lang hij dit spelletje van voor-de-gekhouderij al speelde. 'Ze kan er nu elk moment zijn.' Hij liet zich voorzichtig op het bed zakken, om de matras niet door te laten veren, en zette de soepkom op het tafeltje naast het bed om een handdoek in de hals van de trui te stoppen die Tom over zijn pyjama droeg. 'Kom, eet wat soep. Die zal je warm houden.'

Hij sliep al bijna een week beneden in de keuken waar hij om de zoveel tijd het vuur hoog opstookte met moeizaam verzameld hout en wakker probeerde te blijven voor het geval dat Tom hem nodig had. Maar hoe hard hij ook stookte, de temperatuur in Toms kamer bleef dalen, terwijl in de bloedhete keuken de condens langs de muren droop.

De inspanning van het slikken putte de oude man uit en omdat hij zijn gebit niet in had, liep de meeste soep meteen zijn mond weer uit. Hij hoestte en kwijlde en kreeg nog niet de helft van de kom binnen. Daarna bleef Reuben nog een uur bij hem zitten, pogend wat warmte in zijn handen te wrijven, totdat hij in een onrustige slaap viel.

Reuben haalde Rose' bed af en legde de stapel extra dekens over Tom heen, maar nog steeds bleven gezicht en handen van de oude man zo bleek als marmer en namen zijn lippen in de bittere kou een blauwachtige tint aan. Rose, dacht Reuben, hij moest de heuvel op Rose gaan halen voordat het te laat was. Toen hij buiten ging kijken, lag de sneeuw ruim een meter hoog in het laantje en hij wist dat hij er nooit doorheen zou kunnen komen. Hij moest wakker blijven, desnoods de hele nacht. Hij dekte het vuur af, wikkelde zich in Toms oude legerjas, voorzag zich verder van handschoenen, een platte pet, de vingerloze handschoenen die Rose hem jaren geleden had gegeven, en hompelde toen vermoeid weer naar boven om zich opgerold in een stoel naast Toms bed te installeren.

Opschrikkend uit zijn slaap wist hij meteen dat er iets niet in orde was. De maan scheen door de bevroren ruit en de kamer was gevuld met de parelmoerachtige weerschijn van een sneeuwdek. Het was ook stil; geen geknap en geknetter van het hout in de kachel beneden, geen tikgeluiden van vonken in de schoorsteen, geen gekraak van de houten traptreden bij het krimpen en uitzetten in de warmte. Reuben wankelde met wild bonkend hart overeind. Hoe had hij zo lang kunnen slapen?

Tom ademde nog, maar voelde ijskoud aan. Thee, dacht Reuben, daar zullen we allebei weer warm van worden. Maar het fornuis was nauwelijks warm. Vloekend ging hij op benen die bijna gevoelloos waren van de kou, haastig aan het werk om verse brandstof op de dovende sintels te leggen, totdat het vuur uiteindelijk weer tot leven kwam. Hij bleef erbij staan tot hij zeker wist dat het niet meer zou uitgaan. Hij liet het water aan de kook komen, terwijl hij stijfjes de trap weer op hinkte.

Tom lag achterover in de kussens. Zijn mond hing open, een straaltje bevroren speeksel kleefde aan zijn kin en toen Reuben met de rug van zijn hand zijn wang aanraakte voelde hij totaal geen warmte.

'Tom?' Hij schudde hem hardhandig heen en weer, door doodschrik bevangen, 'Tom!'

Tom sloeg zijn ogen op, knipperde een paar keer. 'Prue?' kraakte hij.

Reuben ging met een bons op de rand van het bed zitten. Hij ademde te snel en zijn hart hamerde tegen zijn ribben; de koude binnenstromende lucht deed pijn aan zijn longen. 'Thee,' zei hij, zich vermannend. 'Tom, je bent te koud. Je moet wat thee drinken.'

Tom draaide zijn hoofd om: 'Nu niet, Prue, liefje. Te moe...' Hij sloot zijn ogen en Reuben tuurde, op het randje van paniek, in het schemerlicht op hem neer.

Hij deed nog een poging, maar deze keer reageerde Tom in het geheel niet. Hij tastte onder de berg dekens naar de kruik, maar de benen van de oude man waren al even koud als zijn gezicht. Beneden vulde hij de kruik met trillende handen, zodat druppels gloeiend heet water over de kookplaat wegspatten. Hij stapelde nog meer hout op het vuur voor extra hitte, maakte thee. Nu was het tenminste wat warmer in de keuken; hij kon zijn adem niet meer zien en hij hoorde de schoorsteenpijp krakend uitzetten.

Tom verroerde zich niet, toen hij de kruik onder zijn knieën terugschoof, en de thee droop opzij uit zijn mond. Reubens paniek nam toe. 'Toe nou,' smeekte hij de oude man, 'toe nou, Tom, een beetje maar. Doe het voor mij...' Opeens herinnerde hij zich die droomachtige nacht met Rose, hoe hun lichaamswarmte zich had vermengd toen hij haar in zijn armen hield. Hij zette de beker neer, tilde de dekens op en klom bij Tom in bed.

Er was nauwelijks dertig centimeter ruimte tussen Toms lichaam en de rand van het bed, en het was zo *koud*. Reuben strekte zich in zijn volle lengte uit tegen Toms zij, zo dicht tegen hem aan als maar mogelijk was, draaide het gezicht van de oude man wat om zodat ze wang aan wang lagen, wreef hem over zijn rug. Toen hij een beetje warmte voelde komen, begon hij herinneringen op te halen aan de dag van zijn aankomst op Waterslain, aan Toms geduld met zijn eerste timmerpogingen. 'Je bent meer een vader voor me geweest dan mijn eigen vader,' vertrouwde hij hem toe, en werd beloond met een lichte beweging van Toms hoofd en een gefluisterd 'Ach *jongen*...'

Bij het vorderen van de nacht vertraagde zich het ritme van Toms ademhaling. Ze hadden het ergste gehad, dacht Reuben. Hij nam een hand van de oude man in de zijne en hield die tegen zijn hart, zodat Tom zijn hartslag zou voelen en zou weten dat hij niet alleen was. Pas toen hij het licht van de nieuwe morgen zag, besefte Reuben dat hij weer had liggen dommelen.

Een tijdje bleef hij liggen staren hoe de hemel verkleurde van roze naar wit naar stralend blauw, en draaide toen zijn hoofd opzij naar Tom, die eindelijk rustig lag te slapen. 'Hallo, baas,' zei hij, zich op een elleboog oprichtend, 'het is ochtend, we hebben het gehaald,' maar Tom bewoog zich niet. Hij had zijn ogen halfdicht en zijn mondhoeken krulden omhoog in een glimlach, alsof hij zich ergens om verkneukelde. Reuben wist onmiddellijk dat hij dood was.

Hij liet zich weer op zijn rug terugzakken, opstarend naar de zoldering en vechtend tegen zijn tranen. Ik moet opstaan, dacht hij, ik moet iets doen, maar hij leek niet in beweging te kunnen komen.

'Je vindt het toch niet erg, hè?' vroeg hij Tom, 'als ik je nog even gezelschap hou? Ik ga eenzaam zijn zonder je...'

32

Rose' vliezen braken in de eerste uurtjes van de dertigste september. De bevalling ging zo snel dat er geen tijd was om de vroedvrouw te waarschuwen. Henry, die zijn vader wel honderd lammeren had helpen halen, en bij de geboorte van tientallen kalveren had geassisteerd, hielp zijn tweede kind met klinische efficiency ter wereld komen. Hij zei Rose wanneer ze moest persen, trok zachtjes op het juiste moment toen de baby even bleef steken, knipte de navelstreng door en lette erop dat de nageboorte kwam.

Wat hem overviel, wat hem volkomen perplex deed staan, was het feit dat hij er na afloop zo compleet ondersteboven van was, toen hij zijn er lustig op los krijsende zoon optilde en in zijn half dichtgeknepen oogjes keek.

Die middag liep Henry dezelfde route die hij na Rose' eerste bevalling had gevolgd; kon dat werkelijk zes jaar geleden zijn? Hij passeerde de moestuin, Middle Twelve op, vervolgens klom hij het hek naar East Meadow over en liep de heuvel af naar Marsh Hill Spinney.

Het was stil tussen de bomen. De bladeren begonnen net te verkleuren en het rook er al naar de naderende herfst, en aan weerszijden van het pad hingen de struiken vol rijpe bramen. Midden in het bos sloeg hij af en drong door het kreupelhout naar zijn geheime boom vol trofeeën. De laatste keer dat hij hier was geweest was hij misselijk van zichzelf geworden. Het was tijd om verder te gaan, tijd voor dat nieuwe begin dat hij Rose had beloofd.

Oog om oog... De dode dieren die hij had opgehangen waren van hun vlees ontdaan door de elementen en door aaseters. Toen hij zijn bijl neer liet komen, schudden en rammelden de verbleekte botjes. Toen de boom lag, pakte hij de bijl hoger bij de steel beet en hakte de takken af, waarbij hij de dikkere met de zaag te lijf ging, en daarna stapelde hij alles om de stobbe op. Hij verfrommelde de krant tot een prop, stopte die onderin de berg, hield er een lucifer bij, stapte achteruit en wachtte tot het vuur oplaaide. Hij zou hier niet meer komen, besloot hij. Dit, zijn zoon, was waar hij op had gewacht, een kans om opnieuw te beginnen.

Een leven voor een leven. 'David,' zei hij tegen Rose. 'Ik wil hem David noemen.'

'Waarom?' Rose begreep er niets van. Ze kenden geen van twee-en iemand die David heette. 'Wil je hem niet liever John noemen, naar je vader, of Thomas of zoiets?'

'Nee.' Henry hield voet bij stuk. 'David. Davey.'

'Davey...' Rose moest er even over nadenken. 'Nou best, als je dat graag wilt.'

Henry bukte zich om haar op de wang te kussen. Hij voelde zich alsof er een enorme last van hem was afgevallen. 'Ik ga het nu beter aanpakken, Rosie,' zei hij. 'Ik zweer het je.'

John en Betty kwamen met de auto over om hun nieuwe kleinkind te bekijken. Betty had een hele uitzet voor de baby bij elkaar ge-breid, 'want we weten allemaal dat je niet de grootste breister ter wereld bent, liefje,' en John kwam met een fles champagne en een gloednieuw fototoestel, 'om de mijlpalen vast te leggen,' zoals hij tegen Henry zei, toen hij hem demonstreerde hoe hij ermee om moest gaan.

Een nieuw begin, dacht Rose, toekijkend hoe Henry de camera in stelling bracht om een kiekje van zijn zoon te nemen. Davey zou een volmaakt leven krijgen, daar zou ze wel voor zorgen. Wat had het anders allemaal voor zin?

33

Eens per maand, mits ze voldoende benzine konden krijgen, kwamen John en Betty uit Southwold aanrijden voor de zondagse lunch. Tijdens het afwassen overstelpte Betty Rose met goede raad over van alles en nog wat, terwijl Henry zijn vader mee naar buiten nam om met zijn laatste nieuwe aanschaf te pronken.

De veranderingen die Rose sinds hun botsing in Henry had opgemerkt – de vermindering van de spanning tussen hen, én van zijn woedeaanvallen – traden sinds Daveys geboorte nog duidelijker aan de dag, alsof, dacht Rose, de komst van hun zoon een genezingsmechanisme in werking had gezet, waarvan zij het knopje niet had kunnen vinden. Soms had ze het gevoel dat ze allebei *te* hard hun best deden, maar wat was het alternatief? Ze had allang de hoop opgegeven dat ze in de relatie met haar echtgenoot opnieuw zou kunnen ontdekken wat ze zo kortstondig bij Reuben had gevonden; er was geen sprake van een miraculeuze omslag, of van een openbaringsmoment waarin de liefde opnieuw opbloeide, maar de vreugde die Henry in zijn zoon schiep, maakte hem tenminste iets gemakkelijker in de omgang. Behalve dan wat de lichamelijke kant van hun huwelijk betrof. Die was geheel en al opgehouden te bestaan, alsof Henry er niet langer de zin van inzag.

Wat hinderde het, hield Rose zichzelf voor, als ze alleen maar déden alsof alles koek en ei was? Als dat betekende dat Davey kon opgroeien met de éne luxe die haarzelf nooit ten deel was gevallen, een vader die idolaat van hem was, was het het waard. En terwijl de tijd voortging, de jaarwisseling kwam en ging, Daveys eerste tand doorkwam, de winter overging in het voorjaar en de koekoeksbloemen langs Paigle Beck verschenen, en Davey zijn eerste woordjes zei (niet 'Mamma' of 'Pappa', maar 'tractor'), werd haar duidelijk dat ze naast een liefdevolle moeder datgene was geworden, waarvoor Betty haar vanaf haar vroege jeugd had opgeleid: een plichtsgetrouwe en gewetensvolle echtgenote. Als ze nog steeds af en toe melancholiek naar de uit de schoorsteen van Waterslain opstijgende rook staarde, en zich afvroeg hoe het met Reuben ging, dan was dat iets tussen haar en God. Ze moest het er maar mee doen; tot die nacht op Waterslain met Reuben had ze zich het grootste deel van haar leven beholpen met wat ze kreeg. Enkele uren lang had ze meer gehad, maar zelfs toen ze in Reubens armen lag, had ze geweten dat het niet blijvend kon zijn. Dus nam ze genoegen met een ander soort geluk, investeerde al haar energie in haar nieuw gezinnetje en maakte zichzelf wijs dat ze er genoeg aan had. Te oordelen naar Alice' enthousiaste brieven leek zelfs zij zich, als trotse moeder van een meisjestweeling en alweer zwanger van haar derde kind, geschikt te hebben in een tevreden getrouwd bestaan met haar Brad. En als Alice het kon, dan kon zij het ook...

Reuben was een sleurbestaan gaan leiden – werken, slapen, werken, eten, werken. Hij trok zich helemaal in zijn eigen wereld terug en waagde zich slechts zelden het erf af. Dan ging hij meestal naar Market Needing, waar Zuster Catherine gewoonlijk wel iets voor hem te doen had in de kapel of in de klaslokalen. Hij bleef volledig weg van Holly Farm en Nettlebed, en hinkte niet verder dan Marsh End, omdat Walter tenminste informatie verschafte zonder op zijn beurt van alles over Reubens privé-aangelegenheden te willen horen.

Rose' baby was een jongetje, zei Walter. Ze hadden hem Davey genoemd naar de een of andere maat uit het leger van zijn vader. Moeder en zoon maakten het goed. Henry ging niet meer naar de kroeg. Henry was stapelgek op het joch.

'Op wie lijkt hij?' vroeg Reuben, 'op hem of op haar?'

Walter dacht na over de vraag. 'Nie erreg op wie ook. Hij hep wel 't haor van ouwe Ma Catherwood, een bietje donkerrooie kleur, zoas toen ze jong was. En de jonge Rose d'r ogen. Bruin.'

'Niet op Henry dus?'

'Neu, nie erreg.' Reuben stond nog steeds in de deuropening.

'Het had jou koter kenne weze as je 'n vent was gewees.'

'Doe niet zo idioot,' zei Reuben op koude toon. 'Wat zou ze nou met mij moeten?'

'Niks hoor.' Walter wierp hem een steelse blik toe. 'Je had 'r nooit motte laote gaon.' Een kort hoofdschudden, een tweede sluwe blik. 'Ik hep 'r vorige week nog gezien. Vroeg nog naor je.'

'Wat vroeg ze dan?'

'"Hoe gaot 't met Reuben? Istie gezond? Zorgtie goed voor zichzelf?" Komt met allerlei smoesies aonzette, vraogt naor dit, vraogt naor dat. Je mot d'r maor 's gaon opzoeke.'

'Ik val nog liever dood.'

'Doe wâ je nie laote ken,' zei Walter en kloste weg om de varkens te gaan voeren.

Reuben hompelde langzaam terug naar Waterslain. Hij had er vaak genoeg over gedacht, erover gefantaseerd hoe hij haar zou aanspreken op wat ze had gedaan. Hij kon haar huwelijk met maar een paar woorden ten gronde richten, haar laten boeten voor de manier waarop ze hem had behandeld. Op een dag was hij de heuvel zelfs een eindje opgelopen en had na enkele meters in het laantje rechtsomkeert gemaakt. Hij kon het niet, hij kon zichzelf er niet toe brengen om haar leven te ruïneren, alleen ter wille van de bevrediging van kleingeestige jaloerse wraakgevoelens. Als hij ook maar enige hoop had gehad dat hij haar zou kunnen overreden om bij Henry weg te gaan, en naar huis te komen had hij het risico misschien wel genomen. Maar ze had nu een kind – het enige waar ze altijd naar had verlangd. Hij had haar al de kans ontnomen om vrede met Tom te sluiten; als hij haar gezinnetje ontwrichtte, zou ze het hem nooit vergeven. Bovendien had Walter hem verteld over Henry Catherwoods gewelddadige woedeaanvallen. Stel dat hij zijn razernij op Rose afreageerde?

Nina was de volgende zomer niet bij de zigeuners; ze had de groep in het begin van het jaar verlaten, meldde Walter. Ook in 1949 ontbrak ze, hoewel de nomaden dat jaar in grotere aantallen de boomgaard binnenreden dan ooit. Reuben informeerde hier en daar, meer uit nonchalante nieuwsgierigheid dan uit iets anders, maar niemand had haar gezien.

Ze kwam ook niet in 1950 noch in 1951, het jaar waarin Henry Catherwoods gewassen door zomerse onweersbuien werden vernield, het grasland veertig centimeter onder water kwam te staan, en de woonwagens na slechts enkele dagen zonder werk in het vooruitzicht alweer verder trokken. Ze was voorgoed verdwenen, vermoedde Reuben, terug naar Polen om haar familie te zoeken, of misschien had ze zich ergens gevestigd. Hij was veeleer opgelucht van haar af te zijn dan dat het hem speet. Ze had hem het gevoel gegeven dat seks niets betekende, terwijl hij uit bittere ervaring wist dat dat niet zo was.

Hij had Rose niet nodig, hield hij zichzelf voor. Hij was beter af zonder haar, maar haar vergeven was moeilijker. 'Probeer toch eens wat meer geduld te hebben,' had ze hem berispt, toen hij pas op Waterslain was en met iedereen ruzie zocht, maar hij had nooit de kunst geleerd. Zwart of wit, daar kon hij mee omgaan, met goed of slecht, liefde of haat.

Toch bleef hij haar leven volgen, of hij wilde of niet. Betty Catherwood was teleurgesteld, meldde Walter, over het uitblijven van een tweede kind, vooral gezien Alice' succes op dat terrein: eerst een tweeling, daarna twee jongens in twee jaar.

Het jaar 1952 was alleen gedenkwaardig vanwege het overlijden van Koning George. De dichte gele mist die tegen het eind van het jaar door het dal kolkte, maakte het Reuben vijf dagen lang bijna onmogelijk om het huis uit te komen. In de lente van 1953 deed Reuben goede zaken met Walter, waarbij hij de reparatie van diens tweedehands Massey Ferguson – de eerste tractor die de oude man in zijn leven bezat – betaalde in ruil voor de helft van de opbrengst van het overtollige hooi. Van nu af aan, nam hij zich voor, vertrouwde hij alleen nog maar op zichzelf.

34

Als hij beseft had dat het de dag was waarop de jonge prinses Elizabeth tot koningin werd gekroond, was hij niet gegaan. Overal in de hoofdstraat waren de winkels met vlaggen behangen en heel Market Needing maakte zich op voor de officiële viering. Op de trottoirs wemelde het van de mensen.

Bridge Street was voor het verkeer afgesloten, en ondanks het koude vochtige weer waren er over de hele lengte schraagtafels neergezet voor het feest dat over een uur zou beginnen. Overal hingen affiches waarop de aandacht werd gevraagd voor een verkleedwedstrijd voor de kinderen, een tombola, een verloting. Bij Swithin's, de ijzerhandel die Reuben wilde bezoeken, waren de blinden neergelaten. Mr. Swithin had ook nog eens een bordje op de deur gehangen waarop stond dat hij gesloten was.

Halverwege Riverside, op weg naar huis, zag Reuben opeens Rose met Henry en haar zoontje aan komen lopen. Haar plotselinge, onverwachte aanblik bracht hem met een schok tot staan. Door de jaren was hij er handig in geworden haar te ontwijken; hij was op een andere slager overgestapt, had zijn klandizie verplaatst naar de kruidenier aan Chapel Street, en de gewoonte aangenomen zijn boodschappen op maandag te doen, wanneer zij de wekelijkse was deed. De zeldzame keren dat hij haar toch plotsklaps in de verte zag, had hij zich in de andere richting weggehaast, omdat hij zichzelf zo gemakkelijker wijs kon maken dat hij over haar heen was.

Nu kwam ze daar ontspannen in de straat aanlopen, genietend van een gezellig dagje uit met haar man en kind.

Het was te laat om zich nog uit de voeten te maken. Het beste wat Reuben kon doen was wegduiken in het portiek van Cootes' naaiwinkel. Maar hij kon het niet helpen. Toen ze dichterbij kwamen waagde hij een snelle blik.

Hij werd van het jaar zevenentwintig, dus moest Rose tegen de dertig zijn. Ze was ouder geworden, had niet meer die frisse blos van toen hij op Waterslain aankwam. Hij zag de lijnen om haar mond, het fijne fronsrimpeltje tussen haar wenkbrauwen, en draaide zich om, om het jongetje te bekijken dat naast haar voorthuppelde, het kind dat haar excuus was om bij Henry te blijven.

Davey was als zeerover verkleed en droeg een guitig ooglapje en een rood satijnen kniebroek. Aan zijn ene oor bungelde een koperen gordijnring aan een draad naaikatoen, zijn opvallende koperkleurige haar was onder een zwarte hoofddoek weggestopt, en hij was uitgerust met een zilvergeverfde sabel waarmee hij op denkbeeldige vijanden inhakte. Reuben zag Rose te midden van het gewoel op straat Henry's blik vangen over het hoofd van het kind heen. De boodschap in die gewisselde blik viel niet mis te verstaan. Hier liepen liefhebbende, toegeeflijke ouders.

'Een knap jong,' had Walter van hem gezegd. En dat was hij ook, met krachtige trekken, hoge jukbeenderen, een rechte, goedgevormde neus met een waasje van sproetjes, en een wilskrachtige kin. Hij was ook lang voor zijn bijna zes jaren, met stevige benen.

Kwam het door de hoofddoek dat hij het in één oogopslag zag? Nu hij hem voor het eerst van dichtbij zag, trof de gelijkenis Reuben als een stomp in de maag.

Hoe kon Rose zo'n geheim voor hem hebben weggehouden?

Rose had plezier, ze genoot van het samen-uit-zijn als gezin. Henry was de hele week al in een goede bui geweest en hij leek nu zelfs de drukte met gelijkmoedigheid te verdragen. Ze had Reuben al jaren alleen af en toe in de verte gezien, en dagen niet eens aan hem gedacht. Om hem nu plotseling op maar een paar meter van haar vandaan in een portiek te zien staan, deed haar hele lichaam tintelen van schrik. Ze wankelde, stapte mis, struikelde.

Wat er ook tussen hen had bestaan, het was er nog steeds. Haar hart begon wild te bonzen en het korte felle schokje van vreugde onderin haar maag, de afgelopen jaren bijna vergeten, was er weer, samen met even een wonderlijk schuldgevoel. Ze wierp een snelle blik op Henry om te zien of hij iets had gemerkt, maar hij was met zijn aandacht bij Davey, wees hem op de guirlandes in de straat, lachend om de opwinding van de jongen. Ze zag Reubens blik naar Davey glijden, en de uitdrukking op zijn gezicht veranderen. Toen hij haar weer aankeek, deed de onverhulde vijandigheid in zijn blik haar naar adem happen; zelfs na al deze tijd had hij haar duidelijk nog niet vergeven. Terwijl Henry Davey op zijn schouders zwaaide en verder liep naar Bridge Street, bleef ze wat achter, overvallen door een waanzinnig verlangen om naar hem toe te lopen, iets tegen hem te zeggen, hem aan te raken, het tussen hen in orde te maken.

De menigte drong op en ze werd door de zee van lichamen meegesleurd. Ze kon Henry enkele meters vóór zich zien, met Davey op en neer deinend op zijn schouders, hoog boven de woelige massa uit. Toen ze haar hoofd omwendde om nog een laatste blik op Reuben te werpen, was hij verdwenen. Die *rot*vent, dacht ze opeens toen haar teleurstelling omklapte in woede vanwege dat ogenblik, bijna zes jaar geleden nu, waarop ze hem bij het binnenlopen van de schuur met Nina bezig had gezien, en dat haar nu weer te binnen schoot en haar stemming bedierf.

Lieve god, dacht Reuben ongelovig, terwijl hij zich door het gedrang worstelde en langzaam naar huis hinkte, *ze weet het niet...*

Thuis liep hij regelrecht naar de zwanenkist die uit het oog onder het bed stond weggeschoven. De laatste keer dat hij die had geopend, was op de dag geweest dat de brief kwam met het bericht dat zijn hele familie dood was, de dag waarop Rose hem had verteld dat ze in verwachting was van Henry's kind.

Hij viste de foto eruit, nam hem mee naar de deur waar het licht beter was en tuurde door de spinnenwebkreukels op de gezichten neer. Nadat hij zich ervan had vergewist dat vergissing uitgesloten was, legde hij hem zorgvuldig in de kist terug, liet zich op het bed zakken en staarde voor zich uit.

Hij stuurde een boodschap via Walter, met een uit de lucht gegrepen verhaal over de keukenschoorsteen die opnieuw gevoegd zou moeten worden, en ze kwam de volgende dag. Ze was schuw, nerveus, en ze geloofde niet wat hij tegen haar zei. Hij moest haar de foto laten zien voordat ze het wilde accepteren. Ze viel met een plof aan de keukentafel neer, staarde verbijsterd naar Halinka's duidelijk herkenbare trekken, ging met een bevende vinger over haar jukbeenderen, haar ogen, haar neus, haar kin. 'Ik snap het niet,' zei ze maar steeds, 'ik was er zo *zeker* van. Ik heb het niet geweten, ik *zweer* dat ik het niet geweten heb.'

'Nou, nu weet je het wel,' zei hij bits. 'Dus wat ga je eraan doen?'

'Doen? Wat *kan* ik doen?'

Het ontsnapte hem voordat hij het kon tegenhouden. 'Bij hem weggaan,' zei hij. Sinds gisteren was hij blijven koken van woede. Hij had haar laten komen, omdat hij haar net zoveel pijn wilde laten voelen als hij zelf voelde.

'Wat?' Wit van schrik staarde ze hem aan. 'Ik... hoe kan ik nou bij hem weggaan?'

'Makkelijk zat,' zei Reuben, warmlopend. 'Je komt gewoon weer terug naar huis. Met de jongen. Dan kunnen we weer een gezin zijn, net als vroeger.' Waarom niet, dacht hij, ze hadden toch een zoon, waar of niet? En het was duidelijk dat ze nog steeds om hem gaf. Hij had het gezien toen ze binnenkwam, zoals ze naar hem gekeken had; alsof het sterker was dan zij.

Heel even dacht hij een kansje te maken. Maar toen veranderde de uitdrukking op haar gezicht, en kwam de twijfel binnensluipen, terwijl ze de gevolgen tegen elkaar afwoog.

Ze smeekte, *bad* om zijn begrip. 'Als je Davey nou maar eens met zijn vader kon zien.' Ze had tenminste nog het fatsoen om te blozen, toen ze 'vader' zei. 'Hij denkt dat de zon door Henry's ogen schijnt. Alleen het feit dat hij een zoon heeft gekregen, heeft Henry van het randje van de waanzin teruggehaald. Als ik hem Davey nu afpakte zou het zijn dood betekenen.' Wat de situatie nog erger, ja bijna ondraaglijk maakte, was dat ze haar betoog halverwege plotseling afbrak en voor de allereerste keer zei: 'Ik hou van je. Ik zal altijd van je blijven houden.'

'Dit gaat niet over Henry,' zei hij beschuldigend, 'en ook niet over Davey. Het heeft met Tom te maken, niet? Het heeft ermee te maken dat *jouw* vader niet van *jou* hield,' en beschaamd door de waarheid boog ze het hoofd. 'En als ik het hem nou eens ging vertellen?' dreigde hij. 'Als ik je man nou eens ging vertellen dat zijn aanbeden zoontje van mij is?'

Haar ogen vulden zich met tranen, maar ze bleef onverzettelijk. 'Dat doe je niet,' zei ze. 'Zo wreed zou je nooit zijn.' En dat zag ze goed; hij zou, kon, haar hele leven niet verwoesten alleen om zijn wraakgevoelens te bevredigen.

'Wacht,' zei hij, toen ze opstond om weg te gaan, en halverwege de deur bleef ze staan.

'Huur,' zei hij. 'Ik wil huur betalen.'

'Maar...' protesteerde ze.

'Ik ben lang genoeg aan je verplicht geweest.'

Ze staarde hem aan. 'Jij zult nooit iets aan mij verplicht...'

Hij kapte haar protesten af. 'Vier pond per week. Ik wil het doen zoals het hoort, netjes geadministreerd en zo.' Hij had geen idee of het volgens de geldende tarieven was, maar hij kon het zich zeker veroorloven. Hij had Toms geld de afgelopen jaren niet aangeraakt en zelfs nog extra kunnen sparen. En zij zou het moeten komen ophalen.

'Nou goed,' zei ze onwillig, 'ik zal een pachtboek voor je aanleggen.'

Na haar vertrek hinkte hij de hof op. Het water in de rivier stond hoog en slierten glinsterend zilver sijpelden hier en daar over de oever weg en verdwenen in het weelderige zomergras. Hij ademde diep en sidderend in, en tastte in zijn zak naar Toms horloge.

Toen de volgende middag een schaduw over zijn werkbank viel, dacht hij dat het Rose moest zijn en draaide zich gretig om. De laatste die hij verwachtte te zien, was Nina.

35

*N*aast haar stond een klein meisje, Nina in miniatuur, bruin van huid, donker van oog, met een massa springerige zwarte krullen die achteloos met een stukje rafelig lint tot een knotje op haar hoofd bijeen waren gebonden. Ze droeg een tuinbroek met afgeknipte pijpen en een geruit wollen hemd dat veel te groot was.

'Je dochter?' vroeg hij Nina.

'De jouwe.'

Hij dacht dat hij haar verkeerd had verstaan. 'Wat?'

'De jouwe,' herhaalde Nina. 'Het is jouw dochter.' Ze trok het kind aan haar arm naar voren. 'Hannah, kom dag zeggen tegen je Poppa. Zie je? Is hem, net als ik beloven. Mooi verjaarscadeautje, eh?' Ze grijnsde om Reubens verbijsterde gezicht. 'Wat is, schatje? Kan je niet zien, zij lijken op jou?' Ze groef in haar jasje, haalde een gehavende bruine envelop tevoorschijn. 'Jij willen bewijs? Is hier voor je, alles in de puntjes en wettelijk. Ik noemen haar zelfs Hannah, voor jouw zuster.'

'Halinka.' Reuben griste de envelop uit haar hand. 'Mijn zusje heette Ha*linka*.'

De envelop bevatte een enkel in drieën gevouwen vel papier en wat er op stond deed hem geschokt zwijgen. Het was een geboortebewijs, het originele, geen kopie, met de hand geschreven in zwarte inkt. Het is een truc, bleef Reuben tegen zichzelf zeggen, terwijl hij de details doorkeek, het is een van Nina's bizarre grappen, maar wat er stond was zo klaar als een klontje: *Naam van de moeder: Nina Wajs*, de eerste keer dat hij die in geschreven vorm zag. *Naam van de vader: Reuben Leckitovski*, verkeerd gespeld alsof de schrijver er op het gehoor naar had moeten raden. Onder het kopje *Plaats en datum van geboorte* stond: *Purley Cottage Hospital, Croydon, Surrey*.

'Hoe oud zei je dat ze was?'

'Vandaag wordt ze vijf,' zei Nina kalmpjes. 'Eh, Hannah?'

Reuben voerde in gedachten een snelle berekening uit; het was vandaag 4 juni. De laatste keer dat hij met Nina samen was... wanneer geweest? De zwarte ogen van het kind bleven onafgebroken op zijn gezicht gericht, wat hem van de wijs bracht. Hij telde terug, telde op, trok af, begon opnieuw. Hoe lang duurde een zwangerschap? Negen maanden toch? Hij keek nog eens op het geboortebewijs, zich ervan overtuigend dat hij nergens overheen gelezen had, begon weer helemaal overnieuw met de optelsom, en ondertussen dacht hij steeds: Waarom doet Nina me dit aan? Waarom duikt ze nu opeens op, na bijna zes jaar zonder ook maar enig contact? Het was niet zo dat hij moeilijk te vinden was.

'Hoe kom je op het idee,' begon hij, 'dat je hier maar gewoon binnen kunt komen vallen?' Zijn oog viel op Nina's vingers die zich met kleine krampachtige beweginkjes probeerden los te maken uit haar dochters greep.

'Ben jij echt mijn Poppa?'

Haar stem was verrassend diep voor zo'n klein ding, hees als die van haar moeder, en ze beantwoordde zijn woedende blik zonder een spier te vertrekken. In de war gebracht keek hij haastig weg.

'Nou, ben je dat?' hield ze aan.

'Ben ik wat?'

Ze stampvoette, geïrriteerd door zijn traagheid. 'Mijn *Poppa*, domoor.'

O nee, dacht Reuben toen Nina zich van haar dochters omklemming bevrijdde, zo gemakkelijk kom je er niet vanaf. Hij vouwde het geboortebewijs op, schoof het in de envelop terug en stopte die in zijn achterzak.

Voordat hij de vraag had gesteld, wist hij al hoe het antwoord zou luiden: Nina's motieven waren altijd van volstrekt zelfzuchtige aard geweest. Maar hij vroeg het toch maar, alleen om het genoegen haar te dwingen het met zoveel woorden te zeggen. 'Wat verwacht je dat ik eraan doe?'

'Jij moeten...' Dit was wel leuk, op een bizarre manier: in het verleden had hij wrok jegens Nina gevoeld vanwege haar kracht, de manier waarop ze seks gebruikte om hem te manipuleren. Nu had *hij* de touwtjes in handen, en dat wisten ze allebei... 'Jij moeten haar van me overnemen.' Achteruitstappend struikelde ze over een kip die in paniek naar de deur vluchtte. 'Alsjeblieft, schatje...' Nu smeekte ze, '... is geen leven voor een kleintje op de weg.'

Hij zei niets, bleef haar alleen aanstaren, en pas toen ze haar ogen neersloeg, omdat ze zijn blik niet langer verdroeg, zakte hij zwaar steunend op zijn stok op één knie neer en richtte zich tot het kind.

Ze was minder snel geïntimideerd dan haar moeder. 'Nou?' herhaalde ze koppig, 'ben jij mijn Poppa of niet?'

Hij kon zijn hart voelen bonzen, *boem, boem, boem* tegen zijn ribben. Hij ademde diep en rustig in, de vertrouwde geur van houtsap en zaagsel in zich opnemend.

'Ja,' zei hij, extra zorgvuldig articulerend, opdat er geen misverstand kon bestaan. 'Dat ben ik.'

Ze keek hem met grote ogen van verbazing aan. 'Heus waar? Echt heus waar? Hand erop?'

De kinderlijke vraag voerde hem in een flits terug naar die avond kort nadat hij op Waterslain was gekomen, waarop hij Rose de foto van Tatus had laten zien en ze beloofd had zijn familie te zijn. 'Hand erop,' zei hij, en hij bracht zijn hand naar zijn mond en spuwde erin.

Ze keek naar zijn vochtige handpalm met zo'n komische air van volwassen waardigheid dat hij moeite had een ernstig gezicht te bewaren, tuitte dan haar lippen en deed hem na. 'Hand erop,' stemde ze toe.

Terwijl hij haar glibberige handje in de zijne sloot, zag hij Nina. Ze was zijwaarts op weg naar de deur.

'Bedankt,' zei ze. 'Jij laten haar goed leren, eh, *kochany*? Lezen, schrijven, alles, *tak*?'

Pas op het moment dat ze voor een laatste blik op haar dochtertje aarzelde bij de deur, kwam Reubens besluit onherroepelijk vast te staan. Tot op dat moment had hij haar kunnen tegenhouden. Hij had kunnen zeggen dat ze blufte, dat hij er geen seconde zelfs maar over dacht zo'n grote verantwoordelijkheid op zich te nemen. In plaats daarvan bleef hij waar hij was, onbeholpen knielend, met de hand van het kind in de zijne, terwijl haar moeder de grijze middag in verdween. Hij hoorde haar voetstappen op het pad, het geluid van een automotor, banden die wegknarsten over het grint, dan stilte.

Toen hij tegen Hannah glimlachte, glimlachte ze stralend terug. Haar vaste vorsende blik maakte hem nerveus. 'Heb je honger?' vroeg hij.

'Wat is dát?'

Hij keek waar haar vingertje naar wees. 'Een kat.'

'Dat zie ik ook wel,' antwoordde ze op vernietigende toon. Ze zette een aarzelend stapje naar de werkbank toe, nog steeds stevig zijn hand vasthoudend. 'Waarom beweegt hij niet? Is hij dood?'

'Nee hoor.' Het is maar een kind, bracht Reuben zichzelf in herinnering, niks om bang voor te zijn. 'Kom maar mee kijken.' Hij hees zich overeind.

Haar aandacht verschoof onmiddellijk naar zijn stok. 'Waarom loop je zo raar? Heb je je been bezeerd?'

Mankepoot, trekkebeen, stoethaspel. 'Ongeluk,' zei Reuben kortaf, 'toen ik ongeveer zo oud was als jij. Wil je de kat nou bekijken of niet?'

Ze keek hem ernstig aan. 'Arme Poppa,' zei ze. 'Doet het pijn?'

'Nee,' zei Reuben, van zijn stuk gebracht, 'nee, niet meer. Kom nou maar kijken.'

'Hoe heet hij?'

'Het is een zij. Ze heeft geen naam.'

'Doe niet zo gek,' zei Hannah uit de hoogte. '*Iedereen* heeft toch een naam!'

'Nou, zij niet.' Reuben hing zijn stok aan de rand van de bank en reikte omlaag om haar op te tillen. 'Wil jij er een voor haar kiezen?'

Ze sloeg haar armpjes, zo licht en teer als zwanenveren om zijn hals en Reuben greep haar steviger vast, bang dat hij haar zou laten vallen. Ze bekeek hem aandachtig. 'Ga jij me wegsturen?' vroeg ze.

'Nee,' zei hij. 'Natuurlijk niet. Ik ben toch jouw Poppa, weet je nog?'

Hij maakte wat ruimte op de bank door de hoopjes houtkrullen opzij te vegen en zette haar er zachtjes op neer. Ze slaakte een kreetje van verrassing toen ze de kat aanraakte, en zakte dan op haar hielen terug met de verontwaardigde klacht: 'Maar ze is niet echt!'

'Jazeker wel.' Hij pakte haar hand, legde die op de nek van de kat en leidde hem langzaam omlaag over de gladde ronding van de houten rug van het dier. Hij had het oppervlak met stro gepolijst, dat gaf het hout een zijdezachte afwerking zonder het dood te slaan, zoals schuurpapier deed. 'Voel eens hoe zacht ze is. Kun je haar niet horen spinnen?'

Hij liet zijn tong tegen zijn verhemelte vibreren in een imitatie van het snorrende geluid van een tevreden kat, terwijl Hannah giechelde van verrukking.

'En, hoe zou je haar nou willen noemen?'

Ze dacht fronsend na over de vraag. 'Lala,' zei ze uiteindelijk.

Natuurlijk, dacht Reuben. *Lalka, lala*, Pools voor pop. 'Ze is voor jou,' zei hij, 'als je haar wilt hebben. Een verjaarscadeautje.'

'Wat, om te houden?' Ze klapte van blijdschap in haar handjes, draaide zich toen met zo'n snelle ruk om dat hij vliegensvlug zijn hand uit moest steken of ze zou van de bank zijn getuimeld. Ze keek naar de lege plek waar haar moeder had gestaan, de kippen die in het zand pikten bij de deur, het zaagsel dat over de vloer wervelde in de koude bries die was opgestoken. 'Waar is Mamma naartoe?'

Lastig. Reuben slikte heftig. 'Weet ik niet precies. Ze... eh... ze moest even weg.'

'Ik wil haar Lala laten zien.'

Het viel niet mee haar verwachtingsvolle blik te ontmoeten. 'Eh... ze zal wel weer gauw terug zijn, waarschijnlijk.'

'*Hoe* gauw?'

'Dat weet ik niet. Over een paar dagen misschien, een paar weken...?' Niet helemaal gelogen. Per slot van rekening zou het echt iets voor Nina zijn om op haar besluit terug te komen.

Hannah draaide zich weer om naar de kat en aaide haar nog maar eens.

'Wil je je kamer zien?' vroeg Reuben in een poging haar gedachten van haar moeders verdwijning af te leiden.

'Best. Mag ik Lala meenemen?'

'Als je dat wilt.'

Ze trok de kat naar zich toe, klemde die onhandig tegen haar borst en vuurde daarop de vraag op hem af: 'Ik blijf dus echt hier logeren?'

'Wil je dat niet?'

Ze overwoog de vraag. 'Och jawel,' zei ze opnieuw. 'Tot Mamma me weer komt halen.'

'Wel...'

'Hoe lang blijft ze nou weg?'

Reuben schoof ongemakkelijk heen en weer. 'Ik weet het niet. Een paar weken, een paar maanden misschien?'

Hannah drukte de kat dichter tegen zich aan. Toen keek ze hem recht in de ogen en zei: 'Jokkebrok.'

Hij haalde haar schamele bezittingen binnen die Nina op het erf had achtergelaten, en gaf haar toen zijn eigen avondmaal te eten. Ze verslond alles, de laatste restjes met haar vingers van het bord opnemend met grote dorstige slokken drinkend, uit de mok thee die hij voor haar neerzette.

'Goed,' zei Reuben toen haar ogen dicht begonnen te vallen, 'dan moesten we nu maar een bed voor je opmaken. De nette kamer zal wel de beste plek zijn, voor het geval dat je midden in de nacht wakker wordt en van de trap valt.'

'Heb jij een trap? Waar dan?'

'Daar,' zei Reuben wijzend.

Ze klauterde van haar stoel. 'Lala wil hem zien. Jij moet Lala dragen.'

Hij moest meteen beginnen, besloot Reuben. 'Wil jij Lala dragen *alsjeblieft*.'

'Wil jij Lala dragen *alsjeblieft*,' zei ze hem gehoorzaam na, de steile trap opspringend met de behendigheid van een berggeit. Tegen de tijd dat Reuben haar had ingehaald, gehinderd door zijn stok en de kat, sprong ze al in Rose' slaapkamer op het bed op en neer.

'Mag ik deze kamer hebben?'

'Nee,' zei Reuben, 'ik heb je al gezegd dat je te klein bent om boven te slapen. Ga nu van...'

'Maar ik heb nog nooit een boven gehad!' Ze was alweer van het bed, stoof naar het raam. 'Kijk Poppa, er staat hier iets geschreven.'

'Ja. Kom nou maar mee.' Wat had hij zich in het hoofd gehaald, vroeg Reuben zich af, dacht hij nou echt dat dit ging werken? Nina was nog maar een paar uur weg en het kind was hem nu al te vlug af.

'Wat staat daar?'

'Niks.' Hij hinkte naar haar toe en pakte haar bij de hand, maar ze stribbelde tegen.

'Er moet toch *iets* staan?'

'Daar staat een naam,' zei hij met tegenzin. 'Daarom kun je deze kamer niet krijgen. Hij is al van iemand anders.'

'Wie dan? Van wie is die dan?'

Stom, dacht Reuben, sentimenteel, om vast te blijven houden aan het idee dat dit Rose' kamer was, terwijl ze er sinds 1941 niet meer echt had gewoond. Nu stond hij hier bij het raam met een kind, *zijn* kind als hij Nina's verhaal wilde geloven, een kind niet verwekt uit liefde maar uit dierlijke lust. Hij keek omlaag naar het kleine handje dat zo vol vertrouwen de zijne vasthield en vroeg zich opnieuw af: wat heb ik gedaan?

Hannah volgde de letters met een groezelig vingertje: ROSE PARFITT, 19 JULI 1923. Plotseling viel hem in dat Rose nu elke dag de huur van haar eerste week kon komen halen. Kon er een betere wraak bestaan dan een kind van hemzelf om haar mee te kwellen, zoals zij hém gekweld had? Hannahs hand steviger vasthoudend trok hij haar weg van het raam, de overloop over en Toms kamer binnen. 'Hier,' zei hij, 'als je dan absoluut boven *moet* slapen, mag je dit bed hebben.'

'Is dit jouw bed?'

'Nee. Ik slaap beneden.'

'Dan wil ik ook beneden slapen.'

'Wat moet het nou zijn?'

'Ik wil bij jou slapen.'

'Dat kan niet.'

'Waarom niet?'

'Daarom niet!' blafte Reuben, aan het eind van zijn geduld.

'Waarom daarom?'

'Omdat het niet gepast is.'

'Wat is gepast?'

Reuben hakte nu op strenge toon de knoop door; het werd Toms kamer.

'Goed dan,' stemde ze toe, 'maar alleen als ik mijn naam op de vensterbank krijg.'

'Ik zal er morgen aan beginnen,' beloofde hij, opgelucht dat ze zo gemakkelijk was gezwicht, 'laten we nu je bed maar opmaken.'

Haar weinige bezittingen – een versleten korte broek, een versteld katoenen bloesje, een grijs verkleurd hemdje, een door de motten aangevreten marineblauw broekje en een slordig opgevouwen flanellen nachtponnetje bedrukt met steigerende pony's – moesten worden opgeborgen.

Lala werd zo op de vensterbank neergezet dat Hannah haar vanuit haar bed kon zien. Elke eventuele aarzeling van Reubens kant bij het aantrekken van haar nachtgoed, werd verjaagd door haar onschuldige gebrek aan gêne over haar naaktheid. 'Ik heb nog nooit een hele kamer van mezelf gehad,' zei ze onder het uitkleden, en stak haar armpjes in de lucht, zodat hij haar ponnetje over haar hoofd kon laten zakken.

'Poppa?' riep ze toen hij ten langen leste naar de deur hinkelde.

Hij bleef in de deur staan. 'Zeg het maar?'

'Mamma komt niet terug, hè?'

Ze was heel klein in Toms tweepersoonsbed, maar haar gezicht stond fel. *Waag* het niet tegen me te liegen, waarschuwde het.

'Nee,' zei Reuben, 'je Mamma komt niet terug.'

Ze zei geen woord meer, gleed alleen helemaal onder de dekens weg tot hij niets anders meer van haar zag dan een kleine hobbel onder het dek en een warboel van zwarte krullen op het kussen.

'Als je iets nodig hebt,' zei hij, 'ik ben in de nette kamer, recht tegenover de keuken. Goed?'

Geen antwoord.

'Slaap lekker,' zei hij.

Geen antwoord.

'Hannah?'

Hij hinkte door de kamer terug, duwde de dikke bos haar opzij, en plantte een vluchtige, houterige kus op haar voorhoofd. Hij was alweer op de overloop, toen hij haar 'trusten, Poppa' terug hoorde zeggen, en het schokje van triomfantelijke blijdschap deed hem bijna struikelen.

Hij waste de spullen van het avondeten af, dekte het vuur toe, knipte de lampkousjes bij. Hij maakte het deeg voor het brood van morgen en zette het in de haard om te rijzen. Toen liet hij zich in Toms oude armstoel zakken en wachtte tot zijn hersenen ophielden met malen. De geluiden van de nacht waren hem bijna even vertrouwd als zijn eigen ademhaling, en toch leek alles opeens anders, alsof de aanwezigheid van het kind elk klein gerucht een inhoud en betekenis verleende. Het duurde even voordat hij besefte wat er anders was; voor het eerst sinds Toms overlijden voelde het huis... *bewoond*.

Na een tijdje hees hij zich overeind, stak een kaars aan en liep de gang over naar de nette kamer om de zwanenkist van onder het bed vandaan te slepen. Hij haalde er de dikke stapel bankbiljetten uit die hij na Toms dood onder zijn matras had gevonden, de afgelopen jaren nog dikker geworden door wat hij zelf had verdiend, grabbelde onder de brieven naar de foto en bekeek voor de derde keer in evenzovele dagen de gezichten van zijn reeds lang overleden familie. Nina had gelijk, besloot hij, er bestond inderdaad een zekere gelijkenis tussen hem en Hannah: iets aan de stand van de ogen misschien, of was het het dikke zwarte haar? Hij legde de foto voorzichtig terug, dan de geldstapel, en voelde daarop in zijn zak naar de envelop die Nina hem had gegeven, die hij er bovenop legde. De kist werd te vol, dacht hij. Morgen moest hij het een en ander aanpassen, alles opnieuw arrangeren.

Hij ging op het bed liggen en staarde naar de flakkerende schaduwen die de kaars op het plafond wierp. Tien minuten, dacht hij, ik zal haar nog tien minuten geven en dan ga ik zachtjes naar boven kijken of alles goed met haar is...

Hannah tuurde over het laken naar de sierlijke krullen van het ijzeren voeteneinde van het bed, de zware ladekast, de vensterbank, waar Lala oplettend de wacht hield tegen indringers.

Het kleine meisje kon de regen tegen het glas horen kletteren, de wind horen fluiten door de kieren in het raamkozijn, maar onder de dekens was het warm. Ze wurmde zich verder omlaag onder het dek, sloot haar ogen, en nam de afgelopen weken nog eens door in een poging te begrijpen wat er allemaal gebeurd was.

'Ik brengen haar naar haar vader,' had ze Mamma tegen haar nieuwe vriend horen zeggen, toen ze hen op een avond van achter de trapleuning afluisterde. 'Is beloofd, ja?' Maar toen Mamma tegen haar zei dat ze haar Poppa gingen opzoeken, had ze gedacht dat ze weer stond te jokken, zoals gewoonlijk – per slot van rekening had ze al een half dozijn Poppa's gehad.

'Ah,' had Mamma gezegd, 'maar dit is je *echte*.'

'Is extraspeciaal verjaarscadeautje,' zei ze de volgende dag tegen Hannah, 'is mooi huis Waterslain. Jij zullen leuk vinden, ik beloof. Ik doen dit voor jou, geven jou betere kans in leven, *tak*?' Maar Hannah was niet van gisteren, ze wist al weken dat ze in de weg zat, dat ze Mamma's plannen bedierf.

'Ik wil de koter niet,' had ze Nigel horen zeggen, 'ik ga andermans kind niet grootbrengen.'

Nigel was anders dan de anderen, die nauwelijks in Mamma's leven waren verschenen en er weer uit verdwenen. Hij was Mamma's eerste *gadjo*, niet-zigeunervriend. Hij had een echt huis, een bungalow in een buitenwijk van Watford, een goedbetaalde betrekking als verkoopleider bij een bedrijf in leren spullen, een prikkerige snor en een glimmende nieuwe Hillman Minx. Hij droeg een pak, rookte in het weekend sigaren, en overlaadde Mamma met cadeautjes. Hij hield niet van de manier waarop Hannah hem aanstaarde, had Nigel gemopperd. 'En het is een pestkop ook,' had hij er aan toegevoegd, hetgeen zeker waar was. Ze had van het begin af aan geweten dat hij niets van haar moest hebben, en ze had geantwoord door poppetjes met een snor op de muren te tekenen met een mes in hun lijf.

Op de dag van de kroning van koningin Elizabeth bood Nigel aan om Hannah naar Suffolk te rijden in de Minx. 'Als we opschieten,' had hij tegen Mamma gezegd, 'kunnen we in vier uur heen en terug zijn.' En twee dagen later waren ze op weg gegaan.

'Ik wacht hier wel,' had hij Mamma nageroepen, toen ze aan het eind van de reis uit de auto klommen, 'terwijl jij de zaken regelt.' De hele tijd dat Mamma tegen Poppa praatte, kon Hannah horen hoe hij de motor van de Minx liet loeien, ongeduldig wachtend om weer weg te kunnen.

Het kletteren van de regen tegen het raam nam toe. Hannah vatte moed, schoof naar de rand van het bed, gleed op de vloer en trippelde op haar blote voetjes de kamer door om haar hand op Lala's gladde kopje te leggen.

'Poppa is aardig,' zei ze, 'vind je niet?' Hij had zo boos als wat gekeken, toen Mamma hem van haar vertelde. Maar toen hij tegen haar zei dat hij toch *echt* haar Poppa was, leek hij best blij.

Kwam het door het licht of glimlachte Lala werkelijk? Hannah boog zich dichter naar hem toe. 'Jij vindt hem ook aardig, hè Lala?' Ja, ze glimlachte beslist. Ze kon haar nu ook horen. *Prr, prr, prr...* Ze gaf de houten kat nog een laatste klopje en liep naar de deur.

Al half in slaap schoot Reuben plotseling wakker om te ontdekken dat ze als een klein diertje tegen hem opgerold lag, met al haar gewicht op zijn slechte been.

'Lo Poppa.' Ze rolde om, rekte zich uit, schoof verder omhoog en wurmde zich in de kromming van zijn arm. 'Poppa?'

'Ja?'

'Wil je nou mijn naam doen?'

'Nou?' Hij viste in zijn zak naar Toms horloge, tikte met zijn vinger op de kast. 'Het is twee uur in de ochtend!'

'Maar het *moet*! Je hebt het *beloofd*!'

'Wat is er nou?' vroeg hij, grinnikend om de felle uitdrukking op haar gezicht. 'Vertrouw je me niet?'

Ze protesteerde verontwaardigd. 'Wat is er? Waarom lach je nou?'

'Om jou,' zei hij. Hij merkte dat hij al een hele tijd niet meer gelachen had: zijn gezichtsspieren voelden stijf aan. 'Om mij. Om ons.' Hij boog en strekte zijn slechte been om de bloedsomloop weer op gang te krijgen, legde zijn arm om haar schouders, liet zijn kin even op haar kruin rusten. 'Er is toch geen wet die verbiedt dat ik een grapje maak met mijn dochter? Nou, ga nu maar weer naar bed voordat Lala je mist.'

Hij ging aan het werk zodra het licht werd, zette de letters eerst in potlood op, en begon toen, enigszins gehinderd door het warme lichaampje dat zwaar tegen zijn arm leunde, in nette, duidelijke hoofdletters te kerven: HANNA...

36

De eerstvolgende dagen liep Hannah overal achter hem aan, zelfs naar de wc, bang hem langer dan een paar seconden uit het oog te verliezen. Wel tien keer per dag wilde ze weten: 'Hou je van me, Poppa?' en wel tien keer per dag antwoordde hij geduldig: 'Jazeker.' Maar ondanks al zijn pogingen om ze te ontmoedigen, hielden haar nachtelijke bezoekjes aan, tot hij dikke ogen had van slaapgebrek en steeds verder achteropraakte met zijn werk. Hij begon zich af te vragen hoe hij ooit zo stom had kunnen zijn te denken dat hij de zorg voor een klein kind wel in zijn eentje aankon.

Toen Walter het laantje af kwam lopen om over het hooien te praten, reageerde hij allerminst geschokt op de onverwachte komst van een kind van vijf in Reubens huishouding. 'Ik hep altied schik in die kleine koters gehad,' bekende hij, 'hep vroeger met Mary Carter gelopen, Mary Meadows nou dus, voordat ze schooljuf wier.'

'En toen?'

Walter haalde zijn schouders op. 'Ma was d'r teuge. Vond Mary nie goed genoeg voor ons.' Hij gaf Hannah een tikje onder haar kin. 'Ik had het wel leuk gevonde, denk ik.'

'Wat, getrouwd zijn?'

'Jao, maor toen Ma dood ging, was Mary al met Horris Meadow getrouwd, dus ik was te laot.'

'O,' zei Reuben, niet wetend hoe hij moest reageren op deze glimp van het romantische verleden van de oude man. 'Thee?'

'Wat je nou mot doen, jong,' adviseerde Walter, terwijl Hannah met haar handjes op haar rug en met een ernstig gezicht voor hem bleef staan opkijken naar de plukken wit haar die onder zijn pet uit staken, 'd'r meteen op school zien te krijgen, en rap ook. Ze zitten d'r al barstensvol, vanwege alle kinders die de afgelopen jaore geboren zijn, maor ik ken wel eens een goed woordje voor je doen bij Mary, as je wil.'

De volgende dag liep Reuben met haar over het jaagpad naar Our Lady's, waar Zuster Catherine zonder commentaar zijn warrig verslag van zijn dochters aankomst op Waterslain aanhoorde, daarna opstond en op kalme toon zei: 'Wel, mr. Leck, het eerste wat we moeten doen is even met Zuster Beatrice gaan praten. Zij is degene die weet of we ruimte voor uw kleine meid hebben.'

Zuster Beatrice, het hoofd van de school, reageerde niet bemoedigend. 'We hebben wel de kwestie van de... *onwettigheid*... van het kind,' zei ze, het woord geluidloos met haar mond vormend boven Hannahs hoofd, 'het ontbreken van een moeder... natuurlijk,' liet ze er schoorvoetend op volgen, 'als ze nu *katholiek* was...'

'Ah,' zei Zuster Catherine zachtmoedig, 'ik *geloof* dat mr. Leck u daarmee kan helpen, Zuster Beatrice. Wijlen zijn vader was een praktiserend katholiek, waar of niet, mr. Leck?'

Reuben was het vergeten: de eerste keer dat ze elkaar hadden ontmoet, jaren geleden toen ze hem zijn eerste opdracht gaf, had ze naar zijn familie geïnformeerd. Door haar vriendelijke manier van doen ontwapend, had hij haar zitten vertellen over Tatus en zijn bezoekjes als kind aan de kathedraal in Warschau. 'Ja,' zei hij nu, 'ja, dat was hij.'

Zuster Catherine glimlachte hem stralend toe. 'En we hoeven vast geen van allen te worden herinnerd aan hetgeen de Heer in de bijbel zegt, is het wel, zuster? Laat de kinderen...'

Zuster Beatrice perste in weerspannig verzet haar lippen opeen. 'We moeten ook rekening houden met het schoolgeld, een aanzienlijke som die elk kwartaal moet worden neergelegd, en onze kledingvoorschriften...' met een afkeurende blik op Hannahs korte broek, 'zijn *bijzonder* streng...'

Maar uiteindelijk kreeg Zuster Catherine haar zin, zoals vrijwel altijd, en Reuben ging weg met de belofte van een plekje voor Hannah in Zuster Ursula's klas, met ingang van de volgende maandag al.

'Maar ik wil niet naar school,' protesteerde Hannah in een echo van zijn eigen boze kreet, al die jaren geleden. 'Ik wil bij jou blijven!'

'Je zult het er best leuk gaan vinden als je er eenmaal bent,' zei hij haar, net als Tom toen. 'En bovendien heb ik je moeder beloofd dat ik je zou leren lezen en schrijven. Hoe moet dat dan, als je niet naar school wilt?'

'Dat kun jij me toch leren?'

'Nee, dat kan ik niet.' Hij pakte haar hand toen ze Bridge Street opstapten. 'Ik kan niet goed genoeg lezen en schrijven.'

'Maar –'

'Wil je weten waarom niet? Omdat ik niet naar school ben gegaan, daarom. Dus nou niet meer zeuren, hè? Kom, zullen we maar eens bij Cootes gaan kijken nou we hier toch zijn, wat nieuwe kleren voor je kopen?'

Het kopen van de schoolkleding vond ze leuk. Het bestond uit een blauw jurkje met een witte aangerimpelde kraag, dunne bloesjes en katoenen broekjes voor sport en spel, een marineblauwe blazer met een witte en een strooien panamahoedje met een licht- en donkerblauw gestreept lint eromheen. Nu ze er toch waren, kocht Reuben ook nieuw ondergoed voor haar, evenals twee katoenen korte broekjes en een paar zachte speelhemdjes voor thuis. 'Zoveel spulletjes heb ik nog nooit gehad!' jubelde Hannah.

Zuster Catherine stond met Zuster Ursula op de stoep, toen Reuben haar 's maandags stipt om kwart voor negen kwam brengen. In al haar nieuwe 'spulletjes' zag ze er tiptop uit.

'Nu, Zuster Ursula,' murmelde Zuster Catherine, 'ik wil graag dat u wat speciale aandacht aan mr. Lecks dochtertje geeft. Ik heb zo'n gevoel dat onze kleine Hannah af en toe wel een extra gebedje kan gebruiken...'

Terwijl hij met Hannah de speelplaats over liep, kreeg Reuben Jessie Partridge in het oog, die hij zich nog herinnerde van zijn korte tijd op de school van Nettlebed. Ze staarde hem aan met een gezicht alsof ze wilde zeggen: 'Wat doet jouw soort hier nou?' en draaide hem toen demonstratief de rug toe. Hij kuste Hannah gedag en hinkte weg om een uur in de stad rond te hangen voordat de bank openging.

De bankdirecteur was achterdochtig. '*Hoe*veel zei u, mr. Leck?'

'Vierduizendzevenhonderdnegentien pond.'

'En u kunt bewijzen dat het van u is?'

'Ik wist niet dat dat zou moeten,' zei Reuben.

'Of heeft u referenties – dit is niet beledigend bedoeld?'

'Ik ben niet beledigd,' antwoordde Reuben gelijkmoedig, 'wat voor referenties?'

'U moet begrijpen, meneer,' zei de bankdirecteur, 'dat we het hier over een *uitzonderlijk* grote som gelds hebben. En hoewel ik geen moment zou willen suggereren dat u er op een *onwettige* manier aan gekomen zou zijn...'

'Juist.' Reuben kwam half uit zijn stoel overeind. 'Nu, als u het niet wilt, zal ik een andere bank moeten zien te vinden, lijkt me. Alleen zei Zuster Catherine dat u haar in het verleden bijzonder behulpzaam was geweest.'

'Zuster Catherine?' echode de directeur. 'Waarom hebt u dat niet eerder gezegd? M'n beste meneer, welkom bij Barclays!'

Toen hij onderweg naar huis langs Our Lady's kwam, bleef Reuben staan kijken hoe de kinderen het gebouw uitstroomden voor hun ochtendpauze in de frisse lucht. 'Je komt toch wel terug, Poppa?' had ze angstig gevraagd, toen hij haar achterliet, maar ze was nergens te zien. De hele weg naar huis bleef hij zich zorgen over haar maken. Thuis liep hij meteen naar boven om de laatste hand aan haar naam op de vensterbank van haar slaapkamer te leggen.

Toen hij klaar was stapte hij achteruit en bekeek zijn werk: HANNAH, stond er, 4 JUNI 1953.

Niet de dag van haar geboorte, maar de dag waarop ze op Waterslain was gekomen. Dat was zijns inziens de enige dag die telde: de dag waarop hun leven samen was begonnen.

37

*R*euben heeft aangeboden om huur te gaan betalen,' deelde Rose Henry mee, terwijl ze hem en Davey de deur uit hielp om naar school te gaan. 'Vier pond per week, meer dan genoeg vergoeding voor het hooi.'

'Het zou tijd worden,' zei Henry. 'Davey, waar is je tas? Schiet nou toch eens op of we komen nog te laat! Ik zou het maar met beide handen aanpakken, voordat hij zich bedenkt. Je weet wat een rare buien hij kan hebben.' Hij beklopte zijn jaszak, keek de keuken rond: 'Wat heb je met m'n autosleutels gedaan?'

'Mam, mag ik wat geld voor het snoepwinkeltje?'

'Ze liggen in de fruitschaal op het dressoir. Davey, ga eens gauw een schone zakdoek halen? Hij wil het netjes afgehandeld hebben, zegt Reuben, met een pachtboek en alles.'

'Pap, mag ik wat geld voor 't snoepwinkeltje?'

'Ja jong, wacht nou eens even, ja?' Henry vond de sleutels, griste Daveys tas van de stoel. 'Mooi. Wist je dat Walter aan Stan Burkiss het hooioverschot van het grasland heeft aangeboden, en het is nog niet eens gemaaid, de brutale lef!'

'Davey, wil je nou *alsjeblieft* een schone zakdoek gaan halen!'

'Mam...'

'Dan gaat hij maar zonder,' zei Henry. 'Ik moet om half tien in Market Needing zijn. Schiet op, Davey, zeg je moeder gedag.'

Davey liet zich Rose' knuffel aanleunen, wurmde zich gauw weer vrij, verlangend op weg te gaan. Hij groeide zo hard, haast niet te geloven dat hij over een paar maanden al weer zes zou zijn. Rose was nog niet over de schok van Reubens onthulling van afgelopen week heen. Hij had haar er praktisch van beschuldigd dat ze *wist* dat Davey zijn kind was, alsof ze zich ook maar met enige mogelijkheid een foto zou kunnen herinneren die ze meer dan dertien jaar geleden één keer bij het schijnsel van een olielamp had gezien. Ze was zo dankbaar geweest dat Davey levend en gezond ter wereld was gekomen, dat ze geen moment had stilgestaan bij zijn gewicht, bijna zeseneenhalf pond, onwaarschijnlijk zwaar voor een meer dan een maand te vroeg geboren baby, en nooit twijfels had gehad over die verdacht lichte menstruatie. Ze had zo haar best gedaan om die nacht met Reuben achter zich te laten, en nu werd ze opnieuw door wroeging en een schuldig verlangen verscheurd, omdat ze iedere keer dat ze naar haar zoon keek, weer werd herinnerd aan wat zij en Reuben samen hadden gedaan...

'Dag Mam.'

'Pet!' riep ze, terwijl hij al naar de deur sprong, zijn glanzende opvallende haardos onbedekt, 'waar is je schoolpet?'

'In de auto,' zei Henry, 'kunnen we nu alsjeblieft *gaan*?' Maar in de deur hield hij weer halt. 'Waarom die plotselinge omslag?'

'Sorry?'

'Reuben.' Henry leunde tegen de deurpost, zwaaide gedachteloos Daveys tas heen en weer. 'Toch wel een beetje gek, vind je niet? Hij spreekt jaren niet tegen je en nu biedt hij je plotseling aan om huur te gaan betalen?'

'Niet helemaal.' Ze stapelde de ontbijtborden op, droeg ze naar het aanrecht. 'Hij liet Walter zeggen dat de keukenschoorsteen opnieuw gevoegd moest worden, dus ging ik er met hem over praten...'

'Ik hoop dat je hebt gezegd dat hij die reparatie zelf maar moest betalen?'

'Pap?' kwam Daveys stem uit de gang. 'Ik dacht dat je haast had?'

'Ja, ja, ik kom eraan.' Henry bleef in de deur hangen, in afwachting van een antwoord.

'Ja... nee... de huur was zijn idee. Hij wilde geen verplichtingen, zei hij, en hij vindt het best om reparaties uit zijn eigen zak te betalen. Hij wilde alleen weten of ik geen bezwaren had.' Ze bleef tegen het aanrecht geleund staan. 'Ben je er met de lunch?'

'Nee, het is marktdag, weet je nog?'

De woensdag was Henry's dag, de dag van de veemarkt, en hij sloeg hem nooit over. In de schoolvakanties nam hij Davey ook mee, om Rose wat rust te gunnen, zei hij, maar in werkelijkheid om de jongen te leren waar hij bij de aankoop van een dier op moest letten.

'Nou ja,' zei ze, haar best doend nonchalant te klinken, 'als je je maar vermaakt. Ik zal er vanochtend even heen gaan. Wat zou je ervan denken als ik van de huurinkomsten een rekening voor Davey opende? Als appeltje voor de dorst voor wanneer hij ouder is, je weet wel, als een soort bruidsschat.'

'Goed idee. Je kunt Reuben nog wel eens naar het weiland vragen, als je toch bezig bent. Kijk maar of je hem kunt overhalen om mij het hooi te gunnen.'

Ze slaakte een zucht van opluchting, denkend dat hij al vertrokken was, toen hij opnieuw zijn hoofd om de deur stak. 'Dat doet me eraan denken, heb je het al gehoord?'

'Wat gehoord?'

'Over Reuben. Jessie Partridge heeft hem vorige week bij Our Lady's gezien.'

'Nou en? Hij werkt al jaren voor Zuster Catherine.'

'Ah, maar hij was er niet aan het werk. Hij had een klein meisje bij zich, van een jaar of vijf, zes, zijn evenbeeld, vond Jessie, een echt zigeunerinnetje, *en* ze hoorde Zuster Ursula het kind aan de anderen voorstellen als Hannah Leck.'

'*Pap!*' kwam Daveys stem uit de gang.

'Ik kom eraan.' Hij lachte. 'Bespottelijk idee natuurlijk. Geen enkele vrouw zou twee keer naar zo'n miezerige mankepoot kijken, hoewel hij een paar jaar geleden wel wat met een of andere zigeunerin heeft gehad, niet? Misschien komt daar z'n kleine bastaardje vandaan. Oké, tot straks.'

Toen ze het erf over liep, kon Rose George in de voerschuur horen fluiten bij zijn werk, en boven de oprit kwinkeleerde een leeuwerik zich de longetjes uit het lijf. Rustig nou, vermaande ze zichzelf, terwijl ze een weg tussen de plassen door zocht. Wat gaat het jou aan als Reuben een kind heeft? Je hoeft alleen maar de huur aan te pakken en het in het boek af te tekenen. Maar die gedachte hielp niet.

Waterslain lag er verlaten bij, en tegen de tijd dat Reuben verscheen, bijna een uur later, had Rose zich tot een heftige woedeaanval opgewerkt. 'Waar heb je nou uitgehangen,' wilde ze op hoge toon weten. 'Ik wacht al eeuwen!'

'Sorry.' Hij kwakte zijn rugzak op tafel en begon zijn boodschappen uit te pakken: worstjes, thee, een pak bloem, koekjes, een pakje boter, een pot marmite. Rose had hem eens marmite op zijn sandwiches gegeven, herinnerde ze zich. Hij had er één hap van genomen en toen verder bedankt.

'Voor wie is dat?' vroeg ze op scherpe toon. 'Voor je dochter?'

Als ze verwacht had dat hij het zou ontkennen, kwam ze bedrogen uit. 'Inderdaad,' zei hij kalmpjes, alsof het de natuurlijkste zaak ter wereld betrof, 'Hannah vindt het heerlijk.'

'Oh,' zei Rose, enigszins van haar stuk gebracht.

'Het nieuws verbreidt zich snel,' merkte hij droogjes op.

'Dacht je dat je het geheim zou kunnen houden?'

Hij reikte naar de theebus, schudde de thee erin. 'Van wie heb je het?'

'Van Henry.'

'En van wie heeft Henry het?'

'Van George waarschijnlijk, zijn kleindochter zit op Our Lady's...'

'Lizzie Partridge. Ik weet 't.' Hij scharrelde wat door het vertrek rond, borg dingen weg, zonder haar aan te kijken. 'Kom je me daarvoor opzoeken?'

'Nee. Je zei toch dat je huur wilde gaan betalen?' Ze stak hem het cahier toe dat ze in Market Needing had gekocht. 'Heb je veel moeite gehad haar op Our Lady's aangenomen te krijgen?'

'Nee.' Hij bladerde even in het schrift, liet het dan onverschillig op tafel vallen. Zijn gezicht stond effen, er viel niets aan af te lezen. 'Waarom? Had ik dat dan moeten hebben?'

'Gezien de omstandigheden zou ik hebben gedacht dat...'

'Wat voor omstandigheden?'

'Je begrijpt heel goed wat voor omstandigheden,' zei Rose kwaad. 'Je gaat me toch zeker niet vertellen dat de zusters er *blij* mee zijn?'

'Wat gaat jou dat aan?'

'Ik dacht alleen dat katholieken bijzonder streng in dat soort dingen waren.'

'Wat voor dingen?' Hij was opzettelijk traag van begrip.

'Je weet heel goed wat voor dingen... een buitenechtelijk kind! Tenzij je getrouwd bent; ben je dat?'

'Niet de laatste keer dat ik keek.'

Rose' wangen gloeiden. Ze verwachtte half en half Nina als de schurk van het stuk tevoorschijn te zien springen, met een brede grijns op haar gezicht en triomfantelijk pronkend met een trouwring aan haar vinger.

'Is ze hier?' wilde ze weten. 'Is ze soms boven? Of verstopt ze zich in de schuur tot ik weg ben?'

'Hannah?' Hij leek oprecht niet te begrijpen wat ze bedoelde.

'Nee, *Nina*, idioot!'

Nu reageerde hij dan toch eindelijk. Hij stond net de boter over te brengen in de vloot. 'Hoe weet jij van Nina?'

'Doet er niet toe. Is ze hier?'

'Nee,' zei hij, 'en om je gerust te stellen, Zuster Catherine heeft geen "probleem" met mijn omstandigheden, zoals jij het zo eigenaardig uitdrukt. Maar ja, als ze sommige van de dingen wist die zich onder dit dak hebben afgespeeld...'

Rose verloor haar laatste restje waardigheid. 'Je geeft dus toe dat het Nina's kind is?'

Zijn welwillende stemming verdampte. 'Nou, weinig kans dat het *jouw* kind is, hè?'

'En wat wil je daarmee zeggen?'

'Vat 't maar op zoals je wilt.'

Ze stond abrupt op. 'Als je nou even zo goed wilt zijn om de huur te halen, dan ga ik.'

'Juist,' zei hij, en hinkte de keuken uit, zodat Rose, alleen achterblijvend, haar blik van de boven het fornuis te drogen hangende hemdjes naar het schoolleitje op het dressoir kon laten glijden, naar het achteloos op de vloer achtergelaten sokje. Reuben had een dochter, Nina's dochter, en die woonde hier op Waterslain.

'Je hebt me geen antwoord gegeven op mijn vraag,' zei ze beschuldigend, toen hij terugkwam.

'Welke vraag?'

'Waar is Nina?'

Hij had zijn goede humeur hervonden. 'Ik heb niet het flauwste idee.' Hij dolf in zijn zak, haalde vier briefjes van een pond tevoorschijn. 'Hier is je geld. Waar moet ik tekenen?'

Ze schoof hem het cahier toe en hij krabbelde zijn naam neer.

'Dank je.' Ze beet op haar lip, zette haar handtekening bij de zijne.

'Geen dank. We moesten hier maar een vast tijdstip voor afspreken.'

'Je zegt 't maar.'

'Wat voor dag zou je het beste uitkomen?'

Zijn vormelijke beleefdheid was erger dan wat ook. 'Dezelfde dag als vandaag is prima,' zei ze. 'Henry gaat 's woensdags naar de veeveilingen in Market Needing en Davey is op school.' Te laat besefte ze dat het klonk alsof ze een geheim afspraakje maakte.

'Woensdag dus. Wie houdt het boek bij?'

'Weet ik niet. Ik heb nog nooit eerder een huis verhuurd. Jij denk ik.'

'Best.' Hij schoof het schrift in zijn achterzak, liep dan het vertrek door naar de openstaande deur en nodigde haar met een ironische buiging uit te vertrekken. Toen ze langs hem heen wilde lopen, versperde hij haar de doorgang. 'Het stelde niks voor,' zei hij. 'Met Nina bedoel ik. Ik was eenzaam.'

'Kennelijk,' zei ze sarcastisch.

'Het ging alleen maar om de seks.'

'Net als bij ons; bedoel je dat?'

279

'Nee.' Hij keek haar recht in het gezicht. 'Niet net als bij ons.'

'Niet doen,' zei ze. 'Begin daar nou niet mee.'

'Begin waar niet mee?'

'Dat weet je best...'

'O ja? Zeg 't me dan?'

Waarom liet ze het gebeuren? Was het de rilling van genotvolle opwinding, zo lang ontbeerd, die over haar ruggengraat ging toen hij zijn hand op haar mouw legde, het schrijnen in haar buik toen hij zijn vinger over haar wang liet glijden en over de fijne frons tussen haar wenkbrauwen wreef? Het was verrukkelijk, bedwelmend...

'Ik moet weg,' zei ze.

'Echt?'

Ze voelde zich alsof ze uit koude natte mist de zon in stapte. 'Het mag niet,' zei Rose, haar gezicht naar de warmte kerend.

'Wie moet het nou te weten komen?' Hij stond nu zo dicht bij haar dat ze zijn adem langs haar neus voelde kriebelen. Ze sloot haar ogen, wankelde, voelde zijn lippen langs de hare strijkend...

'Juist,' zei hij kortaf. 'We moesten maar eens verder. Ik zie je volgende week.'

Toen ze haar ogen opsloeg was hij al op weg naar de schuur. Tegen de deurpost leunend keek ze hem na, draaide zich dan om en liep langs de andere kant van het huis weg naar het laantje.

Halverwege de heuvel bleef ze staan. Ze moest terug, dacht ze, hem duidelijk maken dat wat hij, zij, net gedaan hadden, nooit meer mocht gebeuren. Ze was een getrouwde vrouw. Ze had een kind, verantwoordelijkheden... en hij nu ook. Ze draaide zich om, haar ogen beschuttend met haar hand. Hij zou nu aan zijn werkbank zitten, met een uitdrukking van intense concentratie op zijn gezicht een beitel slijpend of kervend in een houtblok. Ze voelde even over de fronsrimpel tussen haar wenkbrauw, rechtte haar schouders en liep door. Volgende week, ze zou het de volgende week wel tegen hem zeggen, wanneer ze de huur kwam halen. Maar al op het moment dat ze dat voornemen maakte, wist ze dat ze er zich niet aan ging houden. Toen ze afgelopen nacht naast Henry lag, had ze zich nog eenzamer gevoeld dan gewoonlijk. Aarzelend had ze haar hand naar hem uitgestoken, haar vingers onder zijn pyjamajasje omlaag bewogen over de contouren van zijn buik, die nog steeds plat en strak was ondanks zijn dertig jaar. Verrast had hij zich half naar haar toegewend, en ze had zich aangemoedigd gevoeld en was dichter naar hem toe gekropen, in de hoop dat hij op haar avances in zou gaan.

'Trusten,' had hij toen gezegd, en haar de rug toegekeerd. Ze had verwezen naar zijn silhouet onder de dekens gestaard en in het donker gebloosd van vernedering en gedwarsboomde begeerte.

Reuben zat aan zijn werkbank en overdacht wat er zonet gebeurd was. Hij had zich voorgenomen om ijskoud te blijven, alles in de hand te houden, en was daar ook in geslaagd, tot op het allerlaatste moment toe. En toen, toen hij zijn hand had uitgestoken en haar had aangeraakt, was ze erop ingegaan. Alleen al de gedachte eraan was bijna ondraaglijk opwindend. Hij liet zijn kin op zijn handen rusten en sloot zijn ogen, die vluchtige kus opnieuw belevend. Over een week kwam ze weer. En dan...?

38

---

*B*etty was in een opperbest humeur, toen zij en John 's zondags voor de lunch arriveerden, vol van het laatste nieuws uit Canada. 'Kom nou toch eens kijken,' spoorde ze Rose aan, zwaaiend met de foto die Alice bij haar laatste brief had ingesloten. 'Zijn de meisjes niet om op te eten? En de jongens worden al zo groot. Als jij en Henry nou eens een broertje voor Davey zouden kunnen krijgen. Jij zou toch best een broertje of zusje willen hebben, Davey.'

'Ja, maar Mam zegt...'

'Davey,' zei Rose, 'niet praten met volle mond.'

John trok aan zijn snor. 'Betty, kan je me de aardappelen even aangeven?'

'Ja lieverd... de tweeling zijn de besten van hun klas zegt Alice, ...ik kan je gewoon niet *zeggen* hoe heerlijk het is om haar eindelijk op haar plek te zien.'

'Mam, waarom kan ik nou eigenlijk geen broertje krijgen?'

Rose keek even naar Henry, die het vlees stond te snijden. 'Dat heb ik je al eens uitgelegd,' begon ze, 'soms gebeurt het gewoon niet.'

'Je bedoelt net als bij mijn oma die dood is?'

'Ja,' zei Rose, 'net als bij jouw oma die dood is. Ze heeft het heel vaak geprobeerd, maar ze heeft alleen maar mij gekregen, terwijl je tante Alice er zomaar twee tegelijk krijgt.'

'Net als Lily?' Henry had Lily naar Cambridge gebracht om haar te laten dekken door een kampioenstier, waarbij hij Davey had meegenomen om hem te laten zien hoe dat gebeurde, en ze had de vorige week net twee kalfjes gekregen. 'Ja, net als Lily.'

'En doet Pap zijn dingetje...?'

'Davey,' zei Henry op scherpe toon, 'geef Opa de wortels eens aan en hou je mond.'

'Pap ziet er oud uit,' zei Henry, toen ze hen uitwuifden bij hun vertrek naar Southwold. 'Hij heeft een hoop pijn van z'n reumatiek, zegt hij. Zit er nog thee in de pot?'

'Ik maak wel verse,' zei Rose. 'Waar is Davey?'

'De koeien binnenhalen met George.'

'Henry, even over wat je moeder aan tafel zei...'

'Wat precies?'

'Dat over dat we meer kinderen zouden moeten krijgen.'

'O dat,' zei Henry. 'Weet je wat, laat die thee maar zitten. Ik kan beter nog een uurtje in de tractorschuur aan het werk gaan zolang het nog licht is. Die verdomde startmotor heeft weer kuren.'

'Henry,' begon ze, maar hij was al weg.

'Wat moeten we nou met Rose?' vroeg Betty, terwijl ze langzaam door Nettlebed reden. 'Als ze het nog veel langer uitstelt, zal ze geen kinderen meer *kunnen* krijgen.'

'Is het nooit bij je opgekomen,' vroeg John, aan het eind van zijn geduld, 'dat Henry misschien geen kinderen meer *wil*?'

'Doe niet zo gek!' Betty staarde hem verbijsterd aan. 'Na*tuur*lijk wil hij nog meer kinderen. Geen enkele man stuurt opzettelijk op maar ééntje aan!'

'Henry is niet als andere mannen.'

'Wat bedoel je niet als andere mannen? Na*tuur*lijk is hij net...'

'Waarom gebruik je nou je ogen niet eens, mens?'

'Waar *heb* je het toch over,' vroeg Betty op klaaglijke toon.

John kneep met witte knokkels in het stuur. 'Ik denk gewoon dat Henry met Davey al genoeg op zijn bord heeft, da's alles. Vind jij het niet vreemd dat hij nog steeds niets heeft kunnen vertellen over wat hem in de oorlog is overkomen? Davey zei iets in die richting, toen we bij de kalveren stonden te kijken, over hoe het zou zijn om de hele tijd opgesloten te zitten, en Henry ontplofte bijna.'

'Wat heeft dat ook maar *ergens* mee te maken?' Betty grabbelde naar haar zakdoek, snoot haar neus met veel gerucht. 'Ik had zulke hooggespannen verwachtingen van Rose. Daarom heb ik haar ook uitgekozen, ze was zo... zo *volgzaam*.'

'Ja, liefje,' John trok zachtjes aan zijn snor, 'maar we krijgen niet altijd wat we verwachten, hè?'

39

Hannah was nog maar net een week op Waterslain, toen ze Davey voor de eerste keer in het oog kreeg. Hij was op Bottom Twenty met zijn vader klaver aan het oogsten, worstelend met een hark die bijna twee keer zo lang was als hijzelf. Ze keek naar hem vanaf de binnenhof, terwijl Reuben in de nette kamer in de weer was met de naaimachine om een scheur in haar tuinbroek te repareren. De volgende dag zag ze zijn opvallende kastanjerode haardos opnieuw, toen Reuben met haar over het jaagpad terugliep van school. Davey was halverwege Long Tye George aan het helpen de koeien bijeen te drijven voor het avondmelken. Hij bleef staan toen hij hen zag, met zijn handen op zijn heupen, hooghartig op hen neerstarend, alsof hij wilde zeggen: 'Wat doen *jullie* op *mijn* land?' Als zigeuner-kind was Hannah aan vijandige blikken gewend, maar niettemin was haar nieuwsgierigheid geprikkeld.

'Wie is dat?' vroeg ze, Reuben aan zijn mouw trekkend.

Reuben keek op. 'George Partridge,' zei hij, 'de veeknecht van Holly Farm.'

'Niet die.' Ze wees. 'Die jongen.'

'De zoon van Henry Catherwood,' zei Reuben achteloos.

'Wie is Henry Catherwood?'

'Een boer. Het meeste land tussen hier en Nettlebed is van hem. Je hoeft je niks van hem aan te trekken.'

'Waarom niet?'

'Omdat hij en ik niks van elkaar moeten hebben.'

'O.' Hannah staarde over haar schouder naar de jongen. 'Waarom dan?'

'Hij wil Waterslain hebben.'

'Maar dat is van ons, toch, Poppa?'

'Zo'n beetje. Het is eigenlijk van de vrouw van mr. Catherwood, maar haar vader, de oude mr. Parfitt – van wie ik mijn horloge heb gekregen – heeft in zijn testament bepaald dat ik hier altijd mocht blijven wonen.'

'Waarom?'

'Omdat ik voor hem gezorgd heb voordat hij doodging.'

Ze bleef even stil, verwerkte de informatie. 'Mr. Catherwood kan het dus niet terugpakken?'

'Nee. Die kans krijgt hij niet van ons. En jij blijft bij die jongen weg, ja?'

'Ja Poppa.'

'En oom Walter moet hem ook niet,' zei Reuben er achteraan.

Hannah huppelde vooruit en dan weer terug. 'Dan moet ik hem ook niet. We moeten alleen maar onszelf, hè Poppa?

'Ja,' zei Reuben, 'we moeten alleen maar onszelf.' Ze hoefde nog niets van Rose te weten, leek hem zo. Nog niet.

'Wie was dat?' wilde Davey achter George aan rennend weten.

'Wie?' vroeg George, 'ik hê niemand nie gezien.'

'Op het jaagpad, bij die man die in Mams oude huis woont.' Pappa had het hem allemaal verteld, hoe Mam vond dat ze die kerel wat schuldig was, omdat hij aardig voor Daveys Opa was geweest toen die op zijn sterfbed lag. 'Het is gewoon een lapzwans die het meegezeten heeft,' had Pap tegen hem gezegd, 'absoluut niet onze soort.'

'Is dat z'n dochter?' vroeg Davey. Hij had Pap laatst tegen Mam over haar horen praten. Pappa had haar onecht of zoiets genoemd, en tegen Davey gezegd uit haar buurt te blijven.

'Ik mag doodvalle as 'k 't weet,' zei George. Hij had de roddel over Gyppo Parfitts (zoals Reuben in het dorp werd genoemd) onwettige dochter wel gehoord, maar hij dacht niet dat de baas het leuk zou vinden als hij er tegen Davey over kletste.

'Vast wel. Pap zegt dat hij wel lef heeft om z'n onechte kind zomaar in huis te nemen, zonder zelfs maar sorry te zeggen.'

'Dâ zou'k nie wete,' zei George. 'Gaon we nou die koeien nog binnenhaole of blief je daor de hele dag naor een lege wei staon koekeloere?'

40

Rose was bijna een uur te laat voor het ophalen van haar huur-
penningen. Waarschijnlijk had ze in dubio gestaan of ze überhaupt
wel gaan zou, vermoedde Reuben.

'Ik heb een rekening voor het geld geopend,' begon ze voordat ze
zelfs maar binnen was, 'op Daveys naam. Vind je dat goed?'

Hij lachte om het volstrekt idiote van het idee dat hij vier pond
per week betaalde om een appeltje voor de dorst te kweken voor
een zoon die niet eens wist dat hij bestond, maar het was elke penny
waard; ze was doodnerveus en het was duidelijk dat ze in gedachten erg met hem bezig was geweest. Hij lette goed op dat hij haar
niet aanraakte, werkte eerst de geldzaken af, bood haar dan thee en
cake aan, en ging tegenover haar aan tafel zitten voor een babbeltje
over Hannah, over hoe goed ze het op school deed, en over het
teken- en schildertalent dat Zuster Ursula bij haar had ontdekt.

'Zal ze wel van haar vader hebben,' zei Rose knorrig, en hij voelde
een schokje van vreugde dat zijn koele desinteresse haar zo irriteerde.
Ze bleef meer dan een halfuur plakken, tot hij op sarcastische toon
vroeg: 'Zal Henry zich niet afvragen waar je blijft?' En toen stond ze
op, net toen hij zich vooroverboog om haar lege bordje te pakken. Ze
rukte haar hand weg toen hun vingers per ongeluk langs elkaar heen
streken, alsof ze zich bij de geringste aanraking zou branden.

'Reuben,' begon ze, 'ik moet... ik bedoel, wat we de vorige keer
gedaan hebben...'

'Ja, wat is daarmee?' zei hij, kalmpjes borden en kopjes opstapelend alsof hij geen enkele gedachte meer aan hun vluchtige kus had gewijd.

'Ik – we...' Ze begon opnieuw. 'We mogen niet...'

'Vergeten het schrift af te tekenen. Je hebt gelijk. Het ligt in de nette kamer. Ik zal het halen.' Hij moest even in de gang blijven staan om zichzelf onder controle te krijgen, voordat hij de keuken weer in stapte. Rose stond al bij de deur, klaar om op de vlucht te slaan.

Hij vond de bladzijde, krabbelde zijn handtekening in de eerste kolom en stak haar toen schrift en pen toe. 'En,' zei hij, terwijl ze haar naam naast de zijne zette, 'hoe voelt het om een rijke vrouw te zijn?'

Ze wierp hem een boze blik toe. 'Ik heb je al eens gezegd dat ik je geld niet nodig heb. Ik doe dit alleen maar omdat jij zei...'

'...Dat ik geen verplichtingen wilde. En je hoeft ook geen medelijden met me te hebben. Ik wil alleen...' Hij had het allemaal zo zorgvuldig ingestudeerd hoe hij haar zou plagen, haar zou voeren, wekenlang desnoods, tot ze helemaal doordraaide. Hij had massa's trucjes achter de hand, al die jaren geleden van Nina geleerd, en telkens weer in zijn dromen toegepast. Maar nu zij hier stond, met zo'n volkomen ontredderde blik in haar ogen, was hij niet bij machte er een van te gebruiken. 'Ik wil alleen maar *jou*,' gooide hij eruit. 'Ik ben tevreden met wat je maar missen kunt, al is het maar een uur per week.' Ze schrok ervan, dat zag hij wel. 'Kijk me niet zo aan. Ik kan er niks aan doen. Ik heb het hard genoeg geprobeerd. Zou je – zouden we niet kunnen...?'

'Doen alsof?'

'*Doen alsof?*'

'Soms...' Ze bekeek het schrift, draaide het om, streek over de kaft. 'Soms doe ik als ik niet kan slapen in gedachten een spelletje; je weet wel, alsof alles anders is...' Hij kon haar gezicht niet zien; ze stond met gebogen hoofd en haar haar viel over haar ogen. 'Dan verbeeld ik me dat we bij elkaar zijn, jij en ik. Ik moet er alsmaar aan denken...'

'Ga door.'

'Zouden we niet kunnen doen alsof?' Nu ontmoette ze eindelijk zijn blik. Haar ogen stonden vol tranen. 'Ik weet wel dat we niks kunnen veranderen aan wat er is gebeurd, en we hebben allebei verantwoordelijkheden waar we niet van weg kunnen lopen. Maar we zouden kunnen...'

'Ja...' Hij greep het idee aan voordat ze van gedachten kon veranderen. 'Wat je maar wilt. Als jij zegt een uur, dan wordt het een uur.'

'Twee.' Haar wangen kleurden vuurrood van gêne. 'Eén is niet genoeg,'

'Twee dus.' Twee uur per week – na de afgelopen zeven jaar was het alsof hem een gratis reisje naar de hemel werd aangeboden. 'Maar hoe moet het dan in de vakanties? Hannah krijgt over nog geen maand vrij van school.'

Ze keek aangeslagen. 'Ik weet het niet. Henry gaat elke woensdag met Davey naar de veemarkt. Als je iemand zou kunnen vinden om op Hannah te passen...?'

Heen en weer hinkend door de keuken begon hij zijn hersens te pijnigen om een oplossing te vinden.

'Walter,' zei hij tenslotte. 'Walter zal haar wel onder zijn hoede willen nemen. Hij houdt van kinderen. Wist je dat hij met mrs. Meadows ging totdat zijn ouwe moeder er een stokje voor stak? En hij en Hannah kunnen het samen uitstekend vinden. Ik zou haar volgend weekend naar hem toe kunnen brengen, kijken hoe het gaat. Ik zal zeggen dat hij dan het hooi voor niks mag hebben. Laat het maar aan mij over, ik bedenk wel iets...'

Ze staarden elkaar aan, beduusd van de enormiteit van hetgeen ze aan het bekokstoven waren.

'We moeten Hannah en Davey uit elkaar houden,' bedacht Reuben nu, 'voor alle zekerheid.'

'Waarom? Ik bedoel, dat spreekt vanzelf wanneer we allebei... *hier* zijn, maar het zijn kinderen, hemeltjelief, buurtjes. Waarom zouden ze geen vriendjes mogen worden?'

Dit alsof-gedoe werd met de seconde bizarder.

'Je vat het nog steeds niet, hè?' zei Reuben. 'Jij bent met je buurjongen getrouwd, weet je nog?'

'O god.' Ze sloeg haar hand voor haar mond. 'Ze zijn broer en zus... O Reuben, wat hebben we ge*daan*?'

Toen mocht hij haar in zijn armen nemen. En daarna liet ze zich door hem kussen, sloeg haar armen om zijn hals en drukte zich tegen hem aan. Maar toen hij haar mee wilde voeren naar de nette kamer verzette ze zich. 'Nee,' zei ze, 'nee, dat kan nou niet.'

'Maar ik dacht...?' begon hij verbluft.

'Later, heus ik beloof het je. Het is alleen...' Nu stond ze te blozen, gegeneerd. 'Henry en ik slapen niet meer met elkaar. Stel dat ik zwanger raak?'

Opluchting stroomde door hem heen. 'Is dat alles? Ik zal er wel iets voor halen. Ik zal er voor naar Ipswich gaan, ergens waar ze me niet kennen. Rose...'

'Ja?'

'Beloof me dat je terugkomt. Beloof me dat we zullen doen alsof.'

'Ik beloof het je,' zei ze, 'erewoord,' en toen wist hij dat ze haar belofte zou houden.

Nog lang nadat ze weg was, stond hij in de deuropening naar de hemel te staren. Als Hannah de regeling met Walter vervelend vond, zou hij iets anders moeten bedenken. Wonderlijk, bedacht hij, dat het kind al zoveel voor hem was gaan betekenen, en toch voelde hij alleen maar rancune jegens de jongen die hem Rose had ontstolen. De ironie ervan ontlokte hem een glimlach. De afgelopen jaren had hij al gedaan alsof, maar zelfs in zijn wildste dromen had hij zich *dit* nooit voorgesteld.

Niks aan de hand, bezwoer Rose God bij wijze van excuus, toen ze het laantje opliep. Het is niet zo dat ik Henry iets onthoud. Niemand zal er schade van ondervinden, dat zweer ik...

41

Vanaf het allereerste begin deed Hannah haar uiterste best om er op Our Lady's bij te horen. Sommige van haar klasgenootjes kwamen in een auto naar school en ze leken het allemaal vanzelfsprekend te vinden dat ze thuis elektriciteit hadden, centrale verwarming, inpandig sanitair. Maar toen Hannah Poppa vroeg waarom *zij* geen echte wc met spoelinrichting hadden, keek hij haar alleen maar schaapachtig aan en zei: 'Dat weet ik niet. Hebben we die dan nodig?' In haar hart had ze liever bij de gewone kinderen gehoord, die naar de lagere school van Market Needing aan Springfield Lane gingen, maar Poppa wilde er niet van horen. Ze zouden net zo tegen haar doen als de kinderen van Nettlebed, zei hij, haar uitschelden voor zigeunerin of zwerfster, en haar pesten, omdat haar vader mank was.

Natuurlijk had hij daar geen gelijk in. De meisjes op Our Lady's waren dan misschien te goed opgevoed om haar uit te schelden – binnen gehoorsafstand van de nonnen tenminste – maar ze accepteerden haar ook niet. Ze wisten niet goed om te gaan met haar buitenlandse uiterlijk, haar vreemde vader en haar excentrieke woonsituatie. Niet dat Hannah daar veel om gaf, ze vond *hen* verwaand en vervelend, maar toen ze Lizzie Partridge Poppa 'Gyppo Parfitt' hoorde noemen en aan de andere meisjes hoorde vertellen dat hij alleen maar op Waterslain woonde, omdat Henry Catherwood hem dat uit liefdadigheid toestond, was ze zo woedend dat ze Lizzie vlak onder de ogen van Zuster Mathilda tegen haar schenen schopte. Dit kwam haar te staan op twee tikken op haar hand met de liniaal. Toen ze Lizzies kwaadsprekerij tegen Poppa herhaalde, werd hij heel boos. Ze mocht Lizzie Partridge van hem vertellen, zei hij, dat hij elke week zijn huur betaalde.

Reuben maakte zich er soms zorgen over dat ze geen vriendinnetjes op school kreeg, maar het scheen haar niet in het minst te hinderen. 'We hebben toch alleen maar elkaar nodig, Poppa?' zei ze, wanneer ze na het eten bij hem op schoot klom of toekeek terwijl hij aan het werk was. Reuben knikte en beaamde dat ze inderdaad niemand anders nodig hadden, en kruiste zijn vingers vanwege het leugentje om bestwil.

Tegen de tijd dat de zomervakantie begon, had hij alles geregeld. 'Moet je horen,' zei hij tegen Hannah, 'ik moet elke week een paar uur alleen kunnen zijn om mijn administratie te doen. Als de rekeningen niet op tijd de deur uitgaan, krijg ik niet betaald, en dan zitten we in de nesten.' Na haar jaren bij een moeder die haar hele leven had gesappeld voor geld, accepteerde het kind deze uitleg zonder morren. Zodoende liep Reuben woensdagmorgen met haar de heuvel op naar Marsh End, waar Walter haar begroette met een knipoog en een buiging, en haar daarna meenam om naar de nieuwe biggetjes te gaan kijken, en naar de eendagskuikens die waren uitgebroed.

De regeling werkte nog beter dan in Reubens wildste dromen. Hannah was in haar sas, Walter vond het leuk haar over de vloer te hebben, en de twee uren 'doen alsof' met Rose waren zo'n opperste verrukking dat het haast te veel voor hem was. Toen de zomer vergleed en het herfsttrimester begon kon hij zijn geluk bijna niet geloven. Al kon hij Rose dan niet helemaal hebben, hij kreeg toch voldoende om het heftige verlangen althans voor een tijdje op een afstand te houden. En ze sliep niet meer met haar man, dus hoefde hij haar niet in gedachten met die rot-Henry Catherwood in bed te zien...

'Heb je hier wel genoeg aan?' vroeg ze smekend, toen ze op een koude regenachtige ochtend in november afscheid namen. Hij kuste haar teder en loog: 'Natuurlijk heb ik hier genoeg aan. We kunnen dit jaren volhouden.' Misschien besloot Davey wel dat hij geen boer wilde worden, zei hij tegen zichzelf, nog wat verder fantaserend, misschien volgde hij het voorbeeld van zijn tante en emigreerde hij naar de wildernis van Canada. Alice en haar man waren hun eigen bedrijf begonnen, had Rose hem verteld. Ze organiseerden vakanties voor mensen uit de stad, met overnachtingen in blokhutten, wandelingen door de vrije natuur, kanotochten, dat soort dingen – en wanneer Davey weg was zou Rose vrij zijn om voorgoed bij hem te komen wonen...

In de tussentijd deed Hannah het uitstekend, en 'het doen alsof' was een hele verbetering, een *enorme* verbetering, op het grauwe niets van daarvoor.

Een werkelijk uitzonderlijk tekentalent, stond er op Hannahs kerstrapport, *waardoor dikwijls haar andere vakken in het gedrang komen*! En op aanraden van Zuster Ursula ging Reuben naar Trimmer's in Bridge Street en kocht daar papier, kleurpotloden, een blikken doosje waterverf en een assortiment penselen. Zijn kerstcadeau aan Rose bestond uit een houten muisje, nauwelijks groter dan een duimnagel. 'We moeten elkaar niks geven,' had ze gezegd, 'stel je voor dat Henry het merkte?'

Maar ze had hem wel een kaart gegeven met een plaatje van een zwaan op de binnenkant en een X binnenin. En toen hij Hannah vol verrukking haar cadeautjes zag uitpakken, wist Reuben dat dit de beste Kerstmis was die hij in jaren had gehad, en hijzelf gelukkiger dan hij ooit was geweest.

Rose schaamde zich over het gemak waarmee ze tot overspel was overgegaan, maar niet genoeg om ermee op te houden. Ze keek met zo'n intens verlangen naar die twee uur op Waterslain uit dat ze niet wist of ze die ooit op zou kunnen geven, al redde ze haar leven ermee. Niemand hoefde er immers van te weten, paaide ze God elke zondag in de kerk; U zou me een klein beetje geluk toch niet misgunnen, Heer? En de zaligheid van het 'alsof' spelen doortrok ook al het andere om haar heen, haar vreugde in het kind dat zij en haar minnaar samen hadden gemaakt, en zelfs het leven met Henry's buien werd er draaglijker door.

Betty bespeurde het verschil. 'Jij en Henry lijken de laatste tijd werkelijk veel *gelukkiger*, liefje,' merkte ze op, toen zij en John zich op tweede kerstdag gereed maakten voor de lange rit terug naar Southwold, 'wie weet horen we volgend jaar weer het getrippel van kleine voetjes...?'

De oude Catherwoods zouden in de lente naar Canada vliegen voor hun eerste bezoek aan Alice. *'Tenslotte is onze kleine Billy alweer bijna twee,'* had Alice in haar brief met kerstwensen geschreven, *'en hij heeft zijn grootouders van moeders zijde nog steeds niet gezien.'* Betty had het nergens anders over gehad en plannen gemaakt voor een verblijf van een maand. John zag er gebogen en vermagerd uit, afgezien van zijn vingers, die met het jaar dikkere knokkels kregen en krommer werden.

'Denk je dat oom John wel naar Canada kan?' vroeg Rose Henry, toen ze hen hadden uitgewuifd en zich weer naar binnen haastten. 'Z'n reumatiek wordt steeds erger, vind je niet?'

'Wie zal het weten? We worden er geen van allen jonger op.'

'Pap...' kwam Davey er tussendoor.

'Ja, zoon van me?'

'Kom je nou met me spelen? Je hebt het *beloofd.*'

Henry had voor de kerst bij Trimmer's een speelgoedboerderij voor de jongen gekocht, met een woonhuis, schuren, een eendenvijver, en een tiental miniatuurbeestjes: koeien, schapen, geiten, paarden, zelfs een piepkleine collie. Rose had toen hij het geschenk triomfantelijk binnendroeg, de hand van de maker onmiddellijk herkend en op haar lip moeten bijten om niet te vragen: 'Weet je niet wie dat gemaakt heeft?'

'Zo dadelijk, jong,' zei Henry, 'ik moet even met je moeder praten.'

'Wat is er dan?' vroeg Rose, toen Davey weg drentelde naar de zitkamer.

'Niks,' zei Henry. 'Ik wou je alleen bedanken voor al je harde werken van deze dagen. Dit is de beste kerst geweest die we in tijden hebben gehad, vind je niet?'

Vlees en boter waren nog steeds op de bon. Maar John had Stan Burkiss een gans laten bezorgen en Rose had de laatste penny van haar budget opgebruikt om een echte kerstcake te bakken met vruchtjes en cognac en gekonfijte kersen, en zelfs een dikke laag suikerglazuur. Ze knikte, de vertrouwde steek van wroeging negerend. Het bleef haar verbazen dat Henry niets achter haar wekelijkse uitstapjes naar Waterslain zocht. Soms had ze het gevoel onzichtbaar te zijn en alleen te worden gezien of gehoord wanneer hij een paar schone sokken nodig had, of zijn avondeten op tafel wilde hebben.

Toekijkend terwijl zijn vrouw door de keuken liep, slaakte Henry een zucht van verlichting dat ze zich ten slotte toch met de situatie verzoend leek te hebben. Vanaf het moment van zijn terugkeer uit gevangenschap had hij geworsteld met de onplezierige associaties die de huwelijksdaad bij hem opriep. Op de een of andere manier was voor hem seks meer gaan aanvoelen als een schending dan als een liefdesdaad. Tegen de tijd dat Davey geboren werd, had seks alleen nog maar het alleroppervlakkigste genot in gehouden, en aangezien Rose het best leek te vinden om zich in een celibatair bestaan te schikken, had hij alle gedachten eraan uit zijn geest gebannen, afgezien van één keer, eerder dit jaar, toen ze plotsklaps avances had gemaakt. Hij had haar natuurlijk tegengehouden voordat ze hen beiden in verlegenheid bracht, en het was godzijdank niet weer gebeurd. Aangezien hij zich niet kon voorstellen dat hij ooit een tweede kind zou willen, had het toch allemaal geen zin om het hele onsmakelijke gebeuren af te blijven werken alleen voor een ontlading van tien seconden aan het eind?

'Ik ga eens kijken wat Davey uitvoert,' zei hij, alweer op weg naar de deur. 'Denk je dat hij nog een stuk cake zou willen?'

De reis naar Canada was geen succes. John had voortdurend pijn, Betty bleef proberen Alice van advies te dienen over de opvoeding van haar kinderen en Alice bleef Betty met haar nieuwverworven Canadese accent vertellen zich verdomme met haar eigen zaken te bemoeien. 'Ik ga er niet meer heen,' vertrouwde Betty Rose bij haar terugkeer toe. 'Ze laten de kinderen totaal verwilderen, en Alice heeft zich echt helemaal laten gaan: geen make-up, spijkerbroeken en T-shirts, en ze was vroeger altijd zo *elegant*. En dan haar *haar*, helemaal tot halverwege haar rug! Brad vindt het leuk, zegt ze, maar zoals ik ook al tegen haar gezegd heb, is het *volslagen* ongepast voor een vrouw van haar leeftijd...'

42

$\mathcal{N}$iet dat ze iets met Davey Catherwood te maken wilde hebben natuurlijk – als Poppa iets tegen hem had, had zij ook iets tegen hem – maar toch begon Hannah na een tijdje naar hem uit te kijken. Nu eens zag ze hem met zijn vader de hekken op Bottom Twenty controleren, dan weer ving ze een glimp op van zijn vlammende haar, wanneer hij over Long Tye rende of achter op zijn vaders tractor het laantje afhobbelde.

Toen ze groter werd en haar artistieke talenten duidelijker aan de dag traden, maakte Reuben een speciaal tafeltje voor haar, voor onder het raam in haar kamer. Vaak zat ze boven te knoeien met verf en papier of op haar ellebogen leunend te hopen op een korte blik op haar verwaande buurjongen.

Toen haar tafeltje eenmaal was ingericht, viel het haar wel moeilijker zich er voor haar wekelijkse bezoek aan Marsh End van los te maken. Niet dat ze het vervelend vond wanneer ze er eenmaal was; Walter was tenminste niet voortdurend bezorgd voor haar veiligheid zoals Poppa, en er was altijd wel iets nieuws te bekijken: kuikentjes, biggetjes, een nest jonge poesjes.

Eens, toen oom Walter tot aan het laantje meeliep, Poppa tegemoet, had ze in de verte een mevrouw zich weg zien reppen naar het dorp. Toen ze oom Walter vroeg wie dat was, zei hij: 'Da's de jonge mrs. Catherwood,' stootte toen een harde schaterlach uit en mompelde: 'Nou, is me *dat* effe een verrassing!' De volgende week had Poppa ervoor gezorgd dat ze een stapel papier en een nieuw doosje kleurpotloden bij zich had. Hij wilde niet dat ze in het laantje rondzwierf, bond hij oom Walter streng op het hart, vooral niet nu de zigeuners er weer waren, want als Nina daar nou ook eens bij was...?

Toen de laatste wagens Walters boomgaard binnenrolden, was Davey Catherwood met zijn vader op Top Field voor een les in gewassenkennis. Na een tijdje kreeg hij er genoeg van. Hij bleef wat achter en dook toen tussen de hoge wiegende halmen weg. Henry miste hem vrijwel onmiddellijk: 'Davey! Davey, waar ben je?' Opgetogen over het succes van zijn fopperij, sloop Davey in gebukte houding weg, alleen maar om te zien hoe ver hij weg kon komen voordat hij ontdekt werd.

Hij stond verbaasd dat het zo gemakkelijk ging. Toen hij de beschutting van de heg bereikte, keek hij om en zag zijn vader nog steeds zoekend op de akker rondlopen. Uitgelaten lachend om zijn eigen slimheid rende hij weg, helemaal Middle Twelve door en verder East Meadow in.

Maar tegen de tijd dat hij Marsh Hill Spinney bereikte, was de grap er al een beetje af; hij kon Henry nu op Middle Twelve horen zoeken, en hij klonk *ontzettend* kwaad. Nu kreeg Davey het toch wel benauwd. Hij aarzelde een ogenblik, klauterde toen over de omheining en dook Marsh Hill Spinney in – Pap zou nooit op het idee komen daar naar hem te gaan zoeken.

Het was het enige deel van hun grond dat hij nooit verkend had. Daar stonden alleen maar braamstruiken en varens, zei Pap, en hij had elders op de boerderij veel te veel te doen om er schoon schip te maken, wat raar was, want hij werd altijd boos wanneer Davey zijn kamer niet netjes hield.

Het was lekker onder de bomen, koel en groen, maar er groeide veel kreupelhout, en iedere keer dat hij meende een pad te hebben gevonden, liep dat al vlug dood. Toen hij na een tijdje terug wilde lopen, kon hij zich niet meer herinneren waar hij vandaan was gekomen en de bomen zagen er in alle richtingen hetzelfde uit. Toen hij door een dichte haag van braamstruiken heen drong, stapte hij een kleine groene open plek op.

Iemand was hier al eerder geweest; midden op het open stuk lag een berg as, met een zwartgeblakerde staak er middenin, alsof de hele boom rond zijn eigen stronk was verbrand. In het lange gras lagen overal botjes en snavels. Zigeuners, dacht Davey, die moesten hier hun illegale buit geroosterd hebben. Maar wie het ook waren geweest, dat moest al jaren geleden zijn – er groeide onkruid door de as heen en de botjes waren oud, gebleekt door jaren regen en zon. Het zou een geweldige schuilplaats voor hemzelf zijn, dacht hij toen hij verder ploeterde, als hij hem tenminste ooit nog terugvond.

Tegen de tijd dat hij eindelijk het zonlicht inliep, bijna twintig minuten later, was hij overdekt met schrammen en buiten adem en bang. In plaats van op East Meadow was hij aan de andere kant van het bosje uitgekomen, en zag daar een volstrekt onbekend landschap voor zich.

Het duurde even voordat hij besefte waar hij was. Hij had Marsh End vaak genoeg gezien vanaf Bottom Twenty, natuurlijk, en wanneer hij op de tractor over het laantje hobbelde, maar van hier af zag het verwaarloosde huisje met de vervallen bijgebouwen, de varkenshokken en de kleine omheinde weitjes er heel anders uit. Hij had Pap wel eens gevraagd waarom Bottom Twenty zo door Marsh End van de rest van Holly Farm afgesneden werd. Pap had alleen maar gezegd: 'Dat is omdat Walter Henderson een koppige ouwe gek is,' op die toon waarop hij altijd sprak wanneer hij driftig werd, en Davey had het nooit meer durven vragen.

Hij zag de vrolijk gekleurde woonwagens in de boomgaard staan, en een dunne rookpluim van het kampvuur opstijgen. Hij had de eerste zigeuners zien arriveren; hun leider was blijven staan om een praatje met Pap te maken, en Pap had hem gewaarschuwd: 'Blijf bij die mensen weg, jongen. Het zijn goede werkers, maar ze zijn anders dan wij.' Dat kun je wel zeggen, dacht Davey, vol ontzag naar de donkere mannen starend, naar de knappe vrouwen met hun getinte huid en hun lawaaierige, vuile kinderen. Er waren ook honden bij, enorme harige beesten die hun baas gehoorzaam op de voet volgden, pony's, zelfs een tweetal diepladers die moderne caravans vervoerden met zilver glanzende metalen strips en kanten gordijntjes voor de ramen.

'George zegt dat de zigeuners kinderen ontvoeren,' had Davey onder de wandeling terug naar huis tegen zijn vader gezegd, 'is dat waar?'

'Ze zullen ze eerder achterlaten,' had Pap smalend gezegd, 'kijk maar naar dat kind van Gyppo Parfitt. Iedereen weet dat haar moeder een zigeunerin was.'

'Is die bij hen?' had Davey hevig geïnteresseerd gevraagd. 'Wie is het dan?' Maar Pap had zijn hoofd geschud en gezegd: 'Ik heb 'r al jaren niet meer gezien,' en er daarna lachend aan toegevoegd: 'Ik betwijfel of ze ooit weer hier in de buurt op zal duiken. Reuben zou d'r het kind eens mee terug geven...'

Nu zag hij een plek waarlangs hij weg zou kunnen naar de wei waar een Jersey-koe lag te herkauwen. Hij haalde diep adem en liet zich op zijn achterste de helling af glijden.

'En waor doch jij wel heen te gaon, jochie?'

Davey sprong geschrokken overeind en klopte zijn broek af. Hij had Walter Henderson vaak genoeg gezien wanneer die 's zondags de heuvel op liep naar de kerk, of bier zat te drinken met het groepje oude mannen op de houten bank buiten de Star and Garter in Market Needing. Van dichtbij zag de oude man er heel wat angstaanjagender uit dan wanneer hij Mam 's zondags gedag zei.

'Nergens,' stotterde Davey, 'ik gaon-ga-nergens heen. Ik ben alleen maar verdwaald, in het bos, en toen ben ik gevallen.'

'Zo zo,' zei Walter op dreigende toon.

Ze waren zo dicht bij het zigeunerkamp dat Davey de kookvuren van de bewoners kon ruiken en hun stemmen horen. Georges waarschuwing schoot hem door het hoofd. 'Alstublieft, meneer, mr. Henderson,' smeekte hij, 'geef me niet aan de zigeuners! Pap zal razend worden!'

Walter tuurde hem kippig aan. 'Wou je nou zegge dâ je Pa je nie gestuurd hep?'

'Ik zei toch al,' hakkelde Davey, 'ik ben verdwaald. Eerlijk, echt waar!'

'Hij is dus nie daorbove?' vroeg hij met een rukje van zijn hoofd in de richting van het bos. 'Hij hep je nie gestuurd om me te bespionere?'

'Nee. Nee, *echt* niet. Erewoord...'

'Ah.' De oude man draaide wat bij. 'Je vin dus nie da'k je aon de zigeuners mot geve, huh?'

'Nee, mr. Hend... meneer.'

'En ken je me een rede geve waorom nie?'

'M'n moeder zou erg gaan huilen.'

'Ja.' Walter grinnikte plotseling. 'Rose? Jao, dâ zou ze, het lieve kind.'

'Hoe weet u dat?'

'Dâ wee'k gewoon, jao? Ik kende je Ma al voordat ze gebore wier, *en* je Pa.' De ouwe man wierp hem een sluwe blik toe. 'Hoe oud ben je?'

'Zes,' zei Davey, naar adem happend van angst.

'Groot voor je leeftijd,' merkte Walter op. 'Doch dâ je ouwer dan zes was. Mot je soms een slokkie water?'

Heftig knikkend, alles was beter dan dat de oude man hem aan de zigeuners zou geven, draafde Davey met hem mee naar het huis. 'Stukkie cake?' bood Walter brommend aan, terwijl hij een geschilferde mok van een haak boven het dressoir pakte en een trommeltje met afbeeldingen van Koningin Victoria op tafel zette.

'Die hep Reuben gemaok,' merkte hij op, toen Davey, hongerig van opluchting, een grote snee vruchtencake naar binnen propte. 'Lekker, huh?'

'Wie is Reuben?' vroeg Davey met zijn mond vol kruimels.

'Woont op Waterslain,' zei Walter, hem onderzoekend aankijkend. 'Je hep 'm vast wel eens gezien?'

'U bedoelt die man die zo mank loopt en die in Mammies huis woont? Gyppo Parfitt noemt Pap hem.'

'En de kleine Hannah, hebbie die wel eens gezien?'

'Alleen uit de verte. Pap zegt dat we niet met dat soort mensen omgaan...' Hij wist onmiddellijk iets verkeerds te hebben gezegd.

De grijze wenkbrauwen zakten omlaag en de oude baas stond met een kwaad gezicht abrupt op.

'Je mos maor weer 's gaon,' zei hij op scherpe toon. Hij dirigeerde Davey de keuken uit en ging hem voor langs de stinkende mesthoop naar het hek, dat kapot en nutteloos aan zijn scharnieren bungelde.

'Die kant op,' zei hij, naar de zandweg wijzend. 'Ken je over 't laontje thuis komme, doch je?'

'Jawel, en dankuwelvooruwhulp, mr. Hend... meneer,' mompelde Davey, te laat aan zijn manieren denkend, 'en dank u wel voor de cake en het spijt me erg dat ik op uw land kwam.'

'Huh!' zei Walter. Zijn korte bui van welwillendheid was volkomen verdwenen. 'Nou mot je 's goed luustere, jong. As je Pa vin' dâ je niet met mense as Reuben Leck om mot gaon, mot je ook niet met mense as mij omgaon. Dus van nu af aon blief je van m'n land, snappie?'

'Ja meneer,' zei Davey hevig knikkend.

'En 'k waarschouw je alvas...' De oude man bukte zich, bracht zijn gezicht dicht bij dat van Davey, '...as 'k je nog 's op m'n land snap, gao je naor de zigeuners, jochie, en dan ziet je moe je nooit weerom. Gesnope?'

'Ja meneer,' zei Davey opnieuw en toen ging hij ervandoor alsof de duivel hem op de hielen zat, dus zag hij niet hoe Walter hem grinnikend nakeek.

De volgende zondag kwam Walter naast Rose lopen, toen ze de heuvel op wandelde naar de kerk (zonder Davey, omdat Henry had besloten hem het binnenwerk van zijn nieuwe Fordson-tractor te laten zien), en vertelde haar wat er gebeurd was. 'Maor je hoef je geen sorrege te maoke,' zei hij gnuivend, 'die zal nie meer in de buurt komme. Hij is bang dat ik 'm aon de zigeuners zal geve.'

'Waarom heb je hem dat idee gegeven?' vroeg Rose verontwaardigd. 'Je hebt het arme kind doodsbang gemaakt.'

'Nou ja...' zei Walter haar listig aanglurend, 'Hannah Leck komp nogal 's bij me en ik doch zo dat je d'r niet tegen onze Davey op zou wille laote lope. Voor je 't weet, komp de jongen dan woendagsmorreges op Waterslain z'n nieuwe vriendinnetje zoeke...' Hij wachtte even, om de boodschap door te laten dringen, 'en dan hê je de poppekes pas goed aon 't danse, of nie soms?'

Hij zag haar wangen kleuren en liet het daar verder bij, overtuigd dat ze nu wist dat hij op de hoogte was.

En zo bleef het. Henry verstevigde zijn greep op Davey om hem niet opnieuw te laten ontsnappen, en elke woensdag liep Hannah met Reuben de heuvel op naar Marsh End, terwijl Rose wachtte tot haar man en zoon veilig uit de weg waren en dan naar Waterslain liep om de huur op te halen en althans een paar uur te doen alsof ze geen fatsoenlijk getrouwde vrouw was.

Er waren dagen waarop Reuben haar met een ultimatum begroette – 'Ik kan dit niet meer. Je moet kiezen, hem of mij –' en wanneer ze hem tot kalmte probeerde te brengen fel tegen haar tekeerging en haar beschuldigde van wreedheid en erger. Maar wanneer ze dan aanstalten maakte om te vertrekken, greep hij haar beet, zei dat hij niet zonder haar kon leven, ook al *kreeg* hij maar twee uur per week, en bedreef wild en heftig de liefde met haar. Maar soms was zij degene die het moeilijker voor hen allebei maakte doordat ze zich niet los kon rukken, zodat hij haar praktisch de deur uit moest duwen om te voorkomen dat Walter en Hannah haar op het laantje tegen het lijf liepen, zoals al eens eerder was gebeurd. Dikwijls maakten ze de dingen allebei nog erger door over de toekomst te fantaseren: 'Wanneer Davey groot is, zou je bij Henry weg kunnen gaan en weer thuiskomen...' 'Zul je tot mijn zeventigste op me blijven wachten...' 'Ik wou dat je niet weg hoefde...' 'Ik wou dat we altijd samen konden zijn...' 'Ik wou dat ik de hele nacht kon blijven...' 'Ik wou dat die ellendige Henry Catherwood dood was...'

Er waren dagen waarop Reuben ongeduldig door de keuken heen en weer stommelde en Rose helemaal niet kwam, en dan de volgende week uitlegde dat Henry niet naar de veemarkt was gegaan of Davey met een koutje uit school thuis was gebleven; of dagen waarop Rose zich vol verlangen het laantje af haastte om een briefje op de voordeur aan te treffen met daarop de korte mededeling:

'*Hannah ziek, kom volgende week.*' Dan zag ze Reuben vanuit het raam haar een geluidloze kushand toewerpen, zodat ze verscheurd werd door gedwarsboomd verlangen. 'Het is het waard,' hielden ze elkaar voortdurend voor, 'Het is beter dan niets,' en meestal was het dat ook, maar soms viel het hun zo vreselijk zwaar om hun affaire binnen de perken te houden.

Terwijl de maanden verstreken en de kinderen groter werden, leerden ze het meeste halen uit het weinige dat ze hadden. Reuben had er meer moeite mee dan Rose om zich met de situatie te verzoenen, al begreep hij, nu hij zelf een kind had, haar beslissing. Het belangrijkste was, vonden ze allebei, om Hannah en Davey volledig onkundig te houden van hun familieband...

Hannah bleef Davey uiterst boeiend vinden, ook al *was* hij mal en pedant. Maar ze zou diep vernederd zijn geweest als ze had geweten hoe hij *haar* zag; als dat zigeunerkind, niet het soort kind waar hij volgens Pap mee om zou moeten gaan...

43

'$\mathcal{M}$am,' vroeg Davey op klaaglijke toon, toen Henry verdween om zijn geweer te halen, 'moet ik nou *echt* mee uit schieten gaan?'

'Ja lieverd,' zei Rose, 'je weet dat je vader er een hekel aan heeft op het laatste moment van plan te moeten veranderen. Maar als je het hem nou eens later probeerde te vragen – wel op een aardige manier, hoor – laat hij je misschien morgen wel een uurtje of twee je eigen gang gaan.'

'Echt waar? Wel twee uur? Jeetje!'

Toekijkend hoe hij de rest van zijn ontbijt naar binnen propte, voelde Rose een golf van moederlijke bezorgdheid om haar rood-harige zoon. Al vanaf het begin van de schoolvakantie had hij ge-bokt over al Henry's ge- en verboden, maar de laatste tijd voelde ze een nieuw scherp kantje aan zijn frustratie. Het kwam haar voor dat in Daveys constante verzoeken om meer vrijheid iets van wan-hoop begon door te klinken. Hij was nu bijna elf, en gisteren had Rose zich inwendig afgevraagd hoeveel langer Henry zo nog door zou kunnen gaan, voordat Davey hem recht in de ogen keek en hem zei naar de pomp te lopen? Gisteravond had ze al haar moed bijeengeraapt en was ze er plompverloren over begonnen.

'Ik maak me zorgen om Davey,' had ze gezegd, toen ze aan de toilettafel haar haar zat te borstelen.

'Wat is er dan met 'm?' vroeg Henry.

'Hij wordt groot.'

'Ja en?'

'Dus moet hij meer vrijheid krijgen dan je hem geeft.'

'Nee dat moet hij niet!' Henry wierp haar een boze blik toe. 'Hij zegt altijd dat hij niet kan wachten tot hij groot is en boer kan worden, net als zijn vader. Hij vindt het *leuk*!'

'Jawel,' zei Rose geduldig, 'maar niet de hele tijd. Je moet hem wat meer ruimte geven, hem zo af en toe zijn eigen beslissingen laten nemen. Hoe zal hij anders ooit op zijn eigen benen leren staan?'

'In vredesnaam mens, hij is pas tien!'

De druipende ondertoon in zijn stem joeg haar angst aan, maar ze gaf geen krimp. 'Hij is bijna elf. En als je de teugels niet wat laat vieren, raak je hem straks helemaal kwijt.'

'Wat bedoel je?'

'Als je hem nu niet wat meer vrijheid geeft neemt hij die vroeg of laat zonder vragen. In de schoolvakanties moet hij elke dag met je mee en je praat nooit over iets anders met hem dan over het werk, het werk, het werk. Het is niet gezond voor een jong van zijn leeftijd. Hij heeft geen vrienden, geen hobby's buitenshuis...'

'Hij *hoeft* geen...'

'Hij moet ook eens *kind* kunnen zijn.'

'Hij *is* verdomme...'

Ze kapte zijn protest met een ongeduldig handgebaar af. 'Als hij nou eens besluit dat hij geen boer wil worden? Heb je daar wel eens aan gedacht? Wat ga je dan doen, hem dwingen?' Henry stond met gebalde vuisten op, hoog boven haar uit rijzend, zakte toen plotseling in alsof alle vulling uit hem was geklopt. 'Heeft hij dat tegen je gezegd?' vroeg hij, 'dat hij geen boer wil worden?'

'Nee, natuurlijk heeft hij dat niet. Maar als je hem niet wat vrijheid gunt, zal dat vroeg of laat gebeuren, dat kan ik je op een presenteerblaadje geven.'

'O.' Hij zakte met een plof op het bed neer, met zo'n aangeslagen uitdrukking op zijn gezicht dat Rose instinctief een troostende hand naar hem uitstak.

Hij schoof voor haar aanraking weg. 'Wat zou ik dan moeten doen?'

'Geef hem een beetje vrije tijd. Gewoon een paar uur per dag, meer hoeft niet. Hij zou wat kunnen prutsen in huis, op verkenningstochten kunnen gaan. Hij heeft laatst een ijsvogel gezien, heeft hij me verteld, bij Bailey's Pond, maar hij kon niet dichterbij gaan kijken, omdat jij hem riep om het hooi te helpen keren. Hij zou boodschappen voor je kunnen doen in het dorp...'

'Nee,' zei Henry bars, 'ik wil niet dat hij met de dorpskinderen omgaat.'

Het was eruit voordat ze het kon tegenhouden: 'Waarom niet? Dat heb jij toch ook gedaan!' Een vinnige verwijzing naar het feit dat Henry tegenwoordig nauwelijks meer sprak met Charlie Cottle, Dan Prettiman, Simon Roberts, al zijn vrienden uit zijn jongenstijd. Was *dat* wat hij vervelend vond, vroeg ze zich af, de gedachte dat Davey iets zou kunnen horen over zijn vaders onvermogen om normaal met de buitenwereld om te gaan?

Henry raapte zijn sokken op, wipte zijn badjas van de haak achter de deur, pakte zijn netjes opgevouwen pyjama en schoof zijn voeten in zijn sloffen. 'Ik zal erover nadenken,' gromde hij, en ging op weg naar de badkamer, de deur stevig achter zich dichttrekkend, hetgeen Rose zich onwillekeurig deed afvragen hoe lang het al geleden was dat ze haar echtgenoot voor het laatst naakt had gezien.

'Beloof je het nu?' had ze bij het uitknippen van het licht nog eens gevraagd.

'Ja *goed*,' had hij knorrig gemompeld, maar ze was er niet van overtuigd dat ze ook maar iets had bereikt...

Davey liep achter zijn vader aan, de moestuin door, door Middle Twelve en East Meadow op. 'Pap,' vroeg hij onder het lopen ongelukkig, 'waarom moet ik toch steeds met u mee?'

'Omdat je nooit behoorlijk zult leren schieten als je niet oefent,' zei Henry achteloos, 'en je bent nog veel te jong om zelf met een geweer op pad te gaan.'

'Nee hoor, ik ben al bijna elf. En niemand van mijn vriendjes hoeft in de vakantie om zes uur 's morgens op te staan alleen om een paar konijnen te gaan schieten.' Toen zijn klasgenootjes aan het eind van het schooljaar plannen maakten voor een zomer vol zwempartijen, bezoekjes aan de bioscoop en het strand, hele middagen vliegeren en picknicks, had Davey naar lezingen van zijn vader zitten luisteren, over welke gewassen waarschijnlijk het eerst geoogst zouden kunnen worden en hoeveel extra arbeiders ze nodig zouden hebben om de tarwe binnen te halen. 'Het is niet *eerlijk* dat ik de hele tijd achter u aan moet sjokken.'

Henry bleef staan, draaide zich om. 'Vind je dat?' vroeg hij op strenge toon, 'dat ik je dwing om achter me *aan te sjokken*?'

'Nee,' stotterde Davey, zijn boude woorden betreurend, 'nee, ik bedoelde niet dat... ik wou alleen...'

'Het is voor je eigen bestwil,' zei Henry verdedigend, 'hoe moet je later de boerderij runnen, als ik je niet behoorlijk heb opgeleid? Loop nou maar flink door, het is woensdag, vergeet dat niet, de veemarkt begint om tien uur!'

Hij had de afgelopen nacht uren wakker gelegen en zich afgevraagd of Rose gelijk had. Verknoeide hij het nu ook al bij zijn zoon, net als bij iedereen? Nee, had hij zichzelf gerustgesteld, hij deed het juist ter wille van de jongen. Davey zou hem op een dag dankbaar zijn, net zoals hijzelf *zijn* vader dankbaar was, dat hij hem respect voor het land had bijgebracht. Toch, dacht hij nu, zich plotseling zijn eigen zorgeloze kindertijd herinnerend, verwachtte hij inderdaad te veel. Een paar uur vrij per week zou geen kwaad kunnen...

De dag beloofde heet te worden, en ook al waren ze vroeg op pad gegaan, toch waren de konijnen schaars en schuw. Bijna een uur lang zat Davey gehoorzaam naast zijn vader op zijn hurken, zonder opwindender buit te behalen dan een blind konijntje, al in het laatste stadium van myxomatose, en een logge houtduif. Toen Davey de lucht van brandend hout rook van de kampvuren van de zigeuners op Marsh End, was hij de tijd gaan verdrijven met fantasieën over hoe hij de heuvel afmarcheerde om de confrontatie met Walter Henderson aan te gaan, ten bewijze dat hij niet bang voor hem was. De vernedering die de oude man hem de vorige week had doen ondergaan, des te erger omdat het gebeurde in bijzijn van het meisje dat op Waterslain woonde, deed nog steeds een hete golf van schaamte door hem heen slaan...

Hij was toen op Botton Twenty, waar hij samen met een man of tien op een rij langzaam de akker over liep in voorbereiding op de oogst het Jacobskruiskruid uit te trekken. Zij was in de verte verschenen, bezig hetzelfde te doen op de weide. Ze bewogen zich ieder aan een kant van het hek voort, en naderden elkaar daarbij zo dicht dat hij de kleur van haar ogen kon zien – bijna zwart – en de krabben op haar armen. Hij had net besloten haar te verrassen door goedemorgen te zeggen, toen plotseling een stem achter hem had geblaft: 'Smeer 'm, jonge Catherwood, voordâ 'k de zigeuners op je loslaot!' Hij was wel een halve meter in de lucht gesprongen van schrik en het korenveld in geholed alsof de baarlijke duivel achter hem aanzat, terwijl achter hem Walter Hendersons schorre lach opklonk. Tegelijk hoorde hij het meisje 'sorry' roepen, alsof hij zo'n zielig bangerdje leek dat haar medelijden wekte.

Het komt allemaal door Pap, dacht hij duister, toekijkend hoe zijn vader de lege hulzen achter uit de loop van het geweer schudde, hij speelt helemaal de baas over mijn leven. Pas de laatste tijd was het hem gaan opvallen hoe weinig vrienden zijn vader leek te hebben. Elke woensdag stonden er op de veemarkt groepjes boeren bij elkaar te kletsen over het weer, de prijzen van het vee, de toestand van de gewassen, de gezondheid van hun dieren. Ze begroetten elkaar met een handdruk, maakten samen grappen en dronken pintjes bier, wisselden verhalen uit over wie verkocht en wie kocht. Behalve Pap. De andere mannen meden hem, bang voor zijn onvoorspelbare driftbuien.

Er waren ook zat jongens van Daveys leeftijd in het dorp: Eric Cottle, Alf Tindalls zoon Ian, Harry Roberts, Graham Thompson... maar mocht hij met ze spelen? Nee natuurlijk niet. *Pap* had immers besloten dat ze niet *goed genoeg* waren om met zijn kostbare zoontje op te mogen trekken.

'Kunnen we nou ophouden?' vroeg hij, 'm'n schouder doet pijn.'

'Goed dan.' Henry klapte de loop omlaag, stopte de patronen in zijn zak en tuurde naar de hemel op. 'Je moeder zegt dat je laatst een ijsvogel bij Bailey's Pond hebt gezien.'

Davey wierp hem een achterdochtige blik toe. 'Ja... nou ja, ik kon niet genoeg dichtbij komen om hem goed te zien.'

'Ga er dan nou maar heen. Kijk wat rond, misschien zie je hem wel weer.'

'Wat?'

Henry schraapte zijn keel, poetste met zijn mouw de loop van zijn geweer wat op, 'prachtige beestjes, ijsvogels. Nou, waar wacht je nog op?'

'We gaan hem toch niet doodschieten?'

'Ben je nou helemaal. Ik geef je wat vrije tijd, het is niet de bedoeling dat je een beetje op dat stomme beest gaat lopen paffen! Je kunt met me mee naar Market Needing of naar Bailey's Pond. Wat zal het zijn?'

'Gossie,' zei Davey. 'U bedoelt *alleen*?'

'Tenzij je een onzichtbare vriend onder je T-shirt hebt zitten.' Henry hing het geweer in de kromming van zijn elleboog. 'Niet te lang, hoor,' waarschuwde hij bars. 'Ik ben om twee uur terug en er komen vanmiddag zes man om op Top Field te beginnen. Wie weet, als het je lukt om niet te veel in de problemen te komen, maken we er misschien wel een gewoonte van. Eén ochtend per week vrij, net een echte boerenknecht. Hoe lijkt je dat?'

Davey kon niet uit zijn woorden komen van blijdschap. Hij mompelde een bedankje en wachtte tot zijn vader was verdwenen, alvorens de koele duisternis van Marsh Hill Spinney in te duiken.

Haast niet te geloven dat hij hier ooit verdwaald was. Na even door de varens te hebben gewaad, vond Davey bijna dadelijk een pad. Toen hij dat volgde tot de met lichtvlekjes doorspikkelde schaduw plaatsmaakte voor helder daglicht, kwam hij binnen enkele minuten al uit op de heuvelrand boven Marsh End. Van hieraf kon hij het zigeunerkamp zien: een man die een konijn van zijn ingewanden ontdeed en het afval naar een tweetal bakkeleiende honden gooide, twee kleine jongens die onder een waslijn in het zand speelden, een vrolijk beschilderde ouderwetse huifkar. Hij kon maar beter niet in het kamp opduiken, besloot hij, en liep wat door op zoek naar een pad omlaag. Maar het was nu te laat om nog terug te keren, besefte hij, toen hij de steile helling afgleed. Hij bevond zich al op vijandelijk gebied.

'Maar waarom mag ik niet op Waterslain *blijven*?' vroeg Hannah klagend. 'Ik *beloof* dat ik je niet voor de voeten zal lopen.'

'Ik heb je toch al gezegd,' zei Reuben, de wanhoop nabij, 'ik kan me niet op mijn administratie concentreren en tegelijkertijd een oogje op jou houden.'

'Maar ik ben *tien*! Er hoeft *niemand* meer een oogje op me te houden. Het is niet *eerlijk*. Ik wil m'n tekening afmaken.' Gewoonlijk verheugde ze zich op haar wekelijkse bezoek aan Marsh End, maar gisteren was ze met een doos waskrijtjes aan een nieuwe tekening van Waterslain begonnen. Nu zat ze er geconcentreerd aan te werken, iedereen en alles vergetend. 'Kun je 'm dan niet meenemen?'

'Nee,' zei Hannah knorrig, 'hij is te groot.'

'Nou, jammer dan,' zei Reuben, 'maar niets aan te doen. Het is maar voor een paar uur en bovendien verwacht oom Walter je. Maak nou maar voort, of we komen nog te laat.'

Het aantal zigeuners op Marsh End was de afgelopen jaren afgenomen, omdat steeds meer boeren op machines waren overgestapt. Ook de traditionele, door een paard getrokken woonwagens werden schaarser; ze werden vervangen door open vrachtwagens die een moderne caravan voorttrokken. Die ochtend stonden er maar twee onder de bomen in oom Walters boomgaard geparkeerd: een sjofele met een halfrond dak en een fraai gedecoreerde Reading.

'De stropershond hep gistere gejongd,' waren de eerste woorden waarmee Walter Hannah begroette, toen ze de keuken binnenliep. Ze was meteen al haar grieven vergeten, en ze stoof weg op zoek naar het hol dat de hond in de boomgaard voor haar pups had ingericht. Onder het hollen zag ze de felle tinten van de Reading en de chroomstrips op de moderne caravans opglinsteren in de zon. Zelfs nu nog, bijna vijf jaar nadat haar moeder zich van haar had ontdaan, wekte de aanblik een lichte gespannenheid in haar op. Ze ging pas langzamer lopen, toen ze het kamp ver achter zich had gelaten.

IJverig zoekend naar de hond, zag ze Davey Catherwoods vlammende haardos pas toen ze bijna boven op hem viel.

44

'*Sstt!*' siste Davey, toen ze over zijn voeten struikelde. '*Kijk!*'

De grote vaalgele stropershond lag nog geen anderhalve meter van hem vandaan. Toen de kinderen naast elkaar in het gras lagen, trok ze waarschuwend haar bovenlip op en liet haar kop zakken om haar twee bruingevlekte en twee zwartwitte pups naar haar opgezwollen tepels te duwen. Toen Hannah een steelse blik op haar metgezel wierp, ontdekte ze onthutst dat hij haar zat aan te staren.

'Wat doe jij hier?' fluisterde ze.

'Wat doe *jij* hier?' siste Davey. 'En vorige week... waarom zei je toen sorry?'

'Wat?'

'Op Bottom Twenty. Je zei sorry.'

'O,' aarzelde Hannah, 'Omdat... omdat ik het zielig voor je vond, wou ze zeggen, maar vermoedde dat dat niet het antwoord was dat hij wilde horen, 'omdat oom Walter niet zo grof had mogen zijn,' zei ze in plaats daarvan. 'Per slot van rekening was je gewoon op je eigen land.'

'Dat dacht ik ook!' Hij schonk haar plotseling een brede grijns. 'Nou sta ik gelijk met 'm, waar of niet?'

'O ja? Hoe dan?'

Hij zwaaide triomfantelijk met zijn hand. 'Nou, ik ben hier nou toch? Op *zijn* land!'

De hond stootte een laag rommelend gegrom uit. 'Zouden we niet een beetje verder achteruit moeten gaan?' vroeg Hannah nerveus. 'Ze lijkt het niet prettig te vinden dat we zo dicht bij haar zitten.'

'Als je dat wilt...' Davey schoof op zijn buik naar achteren 'als je bang bent kunnen we ook wel...'

'Natuurlijk ben ik niet bang!' Hannah scharrelde haastig achter hem aan. 'Ik vind alleen dat we wat meer respect moeten hebben!'

'Al goed, maak je niet druk. Is dit ver genoeg van 'r vandaan?'

Haar hals rekkend om nog wat te kunnen zien, installeerde Hannah zich opnieuw en ging met haar hoofd in haar handen liggen toekijken hoe de pups hun buikjes voldronken en daarna een voor een in slaap vielen. Davey bekeek haar tersluiks. Van dichtbij, merkte hij, zag ze er best leuk uit. En ze praatte even netjes als hij, helemaal niet zoals de zigeuners die op Paps boerderij werkten, of zoals ouwe George met zijn zwaar Suffolks accent.

'Waar staar je naar?' vroeg ze.

'Niks,' zei hij. 'Je bent helemaal niet zoals ik dacht.'

'O, nee? Hoe ben ik dan *wel*?'

'Nou, eh...' *netter* wilde hij zeggen, maar vermoedde dat ze dat beledigend zou vinden. 'Leukerder,' flapte hij uit, en bloosde tot aan zijn haarwortels, toen ze koeltjes zei: 'Je kan niet leukerder zeggen: het is leuk, leuker, leukst.'

Ze begon te lachen, waardoor ze nog leuker werd, en hij lachte met haar mee. Samen ontdekten ze tot hun verbazing dat, wat de volwassenen ook zeiden, zij tweeën helemaal niets op elkaar tegen hadden.

Ze moesten hun nieuwe vriendschap wel geheim houden, besloten ze, toen ze plannen maakten om elkaar de volgende dag te ontmoeten. Daveys vader moest al net zomin iets van Poppa hebben als Poppa van hem, en als de grote mensen erachter kwamen, zouden die alles alleen maar bederven.

'Ik ben hier elke woensdag,' vertelde Hannah, 'en ik mag van oom Walter doen wat ik wil.'

Ze staarden elkaar vol opwinding aan.

'Woensdag kan niet: ik moet dan met Pap naar de veemarkt.'

'Hoe moeten we het dan voor elkaar krijgen?' vroeg Hannah teleurgesteld.

'Wat is er nou moeilijk aan? Je hoeft alleen maar tegen je vader te zeggen dat je Walter gaat opzoeken.'

Hannah schudde haar hoofd. 'Dan wil hij weten waarom.'

'Je kan vast en zeker wel een smoes verzinnen,' zei Davey, aan het eind van zijn Latijn. 'Bedenk maar wat!'

'Ik zal kijken. Hoe ga je me de dag laten weten?'

'Ik laat wel ergens een boodschap voor je achter.'

'Waar dan?'

'Eh... op Long Tye? Daar staat een wilg, zo'n tweehonderd meter verderop langs de rivier. Als je tenminste van je vader over het jaagpad mag...'

'Doe niet zo gek,' zei Hannah verontwaardigd, 'natuurlijk!'

'Onderin zit een gat. Daar leg ik een briefje in.'

'En als het wordt opgegeten door muizen of zo?'

Davey overwoog het vraagstuk. 'Ik zal het in een lucifersdoosje stoppen.'

'En waar gaan we dan heen?'

'Wat bedoel je?'

'Nou, we kunnen niet hier gaan rondhangen, toch, als het geheim moet blijven?'

Ze staarden elkaar aan. Dit ging een probleem worden. 'Laat dat maar aan mij over,' zei Davey ten slotte. 'Ik weet precies de plek, als ik die weer kan vinden.'

En zo begon het, met twee eenzame kinderen die naast elkaar in het lange gras lagen met de hete zon brandend in hun nek, en kameraadschap vonden waar ze die het minst verwachtten. Toen ze de volgende dinsdag zijn briefje vond, '*donderdag*' stond erop, '*tien uur*,' had Hannah al een plannetje klaar. Toen ze woensdagavond zei: 'Poppa, ik heb vanmorgen mijn vestje op Marsh End laten liggen, is het goed als ik dat morgenochtend ga ophalen?' sprak ze dus de volledige waarheid. Poppa was er ook met zijn gedachten niet bij, zoals altijd op woensdag, dus toen ze er langs haar neus aan toevoegde: 'En hij heeft jonge hondjes, dus misschien blijf ik nog wat als het mag,' zei hij afwezig, 'goed hoor.'

Het werkte perfect. 'Mag ik even bij de puppies gaan kijken?' vroeg ze oom Walter bij haar aankomst, 'als ik beloof daarna meteen naar huis te gaan?' Toen ze de andere kant van de boomgaard bereikte, stond Davey haar al op te wachten, vol verlangen haar de schuilplaats te laten zien die hij had gevonden. 'Het stelt nou nog niet zoveel voor,' vertelde hij haar opgewonden, 'maar als ik alles klaar heb, geloof je je ogen niet...'

'Ik heb een echt plan bedacht,' zei Hannah, terwijl ze de heuvel naar het bos op klauterden. 'Zuster Beatitude zegt alsmaar dat ik iets met mijn talent moet doen.'

'Wat voor talent?'

Ze kleurde. 'Ik ben aardig goed in tekenen. Dus zei ze dat ik in de vakantie een project zou kunnen doen. En dat zou heel goed hierboven kunnen, niet? Genoeg onderwerpen om uit te kiezen.' Ze had afgelopen Pasen voor alle zusters een kaart gemaakt – sneeuwklokjes, akonieten, viooltjes – en zZster Catherine had haar daarvoor bijzondere lof toegezwaaid.

'Zou je vader dat goed vinden?' vroeg Davey.

'Tuurlijk,' zei Hannah zelfverzekerd. 'Ik wind hem om mijn vinger.'

Het was niet meer dan een ondeugende kinderstreek om de tijd te verdrijven. Als ze meteen betrapt waren, was het daar misschien bij gebleven. Maar Walter werd bijziend op zijn oude dag – of misschien wilde hij wel niet zien wat er gaande was?

Wat Rose en Reuben betrof, die hadden het te druk met hun eigen 'alsof'-spel om iets te merken...

45

In 1961 vierden Rose en Henry op Betty's aandringen hun twintigste trouwdag met een familiefeestje. Het was geen succes. 'Nee dank u,' zei Davey mokkend, toen Rose vroeg of hij het leuk zou vinden een paar vrienden van school uit te nodigen. 'Waarom zou iemand bij een stel suffe boeren op bezoek willen komen?' Hij was nog geen veertien en was toch al zo'n acht centimeter langer dan Rose, maar zijn enthousiasme voor de boerderij kalfde met het jaar verder af.

Zij en Reuben waren in deze tijd voorzichtiger, zich ervan bewust dat hoe ouder de kinderen werden, hoe minder voorspelbaar hun bewegingen waren. Ze bedreven de liefde nu alleen wanneer de kinderen op school zaten en niet tijdens de vakanties. In plaats daarvan zaten ze aan de keukentafel plannen te maken voor een denkbeeldige toekomst samen, wanneer de kinderen opgegroeid en veilig getrouwd zouden zijn.

Om helemaal zeker te zijn, had Rose het Davey onomwonden gevraagd: 'Jij komt toch nooit in de buurt van Waterslain, hè Davey? Of van Marsh End? Want je weet hoe je vader tegenover mr. Leck staat, en Walter zou het niet leuk vinden je op zijn land te betrappen...'

'Ik moet ze geen van tweeën,' was zijn antwoord geweest, en toen was hij weggesjokt met zijn handen in zijn zakken. '*Sinds zijn komst op de middelbare school*,' had zijn klassenleraar in zijn rapport geschreven, '*is David de studie steeds meer gaan verwaarlozen; hij dagdroomt liever. Als hij niet gauw aan de slag gaat, zullen zijn resultaten ver onder het niveau blijven waartoe hij in staat is.*' Rose had Henry aangeraden eens met de jongen te gaan praten, maar hij had haar alleen maar aangekeken alsof ze niet goed bij haar hoofd was. 'Om een goede boer te worden, moet je gezond verstand hebben en praktische ervaring, geen tien voor scheikunde,' had hij geantwoord.

Terwijl Davey Henry op de ouderavond in februari de nieuwe sporthal liet zien, vroeg Rose aan Daveys mentor hoe hij het als dagleerling op het internaat deed.

Mr. Robertson bleef vaag. 'Och, de meeste jongens willen vanaf hun dertiende liever intern zijn. Daardoor gaan de dagleerlingen zich soms een beetje buitengesloten voelen.'

'Bedoelt u dat Davey geen vrienden heeft?'

'Nu ja, geen echt heel goede vrienden, nee. Begrijpt u me niet verkeerd, mrs. Catherwood, over het geheel genomen kan hij het heel goed met zijn leeftijdgenoten vinden. Hij doet alleen zo weinig mee.' Hij wierp haar een vorsende blik toe: 'Thuis alles in orde?'

'Ja,' zei Rose, enigszins overrompeld. 'Ik bedoel, o zeker, en Davey weet dat hij altijd vrienden mee mag brengen.' Ze sprak Davey er die avond over aan, maar daar kwam ze niet bijster ver mee.

'Wat heeft het voor zin om lui mee naar huis te vragen?' zei hij op bittere toon. 'Dan sleept Pap ze toch alleen maar mee om zijn nieuwe combine te laten zien of zoiets.' Hoe ouder hij werd, hoe meer Henry's obsessie met de boerderij Daveys woede en schaamte leken te wekken.

Als teken van erkenning van haar toenemende schoonheid gaf Reuben Hannah voor haar dertiende verjaardag in juni een spiegel, gevat in een lijst van kersenhout die versierd was met verfijnd houtsnijwerk in de vorm van eikenbladeren en eikels. Ze leek al meer een jonge vrouw dan een kind, want het vroegtijdig ontluiken van haar artistiek talent werd geëvenaard door haar fysieke ontwikkeling. Ze had al op haar elfde haar eerste menstruatie gekregen, gelukkig op school, waar Zuster Beatitude haar terzijde kon nemen en kon uitleggen wat er aan de hand was. 'Heeft u geen vriendin, mr. Leck?' had ze Reuben gevraagd, toen Hannah twaalf was, 'want Hannah begint zich bij het sporten wat, ahem, *onbehaaglijk* te voelen en ik vroeg me af of u niet iemand kende die een bh-tje met haar kon gaan kopen?' Toen hij 'nee' zei, was ze zo vriendelijk geweest om te regelen dat Zuster Mary Magdalene, twintig jaar jonger dan de andere nonnen, op een dag na school met Hannah naar Cootes ging.

Te laat besefte Reuben dat hij vorig jaar had moeten ingaan op het aanbod van de gemeente om Waterslain op het elektriciteitsnet aan te sluiten. Zelfs de oude Walter had ermee ingestemd. Maar omdat hij de gedachte aan overal in huis rondstampende vreemden niet kon verdragen, had Reuben de gemeenteambtenaren weggestuurd.

Twee dagen na Hannahs verjaardag vierden hij en Rose een ander, beslotener, feestje: de achtste verjaardag van hun zalig 'doen alsof'. Rose stond nog steeds verbaasd dat ze nooit ontdekt waren, maar zoals Reuben zei, wie moest erachter komen? 'Wat doet het ertoe?' zei hij, toen Rose hem aan Walter herinnerde. 'Zelfs al weet hij 't, hij heeft geen bewijs, en hij weet trouwens dat hij geen hooi meer krijgt als hij ons verlinkt. Bovendien heeft hij Hannah graag om zich heen.'

In september kreeg Davey voor zijn veertiende verjaardag van Henry zijn eigen twaalf kaliber geweer. John en Betty, voor het eerst in bijna zes maanden over uit Southwold, gaven hem voor tien pond obligaties. Rose, die graag iets wilde doen met een gedeelte van de bijna tweeduizend pond die nu op de rekening met huurinkomsten stond, vroeg zich hardop af of hij het leuk zou vinden de volgende lente mee te gaan met de schoolreis naar het klassieke Griekenland. Die suggestie bracht Davey buiten zichzelf van verrukking, en Henry buiten zichzelf van woede dat ze er zelfs maar over kon *denken* zijn zoon een hele week naar het buitenland te laten gaan, precies in de tijd dat er van alles geplant moest worden.

'Het lijkt mij een uitstekend idee,' mompelde John, toen Rose hem aan het eind van de bedorven dag ten afscheid kuste. 'Het wordt tijd dat onze Davey eens wat van de wereld ziet en zijn vleugels leert uitslaan. Wie weet...' er kwam een dromerige uitdrukking op zijn gezicht, 'misschien ontdekt hij wel dat hij kan vliegen...'

De pijn van zijn reumatiek stond tegenwoordig blijvend in zijn gezicht geëtst, en hij liep gebogener dan ooit. 'Weet u wel zeker dat u kunt rijden, oom John?' vroeg Rose, toen hij de motor startte. 'We hadden u ook kunnen komen ophalen, weet u.' Ze had vorig jaar eindelijk auto leren rijden, op de beschamend hoge leeftijd van zevenendertig jaar, en Henry had een tweedehands Morris Minor voor haar gekocht.

'Dat is erg lief van je, meiske,' zei oom John. 'Je tante Betty zegt dat ik haar zou moeten laten rijden, maar haar ogen zijn niet meer wat ze geweest zijn. Staar, zegt de dokter, ze kunnen er niets aan doen, vrees ik.' Hij keek neer op zijn handen, die bijna onherkenbaar misvormd waren, en grinnikte spijtig. 'Wat een stel ouwe kneuzen zijn we.'

Rose had de volgende morgen Henry en Davey net uitgewuifd, toen de telefoon ging.

'Domme, domme man,' zei Betty, 'ik heb nog aangeboden om te rijden, maar hij wou er niet van horen en nu moet ik Tafeltje-Dekje rijden en ik heb geen auto!'

'Tante Betty,' onderbrak Rose haar, 'waar heeft u het over?'

'Nou, het ongeluk natuurlijk, liefje,' zei Betty. 'Wat dacht je dan? De auto kunnen we compleet afschrijven, zegt de man die ons wegsleepte. Ik moet er niet aan denken hoeveel een nieuwe zal kosten.'

'Wat voor ongeluk? Is er iemand gewond?'

'Wat zeg je, liefje?'

'Oom John,' zei Rose, haar geduld verliezend, 'is het goed met oom John?'

'Eh? O, ja, ja, alleen wat sneetjes en blauwe plekken. Hij zegt dat zijn borstkas pijn doet, maar ik heb hem gezegd dat *dat* niet zo vreemd is, aangezien hij vrijwel zeker tegen het stuur is geklapt, toen de auto omsloeg.'

'En u dan?'

'O, met mij is alles prima, liefje. Ik dacht dat ik het je moest laten weten, da's alles. Ik ga nu even bij Winifred langs om het te vertellen.'

'Zouden jullie allebei niet even naar een dokter gaan?' vroeg Rose bezorgd. 'Om te controleren of u niets gebroken heeft?'

'O nee,' zei Betty, 'ik heb geen krasje, en met John komt het ook weer helemaal goed als hij niet meer zo stijf is...'

Maar tegen de tijd dat ze terugkwam met wat arnica voor zijn blauwe plekken en een buisje aspirine, zat hij morsdood in zijn leunstoel bij de haard. 'Hij had een boek in zijn handen,' zei Betty, '*Terre des Hommes*, of zo'n soort titel. Je kent zijn malle obsessie met vliegen wel. Wat ik echt *zo* erg vind, is dat hij nog *geklaagd* heeft over de pijn in zijn borst, en ik tegen hem zei dat hij niet zo'n hypochonder moest zijn! Als ik het serieus had genomen, had ik hem misschien nog kunnen redden...'

Davey zat op school en Henry was aan het ploegen op Bottom Twenty. Met tranen in haar ogen liep Rose het paadje af om Henry het nieuws te gaan vertellen. Maar als ze had gedacht dat hij misschien wat emotie zou tonen, werd ze daarin teleurgesteld.

'Ik hoop dat je niet tegen Mam hebt gezegd dat ze nu hier kan komen wonen,' zei hij, in het luchtledige starend.

'Het onderwerp is niet aan de orde geweest.' Rose was geschokt door zijn ongevoeligheid. 'Ik denk dat ze op dit moment met andere dingen bezig is. Ik heb gezegd dat we zouden komen helpen met het regelen van de begrafenis.'

'Goed zo.' Henry bukte zich, pakte een handvol aarde op en liet die langzaam tussen zijn vingers weglopen. 'We kunnen wel wat extra kunstmest op dit stukje land gebruiken, de gerstoogst was een stuk minder dit jaar.'

'Ik heb gezegd dat je haar zou bellen.'

'Goed zo. Nu meteen?'

'Je vader is net gestorven,' zei ze, 'wanneer zou je schikken?' En toen liep ze weg.

Henry keek haar na. Hij nam het haar niet kwalijk dat ze boos was. Hij zou toch *iets* moeten voelen, nietwaar, al was het alleen maar opluchting dat er een einde was gekomen aan de pijn die Pap zo stoïcijns had verdragen? Hoe zou hij zich voelen als Rose morgen stierf, vroeg hij zich af? Zou hij rouwen om het verlies van zijn goede en trouwe echtgenote, of zou hij dezelfde verwezen leegte voelen die hij nu voelde? Pas toen hij over het erf reed naar de tractorschuur viel het hem in: met zijn vaders dood was Holly Farm nu eindelijk van hem. Wat mankeerde hem toch, dacht hij, dat hij zich drukker maakte over het bezit van een lap grond dan over het verlies van de vader van wie hij eens zo gehouden had. Ontzet over zijn eigen gevoelloosheid zette hij de tractor stil, klauterde er langzaam van af, legde zijn hoofd op zijn armen en liet ten langen leste zijn tranen de vrije loop.

In de keuken was Rose in gedachten aan het rekenen... nog vier dagen tot ze Reuben weer kon zien. Hij zou wel weten hoe hij haar moest troosten...

Henry regelde met George dat hij voor de dieren zou zorgen, haalde vervolgens Davey voor de rest van de dag van school en reed met zijn gezin naar Southwold. Bij hun aankomst viel er niet veel meer te doen; Betty's zuster Winifred had de leiding genomen en de molens maalden al. John zou in Southwold begraven worden, 'zodat ik een oogje op die malle vent kan houden,' zei Betty met trillende stem. Ze leek blij hen te zien, vooral Davey, die nadat Rose hem het nieuws verteld had een uur lang was verdwenen, om tegen de schemering overdekt met stukjes gras en bladeren terug te komen. Ze vermoedde dat hij ergens een geheim hol of zoiets had: ze had hem een paar keer in de richting van Bailey's Pond weg zien lopen met een stuk touw of een stuk zeil, maar ze had expres niets gevraagd, met het idee dat het goed voor de jongen was om wat privé-geheimpjes te hebben...

Ze bleven een paar nachten. Rose en Henry sliepen in de logeerkamer en Davey op een kampeerbed in de kleine slaapkamer achterin die John als zijn studeerkamer had gebruikt. De wanden waren van vloer tot plafond met genoeg boeken voor een heel leven bedekt, in slechts enkele jaren verzameld, alsof John de verloren tijd in had willen halen. 'Akelige stoffige dingen,' zei Betty er met betraande ogen naar kijkend. 'Ik kan me niet voorstellen waarom hij de kamer met zo'n hoop boeken vol zette. Hij had ze toch niet allemaal kunnen lezen, al was hij honderd geworden.'

'Natuurlijk,' vervolgde ze, alweer toekomstplannen makend terwijl ze nog om het verleden rouwde, 'zullen ze weg moeten, wanneer Winifred bij me intrekt. Een badkamer boven leek ons wel prettig, niet Winifred? Ik heb dat nare buitentoilet altijd erg vervelend gevonden, zo onhygiënisch, maar John had niet zoveel op met het idee om overdag steeds de trap op en af te moeten. O, en Alice zegt dat ze niet naar de begrafenis kan komen. Een van de jongetjes schijnt kinkhoest te hebben. Och *hemeltje...*'

'Gelukkig, dat is achter de rug,' zei Henry, toen ze na de dienst naar huis reden. 'Ik was vergeten wat een vreselijke drukte Mam altijd overal over maakt.'

'Ssjj,' siste Rose met een blik naar de achterbank waar Davey ingezakt uit het raampje lag te staren. Het verlies van zijn grootvader was heel hard bij hem aangekomen. John had altijd zeer veel belangstelling voor de jongen getoond, net zoals hij dat bij haar had gedaan toen ze klein was. Hij had hem verhaaltjes verteld, fantasiespelletjes met hem gedaan, hem als een zelfstandige persoon bejegend en niet, zoals Henry deed, als een verlenging van hemzelf. En dit was de eerste keer dat haar zoon direct met de dood werd geconfronteerd.

'Mam?' zei hij.

'Mm?'

Zijn ogen vulden zich met tranen. 'Denkt u dat opa John nu vliegt?'

Rose slikte een brok in haar keel weg. 'Ja, dat weet ik wel zeker,' zei ze, 'helemaal omhoog naar de hemel.'

Toen ze haar blik omlaag liet glijden, zag ze het boek op zijn schoot. *Terre des Hommes*, stond er op de omslag, door *Antoine de St. Exupéry*.

Henry vergrootte zijn inspanningen bij het onderrichten van zijn zoon in de kennis van de landbouw: het roteren van gewassen, de beste tijd om te ploegen, de nieuwste ideeën over de bestrijding van ongedierte, onkruid, schimmels.

'Je *moet* hem wat ruimte geven,' zei Rose telkens weer, omdat ze zag dat Davey steeds weerspanniger werd. 'En je moet hem behoorlijk betalen. Hij doet het werk van een volwassene,' maar Henry bleef, voortgedreven door een of andere dwingende kracht die hijzelf niet eens begreep, de jongen steeds zwaarder belasten, tot Davey begon te muiten en Rose niet wist hoe ze de vrede nog moest bewaren.

46

In juni 1963 werd Hannah vijftien, oud genoeg om op zichzelf te passen, maar het wekelijkse bezoek aan oom Walter was een vast onderdeel van haar bestaan geworden. Nu trok ze er de meeste dagen op uit om studies te tekenen van Marsh End, Bailey's Pond, Marsh Hill Spinney. Zuster Beatitude zei dat haar werk zo goed was dat het best eens de moeite waard kon zijn om er een uitgever voor te zoeken.

In Reubens ogen was zijn dochter volmaakt, in die van Walter kon ze geen kwaad doen, en Davey was een en al bewondering voor de manier waarop ze de volwassenen wijs kon maken dat ze uren had gewerkt aan schetsen die ze in enkele minuten op papier had gezet.

Walter wist natuurlijk wel wat ze uitvoerden; al heel lang nu. De eerste keer dat hij in Marsh Hill Spinney op hen was gestuit, was hij woedend geweest. Hij had gedreigd het aan Daveys moeder te vertellen, of aan Reuben, of aan allebei, totdat Davey zei dat zijn vader hem zou vermoorden als hij erachter kwam en Hannah met die grote bruine ogen van haar naar hem opkeek en op verdrietige toon zei: 'Maar oom Walter, als u het aan Poppa vertelt, zal ik hier niet meer mogen komen,' waarna hij er met tegenzin in had toegestemd om zijn mond te houden – wat kon het per slot van rekening voor kwaad, zolang ze maar van Waterslain weg bleven? De enige benadeelde was trouwens Henry Catherwood...

325

Het open grasveldje in het bos was nu hun eigen plekje. Door de jaren heen hadden ze er hun eigen stempel op gedrukt. Davey had een oud dekzeil tussen de bomen gespannen en Hannah had een deken meegepikt om over de hobbelige bodem uit te spreiden. Het was heet in deze tijd van het jaar, slaapverwekkend heet, en ze lagen op hun rug naar de wolken te kijken en plannen te maken voor hun toekomst. Het gretig uitkijken naar elke ontmoeting, de obstakels die ze moesten overwinnen, het feit dat ze elkaar niet zo vaak konden zien, al die dingen voedden hun gevoelens voor elkaar. Ze waren verliefd, of dachten dat tenminste.

Hannah wilde zes kinderen, Davey zei dat twee meer dan genoeg waren, maar over één ding waren ze het eens: voordat ze aan een geregeld leven begonnen, gingen ze eerst reizen. Davey zou in november met school op skireis naar Oostenrijk gaan. Dat vooruitzicht had zijn verlangen gewekt naar méér, en hij was van plan meteen na de middelbare school een bezoek aan Canada te brengen. Hij had daar een tante en een oom, vertelde hij Hannah, en die hadden vier kinderen die hij zelfs nog nooit gezien had. 'Als we jou een paspoort kunnen bezorgen kun je ook mee...'

Door de jaren heen hadden ze een hele serie geheime signalen ontwikkeld: als Lala voor het raam van Hannahs slaapkamer stond, betekende dat *ik ben onderweg naar Marsh End*, een stukje blauwe stof halverwege het laantje vastgebonden aan de heg, wilde zeggen *ik ben in mijn eentje op East Meadow aan het werk, kom naar onze plek*. Hannah ging dagelijks rond melktijd een wandelingetje over Long Tye te maken; ook al zag ze Davey dan alleen maar uit de verte, dat was toch beter dan niets.

Toen de oogst op zijn einde liep en de herfst zich aandiende, maakten ze een hut in het hooi op Walters hooizolder. Daar bespraken ze waar ze na hun trouwen zouden gaan wonen. Davey werkte nu al bijna zes jaar op de boerderij, 's winters en 's zomers, vóór en na school, in het weekend, terwijl zijn leeftijdgenoten naar de film gingen, naar danszalen, cafés, bowlingbanen. Het was hem aan te zien; hij was goedgebouwd, met stevige ledematen, brede schouders en handen als kolenschoppen. Zijn vader had zijn loon tot dit jaar laag gehouden, want, zei die, hoe zou Davey anders de waarde van geld leren kennen? Maar hij mocht al wel met de tractor werken, en Henry had hem zelfs aangemoedigd om in Rose' auto te oefenen, op en neer hobbelend door het laantje en in drie keer kerend op het erf.

Maar hij en Hannah bleven onschuldige kinderen. Ze hielden elkaars hand vast, beroerden elkaars lippen met gretige kussen en weken dan met stokkende adem uiteen, bang voor de door hun lichaam gierende hormonen: Romeo en Julia in spijkerbroek en T-shirt.

De wereld buiten hun geheime enclave veranderde: in Market Needing was een lunchroom gekomen en een nieuwe damesmodezaak vol korte rokjes en piepkleine topjes. Op zaterdagavond maten de Mods en de Rockers hun krachten op Bridge Street, beneveld door drank.

Maar Hannah had geen belangstelling. Zij had haar eigen Rocker.

47

~~~~~◦◦◦~~~~~

*H*annah hield de klok boven Zuster Beatitude scherp in het oog, de minuten tellend tot de bel zou gaan. Het was het laatste lesuur van de dag en na school zou ze Davey op Long Tye ontmoeten. Het risico om samen gezien te worden, namen ze op de koop toe; het was vandaag 19 november, de dag dat hij van zijn allereerste skivakantie terugkwam.

Sinds de zomer was haar klas idolaat van de Beatles en zoals meestal voelde ze zich de buitenstaander. Haar klasgenootjes kibbelden er eindeloos over of Paul nu het meest sexy was of John. Zij vond Georges broeierige blik en knappe uiterlijk best leuk, en de verlegenheid die hij uitstraalde. Maar aangezien ze thuis geen radio of televisie had, begreep ze al die drukte niet en zelfs George Harrison was geen partij voor haar eigen vriendje van vlees en bloed.

Zoals gewoonlijk hadden zij en Lizzie Partridge het weer eens met elkaar aan de stok. Poppa was de vorige week op Our Lady's geweest om een van de oude banken in de kapel te repareren, en Lizzie had kattig opgemerkt dat hij alleen maar bij Our Lady's werkte om korting op het schoolgeld te krijgen. Hannah *wist* dat dat niet waar was, omdat ze Poppa iedere betaling voor het werk had horen weigeren. Toen ze Lizzie erop betrapte dat ze onder de klep van haar bank naar Paul McCartney gluurde, zei ze op sarcastische toon: 'Jij zit alleen maar zo naar de Beatles te kwijlen, omdat je geen echt vriendje kunt krijgen.'

'O nee?' siste Lizzie. 'En jij zeker wel, Hannah – LeeLeck!'

'Inderdaad, ja, bijdehandje,' siste Hannah terug. 'Nou jij weer.'

'Jij?' hoonde Lizzie. 'Een vriendje? Maak dat de kat wijs!' En voordat Hannah het wist was het haar ontglipt.

'Het is toch echt zo!'

'O ja? En wie is dat dan wel?'

'Davey Catherwood.'

'Wat, van Holly Farm?' Tot Hannahs innige voldoening zat Lizzie haar plotseling met open mond aan te gapen. Alleen al de uitdrukking op het gezicht van haar aartsvijandin was het verklappen van haar grootste geheim meer dan waard.

Toen ze Bridge Street in liep, was het onheilspellend donker; zwarte wolken dreven vanuit het westen binnen en gerommel in de verte kondigde een naderende onweersbui aan. Niet dat het Hannah wat kon schelen. Om Davey te zien, had ze het er graag voor over om nat te worden. Ze waren elkaar dit jaar nog nader gekomen, hun kussen waren heftiger geworden, hun emoties intenser dan ooit tevoren.

Die ochtend had er een briefje van Davey op de gebruikelijke plek gelegen: *Moet je spreken, kom na school hierheen.* Het was riskant elkaar in het openbaar te treffen, maar Hannah maalde er niet om. De afgelopen twee weken had ze hem smartelijk gemist, en de aardigheid van het verstoppertje spelen begon te verflauwen. Toen ze de hoek omsloeg, zag ze hem al staan wachten en begon te rennen.

Davey had ruzie met zijn vader. 'Hij is gewoon bezeten,' had hij vlak voor zijn vertrek nog geklaagd, 'hij zal pas tevreden zijn, als ik me helemaal met hart en ziel voor de boerderij inzet,' en Hannah had hem nog nooit zo zien verlangen om van huis weg te kunnen.

'Ik kon echt niet wachten,' luidde nu zijn begroeting, 'ik *moest* het je meteen vertellen!'

'Mam zei dat ik ze maar eens moest schrijven,' legde hij uit, zwaaiend met een brief van zijn tante, 'en vragen of ze me volgende zomer kunnen ontvangen. Moet je horen! *We zullen je heel graag te logeren hebben! Zou aanstaande kerst te vlug zijn? Je moet minstens een maand blijven, anders heeft het geen zin.* Wacht, wacht, het wordt nog leuker! *We gaan natuurlijk skiën, en als je belangstelling hebt, zullen we zien of we een tochtje in een watervliegtuig kunnen regelen...* belangstelling!'

Hij was buiten adem van opwinding. 'Weet je nog, dat boek waar ik je van vertelde? Dat boek van Opa: *Terre des Hommes.* Nou, dat ging dus over vliegen. Op de terugweg uit Oostenrijk heb ik gevraagd of ik de cockpit mocht zien, en toen mocht ik voor de landing op de jumpseat zitten. Het was ongelooflijk: sneeuw op de Alpen, onder ons overal kleine Franse akkertjes, net een reusachtige lappendeken. Ik weet het nou, Han. *Dat* wil ik gaan doen.'

'Maar zal je vader dan niet ontzettend teleurgesteld zijn?' vroeg Hannah.

'Kan me niet schelen.' Davey schudde zijn hoofd. 'Ik heb echt enorm mijn best gedaan, maar het werkt niet.' Hij staarde langs de heuvel omhoog naar Holly Farm. 'Stel je voor dat je begin juli op een akker staat,' begon hij, 'wat zie je dan?'

'Ik weet niet: rijp koren, klaprozen, korenbloemen, trillende hete lucht...'

'Pap ziet dan één korenaar om tussen zijn handpalmen stuk te wrijven, aan te ruiken, te bekijken op rijpheid en kwaliteit. Wat doe jij wanneer je aarde op je handen krijgt?'

'Afvegen,' zei Hannah bevreemd.

'Wanneer Pap een handje aarde oppakt, stelt hij er wel tien vragen over: zit er leven in de aarde, kan ze een goeie oogst opleveren of is ze vermoeid, moet ze extra voeding hebben, is ze alkalisch, zuur, moet er wat kalk bij, of stikstof? Wanneer jij naar de hemel kijkt zie je grijs of blauw, een zonnige dag of een saaie. Op sommige dagen kijkt Pap nijdig wanneer hij vanuit het keukenraam een blauwe hemel ziet. Hij wil geen blauwe hemel maar regen, omdat hij die *nodig* heeft. Ik bewonder hem omdat hij zo bij het land betrokken is, meer dan wie ook die ik ken, maar ik wil niet ook zo worden. Als hij dat niet kan accepteren, zullen we het nooit ergens over eens worden.'

De koeien liepen langzaam de akker over; elk ogenblik zou George, die aan het eind van het jaar met pensioen zou gaan, kunnen verschijnen om ze binnen te halen. 'Ik zal vanavond met Pap praten,' beloofde Davey, zich al afwendend, 'kijken of ik hem kan overhalen me naar Canada te laten gaan.' Hij bleef staan, draaide zich nog eens om. 'Han...?'

'Mm?'

'Laten we het ze binnenkort maar vertellen, over ons bedoel ik. Ik ben dat stiekeme gedoe zat.'

Ze knikte, liep dan langzaam verder over het jaagpad, zich afvragend hoe ze Kerstmis door moest komen zonder hem. Ze deed haar best hem niet kwalijk te nemen dat hij enthousiast was voor een plan waardoor ze een hele maand van elkaar gescheiden zouden zijn.

Voordat ze honderd meter had gelopen, begon het te regenen. Tegen de tijd dat ze Waterslain bereikte, was ze nat tot op haar huid. Toen Poppa haar goedmoedig berispte dat ze onderweg geteut had, bitste ze terug: 'Als we een behoorlijke badkamer hadden zoals iedereen, zou ik nou in bad kunnen gaan! Ik heb er meer dan genoeg van in een krot te wonen. We hebben niet eens een radio, terwijl iedereen televisie heeft!' Ze stormde naar boven om iets droogs aan te trekken en zich daarna op haar bed neer te gooien en boze dingen te denken over Davey die zonder haar naar Canada ging. Na het eten stampte Hannah mokkend de trap op naar haar slaapkamer om daar aan haar tafeltje te gaan zitten luisteren naar het kletteren van de regen tegen het raam. Ze dacht terug aan de uitdrukking op Poppa's gezicht, toen ze tegen hem schreeuwde, zodat ze zich nog ellendiger ging voelen...

Het onweer was overgewaaid en de maan stond hoog aan de hemel, toen ze net na elven naar beneden sloop en hem ging zoeken om haar verontschuldigingen te maken.

Ze wist precies waar hij zou zijn: toen ze pas op Waterslain was, ging ze soms stilletjes naar beneden en vond dan de deur naar het erf wijdopen. Verontrust door Poppa's afwezigheid ging ze dan op haar blote voetjes naar buiten en zag zijn scheve gestalte ronddwalen over de weide of langzaam voortkuieren langs de rivier. Alleen zijn aanblik was al genoeg om haar te kalmeren. Hij ging nooit ver weg, hompelde alleen maar wat heen en weer in de maneschijn of stond aan de oever met zijn gezicht in de wind alsof hij probeerde een of ander geluid op te vangen.

Hij was al onderweg naar de rivier, maar bleef staan toen hij haar hoorde. Ze hoefde niets te zeggen. Toen ze haar arm door de zijne liet glijden, drukte hij die even zacht en ze wist dat hij haar had vergeven. 'We zullen iets aan dit oude krot doen,' zei hij, 'als je dat graag wilt. We zullen het keurig in orde maken. Ik heb er het geld voor.'

'Nee Poppa,' zei ze, 'het doet er niet toe. Ik heb gewoon een vervelende dag gehad, da's alles.'

Ze gaf hem een kus op zijn wang en zei welterusten, bleef hem toen over het muurtje rond de hof leunend nakijken, terwijl hij de heuvel af hinkte. Na de regenval stond de rivier hoog en dunne zilveren draadjes liepen hier en daar het gras al in, maar ze maakte zich geen zorgen. Poppa had door de jaren heen geleerd tot op de centimeter te schatten hoe hoog het water zou komen te staan. Ze wist dat hij op tijd om zou keren.

Ze bleef naar hem kijken tot hij omkeek en haar een kus toeblies. Daarna liet ze hem aan zijn omzwervingen over en ging naar bed.

48

Na afloop van de vergadering van de huisvrouwenvereniging nam Rose in gedachten steeds weer het gesprekje door dat ze zojuist met Bibby Roberts had gehad.

'Zo,' had Bibby haar bij de deur aangeschoten, 'wat hoor ik daar over jouw Davey. Heeft hij verkering met Gyppo Parfitts dochter?'

'Wat?' had Rose gezegd. 'Waar heb je dat in hemelsnaam vandaan?'

'Van Jessie Partridge,' had Bibby gezegd; en Rose had om het idee gelachen.

'Hoe zou Jessie Partridge nou weten met wie mijn zoon omgaat? Ze woont niet eens in het dorp!'

'Nee,' had Bibby gezegd, 'maar Jessies dochter gaat *wel* naar dezelfde school als Hannah. Jessie beweert dat het kind patsboem tegen Lizzie heeft gezegd dat Davey d'r vriendje was!'

'Nou, je kunt Jessie van mij vertellen,' had Rose teruggebitst, 'dat Lizzie het bij het verkeerde eind heeft. Ik denk zo dat ik mijn zoon wel beter ken dan zij!' Maar nu ze in de Morris het laantje door hotste en botste, begon ze zich af te vragen of het toch niet wáár kon zijn?

Zodra ze de keuken binnenliep, wist ze dat er iets niet in orde was. Davey hing met zijn ellebogen onder zijn kin aan tafel en Henry was nergens te bekennen. 'Waar is Pap?' vroeg ze.

'In de zitkamer, de laatste keer dat ik hem zag,' zei Davey. 'Ik heb hem verteld dat ik naar Canada ga.'

333

'Canada?' Canada was het laatste waar Rose mee bezig was.

'Die brief die ik vanmorgen van tante Alice heb gekregen. Ik heb 'm nog aan u laten *zien*!'

'O ja... Davey, waarom zou Lizzie Partridge beweren dat jij verkering hebt met Hannah Leck?'

'Wat?'

'Naar het schijnt heeft Lizzie dat tegen haar moeder gezegd.'

Hij keek haar nijdig aan. 'En wat dan nog?'

'Davey, dat is niet grappig...'

Hij haalde bokkig zijn schouders op. 'Heb ik ook niet gezegd. We gingen het jullie trouwens toch binnenkort vertellen. Hannah en ik houden van elkaar.'

'Hoe kan dat nou?' protesteerde Rose. 'Jullie kennen elkaar niet eens!'

Weer een boze blik van Davey. 'O jawel, nou en of. We zijn al ik weet niet hoelang bevriend, al *eeuwen*.'

'Dat kan niet! Je bent van je hele leven nooit op Waterslain geweest!' Hoe kon dit nu gebeuren? Ze had er altijd zo op *gelet*...

Hij wipte met opzet achterover met zijn stoel, wetend hoezeer haar dat irriteerde. 'Wie zegt dat we elkaar daar hebben ontmoet?'

Opeens kwam er een beeld bij haar op van Davey die er met zijn lap zeildoek vandoor ging, ergens een geheime schuilplaats maakte. 'Waar dan?' vroeg ze zwakjes.

'Op Marsh End. Weet je nog, die dag dat Pap me mee uit jagen nam, de eerste keer dat hij me er in mijn eentje op uit liet gaan?'

Rose staarde hem aan; dit kon toch niet waar zijn? 'Maar dat is *jaren* geleden. Je kunt toen niet ouder dan elf zijn geweest...'

'Tien.'

'Ik snap het niet.' Rose was de draad kwijt. 'Waarom heeft Walter niks tegen me gezegd?'

'Omdat we hem vroegen het niet te doen. Mam, wil je *alsjeblieft* met Pap praten? Hij wil niet dat ik naar Canada ga. Ik heb Hannah al beloofd dat zij ook mee kan. We willen trouwen. Nu nog niet natuurlijk, ik weet best dat we nog te jong zijn, maar over een paar jaar. Per slot van rekening was u ook nog maar zeventien.'

'Hou op!' Rose drukte haar handen tegen haar oren. 'O Davey, Davey, wat heb je gedaan?'

'Wat is er?' vroeg hij geschrokken. 'U ziet zo wit als een doek.'

'Je hebt toch niet...' stamelde ze, 'ik bedoel, je hebt toch niet...'

'Wat niet?'

'Je weet wel – met haar *geslapen*?'

Daveys wangen kleurden rood van woede. 'Na*tuur*lijk niet – niet dat het u wat aangaat.'

'Na*tuur*lijk gaat het me wel aan,' riep Rose uit, 'je bent nog maar net zestien, en Hannah kan niet ouder zijn dan vijftien.' Ze moest Reuben spreken, dacht ze wild, vanavond, morgen, zo gauw mogelijk. Ze moest er hier en nu meteen een eind aan maken, voordat het te laat was. 'Weet je vader hiervan?'

'Nog niet. Mam, wat Canada betreft... weet je wat Pap zei? Hij zei waarom ik goddomme...'

'Davey!'

'Hij vroeg waarom ik naar Canada wilde. Toen ik zei dat ik het zat was om als een slaaf te worden behandeld, snapte hij niet waar ik het over had. En toen ik hem vertelde dat ik geen boer wilde worden, staarde hij me aan alsof ik gek was en zei: "Natuurlijk wil jij boer worden," alsof ik niet voor mezelf kon beslissen. Toen ik zei dat ik dat dus goddorie, nou ja, niet *wilde*, wou hij me een dreun verkopen. Dus ben ik er maar vandoor gegaan.'

Rose ging met een plof zitten. 'Davey, ik meen dit heel ernstig. Je moet Hannah Leck niet meer zien.'

'Waarom?'

'Omdat...'

'Omdat wat? Omdat Pap een akelige snob is die zich boven iedereen verheven voelt? Alleen omdat hij een rottig klein boerderijtje heeft in dit rottige kleine Suffolk? Nee. Doe ik niet.'

'Davey!'

'Jullie weten niets van haar. Heeft u ooit met haar gepraat? Heeft u haar zelfs ooit *gezien*? Ze is mooi en slim en getalenteerd. Ze heeft meer talent dan wie ook die ik ken.' Hij boog zich over de tafel naar haar toe, fel zoals alleen maar een verliefde jongeman kan zijn.

'Heus waar Mam, als u haar nou maar een kans zou willen geven, zou u haar echt leuk vinden, ik weet het *zeker*.'

'Davey,' betoogde Rose, 'dit heeft niets met Hannah te maken.'

'U bedoelt dat Pap het nooit goed zou vinden? Nou, het interesseert me geen moer wat Pap zegt. Als hij me probeert te beletten haar te zien, ga ik het huis uit, en ik neem haar mee. Dan lopen we samen weg, we gaan naar Gretna Green, dan...'

'Dat mag je niet doen.'

'Waarom niet? Probeer ons maar eens tegen te houden!' Nu stond hij te schreeuwen, en Rose moest ook schreeuwen om zich verstaanbaar te maken.

'*Omdat ze je zusje is!*'

De stilte die hierop volgde was verschrikkelijk: wat erna kwam nog erger. 'U *liegt!*' brulde Davey. 'Dat is een vuile *leugen!*'

'Nee.'

'Gyppo Parfitt?' Met furieuze blik: 'Dat kan niet! U verzint dit alleen maar om te zorgen dat ik Hannah niet meer zie. U bent jaloers!' Hij stikte bijna van woede. 'Dat jullie nou een puinhoop van jullie huwelijk hebben gemaakt, geeft u nog niet het recht om *mijn* leven ook te verpesten!' En daarmee stormde hij de keuken uit, de deur achter zich dichtsmijtend.

Tegen de tijd dat zij ook de keuken verliet was het na elven. In elk geval was Davey, aangezien Henry niet was verschenen om verhaal te halen, niet meteen naar hem weggerend om hem haar vreselijke geheim over te brieven. Bij het passeren van de zitkamer gluurde ze met ingehouden adem door de openstaande deur naar binnen. Henry lag in diepe slaap te snurken in de gemakkelijke stoel, met een vrijwel lege whiskyfles naast zich op de grond.

Met een zucht van opluchting sloot ze de deur en liep naar boven.

'Wat wilt u?' snauwde Davey, toen ze aanklopte. Hij zat nog steeds volledig gekleed met gekruiste benen op bed.

'Ik kom je vragen...' begon ze. In het vale licht leek zijn gezicht smaller, ouder. Opeens aan Reuben denkend, had Rose moeite de woorden te vinden.

'Wat vragen?'

'Je vader mag nooit weten wat ik daarstraks tegen je heb gezegd.'

'Waarom niet? Bang dat hij het u betaald zal zetten?' vroeg Davey. 'Stel je toch eens voor. Al die jaren heeft hij geprobeerd me naar zijn beeld te vormen en nou blijk ik niet eens de zoon van de grote Henry Catherwood te zijn, maar de bastaard van een halfgare mankepoot!'

Rose draaide haar gezicht bij de belediging weg alsof ze een klap had gekregen. 'Alsjeblieft, Davey, het zou zijn dood zijn!'

'Mooi zo.' Hij keerde haar zijn rug toe. 'Gaat u nou maar weg. Ik ben bezig mijn toekomst uit te stippelen.'

'Davey, *beloof* me nou...'

Hij wendde zich met een snauw weer naar haar toe. 'Ja *goed!*'

'Dank je. We praten morgen wel verder.'

'Ja,' zei Davey, 'morgen, gaat u nou *weg!*'

Toen ze langs de op een na beste slaapkamer kwam, stapte ze naar binnen, aangetrokken door het binnenvallend maanlicht. Ze liep de kamer door naar de brede vensterbank en trok het zware gordijn om zich heen alsof ze weer een klein meisje was dat zich voor de wereld wilde verstoppen. Het regende niet meer en de hemel was met sterren bespikkeld. Boven de daken op het erf kon ze net een dun spiraaltje rook uit de schoorsteen van Waterslain zien opstijgen. Ze hoorde de veren van Daveys bed kraken, terwijl hij zich voor de nacht installeerde. Ik blijf hier maar even zitten, dacht ze, tot ik wat rustiger ben. Ze legde haar hoofd achterover, sloot haar ogen. Er moest een manier zijn om hier uit te komen. Morgen zou ze met Reuben praten. Hij zou wel weten wat te doen...

Ze werd met een stijve nek wakker. Op haar horloge zag ze dat het bijna twee uur was. Ze moest even bij Davey gaan kijken, dacht ze suffig, maar toen ze zich de overloop op waagde bleek zijn kamer leeg. Het beddengoed was verfrommeld, maar het bed was niet beslapen en de deur stond wijdopen. Ze sjokte de trap af, maar de zitkamer was ook leeg. Ze doorzocht het huis zonder succes, repte zich naar buiten, maar Davey en Henry waren nergens te vinden.

Haar nervositeit, opgeroepen door een onnozel roddelpraatje bij de huisvrouwenvergadering, sloeg om in angst. Ze haastte zich opnieuw het erf op, riep hun namen. Als ze niet op Holly Farm waren, *waar waren ze dan?* Ze stond zich net in haar jas te wurmen om hen te gaan zoeken, toen ze in de deur verschenen.

Ze wist ogenblikkelijk dat er iets heel ergs was gebeurd. Ze waren allebei doornat en van hoofd tot voeten bedekt met modder. Daveys tanden klapperden en Henry keek zoals in die dagen vlak na zijn terugkeer uit de oorlog, toen ze soms had gedacht dat hij haar wat aan zou doen, of haar zelfs vermoorden.

'Henry,' fluisterde ze, 'waar zijn jullie geweest?'

'Waterslain.' Hij wilde, kon?, haar niet aankijken.

'Lieve god, wat heb je gedaan?' Ze wilde zich langs hem heen wringen, maar hij stak zijn arm uit en versperde haar de weg.

'Kies,' zei hij, en ze wist dat het ergste was gebeurd. Ze keerde zich om naar Davey. Hij zag asgrauw en beefde alsof hij de koude koorts had. Tranen stroomden over zijn wangen. 'Kies,' herhaalde Henry, 'je minnaar of je kind.' Daarop draaide hij zich om en dook de duisternis weer in.

Ze strekte haar hand naar Davey uit, schoof haar arm door de zijne. 'Kom in de keuken, lieverd,' zei ze, 'dan zullen we je uit die natte kleren zien te krijgen.'

Ze maakte thee, heet en zoet, en bleef bij hem staan, terwijl hij ervan dronk. Ze haalde handdoeken, stroopte zijn doorweekte kleren van hem af alsof hij weer een klein jongetje was. Ze kreeg hem in bed, met moeite, omdat zijn benen zo hevig trilden. Ze stelde geen vragen, verlangde geen uitleg, maar al die tijd krijste het onhoorbaar in haar: *Wat doet Henry Reuben aan?*

Pas toen ze zeker wist dat hij sliep, even na zessen, liep ze weer naar beneden. Ze stond al in haar jas naar haar autosleutels te zoeken, toen Walter bij de achterdeur verscheen.

'Walter?' riep ze naar hem, 'Walter, wat...?'

Hij nam zijn pet af, Walter nam *nooit* zijn pet af, draaide die rond in zijn handen, schraapte zijn keel. 'Het gaot om Reuben,' zei hij. 'Hij wor' vermist.'

338

49

---

*D*oodmoe viel Hannah bijna dadelijk in slaap, schrok toen weer wakker, iets over tweeën was het volgens haar horloge. Ze schuifelde naar het raam, zich afvragend wat haar gewekt had.

Haar ogen hielden haar bij herhaling voor de gek. Ze dacht een schimmige figuur over Bottom Twenty te zien rennen, maar toen ze aandachtiger toekeek, verdween die. En terwijl ze er nog verbaasd over na stond te denken, was hij er weer... of was dat een andere die achter de eerste aan zat? Ze knipperde met haar ogen en besefte toen dat ze alleen maar naar de schaduw van een overvliegende uil keek. Verward stommelde ze naar haar bed terug, om kort na drie uur opnieuw wakker te worden, in de overtuiging dat ze Poppa had horen roepen.

Deze keer klaarwakker griste ze haar ochtendjas mee en liep naar de trap. Poppa zou wel weten of er iets aan de hand was. Maar toen ze de nette kamer bereikte, stond de buitendeur nog steeds wijdopen, en hij was nergens te zien. Hij was ook niet op de hof en toen ze zich over het muurtje boog, zag ze dat het grasland een glinsterend meer was geworden waar een koppel zwanen op ronddreef alsof dat meer er altijd was geweest.

Ze riep tot ze hees was, maar niemand gaf antwoord. Ze dook het huis weer binnen, rende de trap op, schoot in wat kleren, denderde de trap weer af. Ze grabbelde in het dressoir naar de zaklantaarn en haastte zich weer naar buiten.

Geen paniek, hield ze zichzelf voor, hij zal ergens naar het water zitten te kijken; hij zal de tijd zijn vergeten en over het jaagpad naar Market Needing zijn afgedwaald en heeft niet meer terug kunnen komen vanwege het water; hij loopt nu waarschijnlijk via de lange route naar huis...

Maar als hij nou eens is gevallen? Stel dat hij ergens ligt en niet op kan staan? Stel dat hij met zijn hoofd ergens op is geslagen, bewusteloos is geraakt? Doe niet zo idioot, veegde ze zichzelf de mantel uit, hij zal wel in de schuur in slaap zijn gevallen (*alsof hij zoiets zou doen*).

Ze stoof de schuur binnen en scheen met de zaklantaarn in alle hoeken en gaten. Ze rende terug naar het huis voor haar waterlaarzen en waadde het grasland op, om pas terug te gaan toen het stijgend water haar laarzen vol deed lopen en de zwanen begonnen te sissen en met hun vleugels te slaan. Al die tijd bleef haar door het hoofd spoken: waardoor was ze nu wakker geworden? Niet één maar twee keer. Wie had ze over Bottom Twenty zien rennen?

Tegen de tijd dat ze neerzakte in de leunstoel in de keuken, werd de hemel al lichter. Toen ze wakker werd, was het klaarlichte dag. Enkele zalige seconden dacht ze dat ze het allemaal gedroomd moest hebben, totdat ze opmerkte hoe koud het in het vertrek was. Dat betekende dat de kachel uit moest zijn gegaan, terwijl ze sliep.

Nu *wist* ze dat er iets niet pluis was, omdat Poppa het vuur altijd zo fanatiek brandend hield. Hij had het maar één keer uit laten gaan, vertelde hij haar steeds, en toen was er iemand doodgegaan door zijn onzorgvuldigheid...

Oom Walter, dacht ze, oom Walter zou weten wat ze doen moest. Ze ging door het laantje op weg, vechtend tegen de toenemende kille angst die haar ademhaling belemmerde en haar het gevoel gaf dat haar benen van gelei waren.

'Waor hebbie 'm 't laotst gezien?' vroeg Walter, toen ze hijgend en over haar toeren op Marsh End arriveerde.

'Op de weide.'

'Hoe laat?'

'Geen idee, weet ik niet meer, laat, na elven.'

'Wat deed-ie daor?'

'Niks, hij liep gewoon wat rond, zoals hij altijd doet.'

'Hebbie niks gezien waor we wat aon zouwe hebbe?'

'Nee,' zei Hannah, 'ja... ik weet niet, ik dacht dat ik iemand op Bottom Twenty zag...'

'Wie dan? Ken hij dâ nie gewees zijn?'

'Nee,' zei ze, 'hij, zij... liepen te rennen.' Ze begon al aan zichzelf te twijfelen. 'Of misschien wat het een uil... Oom Walter, wat kan er toch met hem gebeurd zijn?'

Hij maakte een kop thee voor haar, beval: 'Jij blief hier, hoor je? Je zet geen stap tot 'k weerom bin!' Hij schoot in zijn oude tweed overjas en beende de ochtendstond in. Het was bijna half zeven toen hij weer opdook: één blik op zijn gezicht volstond om haar te laten weten dat hij geen goed nieuws had, en toen hij absoluut met haar mee naar huis wilde lopen, nam haar angst nog toe.

Voor het huis stond een auto geparkeerd, dezelfde waarin ze Davey in het laantje heen en weer had zien rijden, en toen ze de keuken binnenliep, stond Daveys moeder bij het fornuis. Oom Walter had haar zeker gevraagd te komen, vermoedde Hannah, want ze was nooit eerder op Waterslain geweest – althans niet wanneer Hannah er was – ook al was ze Poppa's huisbazin. Ze zag er nog vermoeider uit dan Hannah zich voelde, alsof ze de hele nacht niet geslapen had. Maar Hannah was dankbaar voor haar nabuurzorg: ze had het vuur aangemaakt en het was weer warm in de keuken.

'Je ziet er doodmoe uit,' zei Rose, 'ga gauw zitten, terwijl ik wat pap voor je maak.'

Ze liep zo bedrijvig rond alsof ze haar hele leven op Waterslain had gewoond (hetgeen naar nu tot Hannah doordrong waarschijnlijk ook het geval was, aangezien haar naam in de vensterbank boven gekrast stond), noemde haar een flinke meid toen ze haar pap helemaal had opgegeten, en stuurde haar naar bed met de belofte: 'Zodra je vader terug is, maak ik je wakker.'

Het was een ongelooflijke opluchting iemand in huis te hebben die de touwtjes in handen nam. Na een tijdje viel Hannah in slaap en droomde dat ze op een woest, eenzaam strand stond en Davey weg zag drijven naar zee. Ze riep hem toe om terug te komen, om haar mee te nemen, maar hij werd alleen maar steeds verder van haar weggevoerd, totdat hij nog maar een stipje aan de horizon was. En opeens dreef Poppa in het water voorbij, helemaal bleek en verdronken, en zij stond te huilen omdat ze hen allebei had verloren...

Ze werd wakker door het geluid van tegen het raam spattend grint. Met haar knokkels in haar ogen wrijvend liep ze de kamer door en tuurde omlaag, om Davey als een wilde vanuit de hof naar haar te zien gebaren.

'Ga weg,' gebaarde ze door het glas tegen hem, 'je moeder is beneden.' Wat een onnozele mededeling was, aangezien haar auto een halve meter achter hem stond.

'*Alsjeblieft*,' mimede hij terug, 'ik *moet* met je praten.'

'Goed dan,' gaf ze met tegenzin toe, 'zie je over vijf minuten op Long Tye.'

Rose schrok zichtbaar toen ze de keuken binnenkwam, en Walters hoofd schoot omhoog alsof hij had zitten dutten.

'Is hij al thuis?' vroeg Hannah gespannen.

'Nog niet,' zei Rose. 'Wil je thee?'

'Nee,' zei Hannah. 'Hij komt eraan, vast en zeker, dus ik denk dat ik hem maar alvast tegemoet ga.'

'Ik geloof dâ je dat beter niet doen ken...' begon Walter, maar Rose fronste alleen maar naar hem en zei: 'Zal ik met je meegaan?'

'Nee!' zei Hannah, 'ik bedoel... ik ga liever alleen, dank u wel.'

'Arm kind,' hoorde ze Rose zeggen, toen ze de deur achter zich dichttrok, 'wat moeten we als...?'

Davey wachtte haar al op, heen en weer lopend onder de wilg.

'Het kan niet anders,' had Pap tegen hem gezegd, toen hij had ontdekt dat Mam weg was, 'we kunnen niet gewoon maar doorgaan alsof er niks gebeurd is.' Zijn kille onverzettelijkheid was nog angstaanjagender dan de razende woede van afgelopen nacht, en Davey was het vertrek uitgerend en daarna rechtstreeks naar Long Tye, in het wanhopig verlangen Hannah te zien.

Hij hield zichzelf steeds maar voor dat alles in orde was. 'Niks aan de hand, zoon,' had Pap afgelopen nacht gezegd, toen hij hem op Middle Twelve inhaalde, 'hij is in veiligheid,' dus *moest* hij hem gered hebben, waar of niet?

Overal stonden plassen water en het jaagpad was verraderlijk glad. Toen hij Hannah aan zag komen, werd hij overspoeld door verdriet, verwarring, tederheid.

'Wat nou?' vroeg ze toen ze bij hem was. 'Wat is er voor dringends?'

'Heeft je vader je niks verteld?'

'Me wat verteld?'

Daveys ingewanden krampten afschuwelijk samen. 'Niks. Is hij thuis?'

'Nee. Hij wordt vermist, en we kunnen maar even praten, want ik ga hem net zoeken. Hij wandelt altijd graag langs de rivier en we denken dat hij ergens gestrand is door de overstroming.' Haar gezicht lichtte plotseling hoopvol op en ze greep hem bij zijn mouw. 'Je hebt hem toch niet toevallig ergens gezien, hè?'

Davey voelde zich misselijk worden. 'Nee... ik bedoel ja... ik bedoel... o *god*, Han, het is allemaal mijn schuld!'

'Wat bedoel je? Wat is allemaal jouw schuld?'

Hij liet zich langs de boom omlaag zakken tot hij op zijn hurken op de natte bodem zat en liet zijn hoofd achterovervallen tegen de ruwe bast. Hij kon het water door zijn spijkerbroek voelen dringen, ijskoud, net als de afgelopen nacht. 'Het gaat allemaal om Pap,' begon hij, 'ik ben vannacht helemaal over de rooie gegaan en heb tegen hem staan schreeuwen en toen heb ik het tegen hem *gezegd*: ze liegt 't, ik *weet* dat ze liegt, ze zei het alleen maar om mij van jou weg te houden, maar ik wou hem terugpakken...'

'Waar *heb* je het over?' vroeg Hannah.

Hij wreef zich over zijn gezicht. 'Je hebt gelijk,' stemde hij in, zich aan de allerlaatste strohalm grijpend, 'hij zal wel ergens gestrand zijn en moeten wachten tot het water zakt.'

Ze bleef hem aanstaren, wachtend op uitleg, maar hij wist niet waar hij moest beginnen. 'Ik heb ruzie met Pap gehad,' zei hij toen maar, 'over Canada.'

'En?'

'Hij zei dat hij niet wilde hebben dat ik ging.' Hij veegde zijn ogen af die traanden in de koude wind. 'Toen Mam thuiskwam, vroeg ik haar om met hem te praten: zij is de enige die hem op andere gedachten kan brengen wanneer hij koppig doet. Maar toen zei ze... ze zei...' Hij was zich daarna door twijfel verscheurd blijven voelen. Het kon toch niet wáár zijn? Hij leek toch op oma Betty, dat bewezen de foto's toch...

'Wat zei ze nou?' wilde Hannah ongeduldig weten.

Hij had de scène in gedachten steeds weer opnieuw terugge-speeld, overtuigd dat hij het verkeerd gehoord, verkeerd begrepen moest hebben. *Ze is je zusje.* Stel dat het echt zo was? 'Ze zei dat we elkaar niet meer moesten zien.'

'Wát? Wil je zeggen dat je haar over ons hebt verteld?'

'Ik niet, een of andere ouwe taart bij de huisvrouwenvereniging.'

'Weet je dat *zeker*?' Hannah begreep er niets van. 'Je moeder staat op dit moment in de keuken en ze heeft er geen woord over gezegd. Ze is heel aardig, maar ik kan me niet indenken waarom oom Wal-ter nou dacht dat ze Poppa kon helpen vinden. Hoor eens, ik zal...'

Hij had haar de waarheid moeten vertellen, maar hij kon zich er niet toe zetten die vreselijke woorden uit te spreken. Het ging per ongeluk, wilde hij zeggen, het was mijn bedoeling niet, maar de woorden bleven hem in de keel steken...

Hij hees zich overeind, veegde zijn natte broek af zonder dat dat veel zin had.

'– ik zei dat ik je morgen wel op ons plekje zie. Davey, luister je?'

Hij knikte, maar toen ze op hem toekwam om hem een kus op zijn mond te geven wendde hij zijn hoofd af, plotseling van weerzin vervuld. *Stel* dat het nou eens waar was? Ze stapte onaangenaam getroffen achteruit. 'Sorry,' zei hij, 'ik kan niet meer zo goed den-ken,' en hij sloeg zijn armen om haar heen en drukte haar zo heftig tegen zich aan dat ze een kreungeluidje van pijn uitstootte. Toen gaf hij haar een vlugge kus op de wang en keek haar na terwijl ze wegliep; niet naar Waterslain maar over het jaagpad naar Market Needing, op zoek naar haar Poppa.

'Han?' riep hij haar na, 'beloof me dat je me niet zult haten...?'
Daarna rende hij de heuvel op, vluchtte weg van degene die hij boven alles liefhad, in gedachten de afgelopen nacht opnieuw belevend...

Hij had tot na enen in zijn slaapkamer zitten malen over wat zijn moeder tegen hem had gezegd, tot hij dacht gek te zullen worden. Toen was hij de trap afgedaverd om opnieuw de confrontatie met zijn vader aan te gaan, want het was *zijn* schuld dat Mam hem zulke smerige leugens had moeten vertellen.

Henry zat nog in de woonkamer, met een lodderige blik in zijn ogen van de whisky. Hij begroette Davey met een: 'Zo, kom je je excuses maken, zoon? Kom je je ouwe Pa vertellen dat je het niet zo bedoeld hebt?'

'Nee,' zei Davey op koude toon, 'ik kom u vertellen dat ik met de kerst naar Canada ga, of u het leuk vindt of niet.'

De uitdrukking op zijn vaders gezicht veranderde. De vertrouwde nijdige frons die er altijd op verscheen wanneer hem de voet dwars werd gezet, werd extra vals door de alcohol die hij had geconsumeerd.

'Over mijn lijk,' grauwde hij.

'U kunt me niet tegenhouden,' had Davey triomfantelijk geriposteerd. 'Ik heb m'n eigen bankrekening, weet u nog? U kunt me niks beletten, wat ik ook wil gaan doen.' En toen had hij gejouwd: 'U bent niet eens mijn echte vader!'

'Wat?' zei Henry, hem met bloeddoorlopen ogen aanstarend.

'Ik ben uw zoon niet. Ik ben niet van u!'

'Doe niet zo belachelijk.'

Op dat punt had hij zijn mond moeten houden. Hij had de waarschuwingssignalen moeten herkennen. In plaats daarvan was hij doorgegaan, even dronken van macht als zijn vader door de whisky. 'Ik ben niet degene die belachelijk is,' had hij gehoond. 'Denk je toch eens in, al die jaren dat u me hebt lopen klaarstomen om later uw kostbare boerderijtje over te nemen en ik ben niet eens uw zoon!'

'Wat?' Nu was Henry er helemaal bij, keek hem strak aan: 'Laten we dit eens duidelijk krijgen. Als ik je vader niet ben, wie dan wel?' – in gedachten zoekend naar de bespottelijkst denkbare kandidaat. 'George Partridge? Of onze ouwe Walter, dat zou nog eens een goeie Pa voor je zijn, eh? Of nog beter, wat zou je zeggen van je moeders favoriete beschermelingetje, Reuben Leck?'

En toen had Davey zich in een roes van opwinding over zijn eigen durf voorovergebogen tot zijn gezicht nog slechts enkele centimeters van dat van zijn vader verwijderd was. Hij kon de drank op diens adem ruiken. Op triomfantelijke toon had hij gezegd: 'Bingo!'

Hij kon de boodschap door zien dringen: eerst zag hij ongeloof, dan het begin van argwaan, dan kille, onverzoenlijke, razende woede. 'Mijn god,' fluisterde zijn vader ten slotte, 'je meent 't, hè?' Hij kwam langzaam, dreigend uit zijn stoel overeind. 'Mooi,' zei hij, 'dat gaan we dan maar eens aan je moeder vragen, lijkt je niet?' en hij begon de trap op te lopen, Davey aan zijn arm meetrekkend.

De slaapkamer was leeg.

'De keuken,' gromde Henry, maar daar was ze ook niet. 'Waar is die meid?' grauwde hij. 'Zeker het laantje afgelopen om d'r liefje op te zoeken?' en hij zette koers naar de achterdeur. 'Dan gaan we het die maar vragen, hè, Davey, m'n jongen?'

'Nee!' Daveys bravoure was allang verdampt. 'Pap, u bent dronken. Laat het nou maar zitten! *Pap!*' Maar Henry was al onderweg, zodat hij alleen maar achter hem aan kon lopen, hem bij elke stap smekend en biddend om toch te blijven staan.

De hele weg de heuvel af bleef hij denken: *hij kalmeert wel wanneer hij daar aankomt en iedereen blijkt er te slapen. Hij zal wel weer nuchter worden in de frisse lucht en beseffen dat hij zich belachelijk maakt.* Maar toen ze Bottom Twenty bereikten, liep daar Reuben Leck op de weide een frisse neus te halen.

Toen hij Henry over het hek zag klauteren, riep Reuben: 'Smeer 'm, Catherwood!' Maar Henry sprong van het hek op de grond en liep gewoon door, recht op hem af. 'Ga van mijn land!' schreeuwde Reuben, met zijn stok zwaaiend.

'Het is mijn *vrouws* weiland, idioot die je bent!' schreeuwde Henry terug, 'en dus *mijn* weiland, verdomme! Wie denk je wel dat je bent, hè, om mij van mijn eigen land te sturen?'

Reuben vloekte terug. Er volgde wat geduw en getrek, Davey kon niet zien wie er begon, en toen verloor Reuben zijn evenwicht en sloeg tegen de grond.

En op dat moment – Davey voelde zich misselijk worden wanneer hij er aan terugdacht – stroomde de rivier over. Niet geleidelijk zoals meestal, maar met een hoog oprijzende vloedgolf. Het ene ogenblik stond Davey nog op droog land, het volgende tot aan zijn enkels in ijskoud water. Tot overmaat van ramp had het geschreeuw een koppel zwanen doen opschrikken, die nu sissend en met hun vleugels slaand agressieve uitvallen naar de indringers begonnen te doen. Reuben probeerde met zijn stok tevergeefs om overeind te komen.

'Help me dan toch!' riep hij. Maar voordat Davey hem kon bereiken, was Henry al bij hem en sleepte hem aan zijn jasje het water uit, net toen een tweede golf, nog woester dan de eerste, met volle kracht over hen heen sloeg. Davey werd meegesleurd en ook Henry ging neer. Toen Davey wankelend overeind kwam, lag zijn vader op zijn knieën in een halve meter water. Hij hield Reubens hoofd met beide handen aan zijn revers boven water, terwijl hij hem in het gezicht schreeuwde: 'Is hij van jou? Is mijn zoon van jou, ellendige mankepoot?'

De rivier ademde nu zwaarder, drong verder de weide binnen, steeds hoger stijgend. 'Maak dat je wegkomt!' loeide Henry Davey toe. 'Ik zorg wel voor Reuben. Rennen, Davey, *rennen!*' en instinctief gehoor gevend aan zijn vaders bevel, zoals hij dat zijn hele leven al had gedaan, was Davey zonder achterom te kijken weggevlucht, wadend, vallend, in zijn dolle haast om aan het koude kolkende water te ontsnappen voordat het hem meezoog en hij verdronk...

Na nog een vruchteloze zoektocht lag Hannah uitgeput te slapen, op het moment dat Reubens stok uit het terugstromende water opdook. Ze zag dus niet hoe Rose de weide op waadde en langs de stok omlaag tastte tot ze op Reubens handen stootte.

Hannah werd wakker van een sirene – toen Walter Rose niet van de zijde van haar geliefde weg had kunnen krijgen, was hij in haar auto naar Holly Farm gereden om een ambulance te bellen – en ze stond op het erf, toen de oude man het ambulancepersoneel voorging het weiland in. Ze zag hoe ze Reuben op de brancard legden. Rose bleef om de brancard heen hangen, als een moeder die haar innig geliefde kind instopt om het warm te houden. Toen de mannen van de ambulance met hun last op weg gingen naar de hogergelegen grond, waadde ze naast Reuben mee, struikelend en wegglibberend door de waterplassen, weigerend zijn hand los te laten...

Toen ze met het lichaam waren weggereden, pletste ze weer door het water terug. 'Zijn horloge,' zei ze maar steeds, 'ik moet zijn horloge vinden...'

Ze zocht tot het te donker werd om nog iets te zien, maar ze vond het niet.

50

─◦◦◦─

$\mathcal{P}$as om negen uur 's avonds keerde Rose terug op Holly Farm. Ze werd opgewacht door Henry. De ramp met Reuben was blijkbaar niet genoeg voor hem geweest. Hij had dubbel wraak op haar genomen. Davey was weg, afgevoerd naar Heathrow, onderweg naar Canada. Henry had Alice gebeld en verteld dat hij en Rose wat problemen hadden, allemaal erg vervelend voor de jongen. Hij moest er even tussenuit, en aangezien ze al had gezegd dat hij kon komen...

Rose was kapot. Zonder een woord te zeggen, liep ze weg. Ze pakte schoon ondergoed en een tandenborstel, en reed in de Morris rechtstreeks terug naar Waterslain.

Dokter Hills had Hannah had iets kalmerends gegeven. Ze lag in bed. Rose stuurde Walter naar huis, maakte een bed voor zichzelf op in haar oude kamer, en zocht daarna in haar tas naar de houten laarsjes. Wat had Reuben ook alweer op de dag van haar trouwen tegen haar gezegd? *Als je ze bij de haard laat staan, zul je altijd weer thuiskomen...* Ze zette ze zorgvuldig naast de stookplaats en ging op de politie zitten wachten.

Ze moest Hannah wel even van hem wekken, maar aangezien hij Walter al had ondervraagd, was de brigadier er wel van overtuigd dat hij met niet meer dan een simpel ongeluk te maken had. Haar vader liep 's nachts dikwijls de uiterwaarden op, vertelde Hannah hem, daarmee Walters verhaal bevestigend, en met zijn gammele

349

been en de woeste storm van gisteravond was het een tragedie die haast wel móést gebeuren.

Hannah was verward, de kluts kwijt, haar herinneringen waren zo'n vage warboel dat ze niet meer kon zeggen wat er echt was gebeurd en wat ze zich had ingebeeld. Ze had het eerst over rennende gestalten en zei toen weer nee, het was maar een uil. De brigadier zag geen reden om haar langer te kwellen. Na zijn vertrek maakte Rose thee, en te zeer van streek om nog langer de schijn op te houden, smeekte Hannah haar Davey te mogen zien. Nee, dat zou niet gaan, vertelde Rose haar kalmpjes. Hij zat in het vliegtuig naar Vancouver om zijn tante op te zoeken.

'Vancouver?' protesteerde Hannah, 'maar dat *kan* niet! Davey zou *nooit* weggaan zonder het mij te vertellen. Bovendien heeft hij me de brief laten zien, waarin stond dat het met de kerst zou zijn!'

Ze verwachtte een derdegraadsverhoor: *Hoe ken jij mijn zoon? Waar heb je hem leren kennen? Hoe lang is dit al aan de gang?* Maar Rose gaf geen blijk van verbazing. Voor elke vraag die Hannah haar stelde, had ze een antwoord klaar; het was een van die beslissingen op het laatste ogenblik – toen Daveys vader het reisbureau belde om naar de prijs van tickets te informeren, konden ze hem voor een zacht prijsje een opengevallen plaats aanbieden. Zijn vader had hem toen dadelijk naar het vliegveld gereden.

'Maar ik *moet* hem spreken,' hield Hannah aan, 'zijn tante heeft toch ook telefoon, niet? Als ik nou uw telefoon mag gebruiken zal ik hem...'

Nee, zei Rose, op zachtmoedige toon, dat had geen zin – zijn oom en tante hadden hem een heel bijzondere reis toegezegd en ze zouden heel Canada doorkruisen en niet te bereiken zijn. Davey had verteld dat hij zijn vader niet wilde opvolgen op de boerderij, legde ze uit, en het was allemaal een beetje... nou ja... *moeilijk* geweest. Henry was niet blij geweest en de zaak was tamelijk hoog opgelopen. Davey had zelfs gezegd dat hij niet van plan was om terug te komen.

'Ik geloof u niet,' zei Hannah. 'Ik heb hem gisteren nog gezien en dan had hij het me wel verteld! Bovendien zou hij me nooit achterlaten... hij *houdt* van me!'

Ze vond het erg vervelend, had Rose gezegd, als hij meer verwachtingen bij Hannah had gewekt dan hij kon waarmaken. Maar misschien, opperde ze tactvol, wist Hannah niet onder welke spanningen Davey de laatste tijd had geleefd om aan zijn vaders verwachtingen te voldoen. En toen Henry erachter was gekomen dat hij met Hannah omging, voegde ze er aan toe, net voldoende van de waarheid vertellend om geloofwaardig te klinken – 'want je weet vast wel dat je vader en mr. Catherwood elkaar niet bepaald mogen, eh mochten' – was dat de laatste druppel geweest...

Tegen de achtergrond van Daveys wonderlijke opmerkingen, toen ze elkaar op het jaagpad troffen – zijn smeekbede om hem niet te haten, zijn stellige bewering dat het allemaal zijn schuld was – leek haar uitleg plotseling heel logisch. 'Hoe bent u achter onze verhouding gekomen?' wilde Hannah weten.

'Door Jessie Partridge,' zei Rose. 'En zij had het weer van haar dochter, Lizzie, geloof ik,' welke mededeling het allemaal nog erger voor Hannah maakte.

Dat wilde zeggen dat Davey door *haar* schuld was weggegaan, net op het moment dat ze hem het hardste nodig had. 'Het is de enige manier,' hield Rose haar zacht voor, 'een complete breuk, zonder achterom te kijken...'

Voor Rose was het helemaal verschrikkelijk. Zij had niet alleen haar minnaar, maar ook haar zoon verloren. Hannah en Davey moesten volledig van elkaar gescheiden blijven, wat inhield dat Davey nooit meer thuis zou kunnen komen. Als Davey haar dat zou verwijten, zou dat haar verdiende loon zijn voor wat ze hem had aangedaan. Maar nu was ze, toppunt van ironie, verantwoordelijk voor Reubens verweesde dochter, die zich omdat ze niemand anders had om steun bij te vinden aan háár vastklemde. Wat heb ik voor kwaad gedaan, smeet ze God verbitterd voor de voeten, dat U zo wreed moest zijn?

Omdat ze Hannah niet alleen wilde laten, zette ze haar op Marsh End af en reed vervolgens door naar Market Needing om Zuster Catherine op te zoeken.

Het gesprek was minder moeilijk dan ze had verwacht. Zuster Catherine had het nieuws al van dokter Hills gehoord en begroette haar met rustig medeleven, sprak over Reubens vele goede eigenschappen, en over haar diepe genegenheid voor hem en zijn dochter. Rose kreeg de indruk dat ze volkomen doorhad hoe de vork in de steel zat, al wist Rose dat ze dat onmogelijk echt kon weten. Hannah hoefde pas op school terug te komen als ze er aan toe was, ging Zuster Catherine voort. Bij het afscheid in de sombere kilte van de late novembermiddag zei ze vriendelijk: 'Gebed kan zo troostrijk zijn, lieve kind, wat we ook gedaan mogen hebben,' waardoor Rose zich een heel klein beetje beter ging voelen.

Maar tijdens de terugrit naar Waterslain overviel haar opeens zo'n vreselijke eenzaamheid, zo'n wanhoop, zo'n *woede*, dat ze de auto aan de kant moest zetten. Ze besloot wat ze moest doen en sloeg van het laantje af, de oprit naar Holly Farm op, om de confrontatie met Henry aan te gaan.

Het huis was zo keurig netjes alsof hij, dacht Rose, probeerde te bewijzen dat hij heel goed zonder haar kon. Alleen in de zitkamer was te zien dat de situatie veranderd was; op het buffet stonden twee lege whiskyflessen netjes naast elkaar, op de grond een overvolle asbak, en op de schoorsteenmantel een whiskyglas vol drank.

Henry was in de tractorschuur. Hij stond met zijn rug naar de deur bij de werkbank aan een bougie te vijlen. Toen ze zijn naam zei, sprong hij overeind van schrik.

'Wat wil je?' vroeg hij zonder zich om te draaien.

'Ik moet het weten,' zei ze. 'Heb je...?' Het viel haar zwaarder dan ze had verwacht om de vraag uit te spreken die al bijna een week door haar hoofd maalde: 'Heb je hem vermoord?'

Hij liet de vijl zakken, trok zijn schouders naar voren. 'Davey,' zei hij, 'is Davey van mij?'

'Nee. Heb jij Reuben vermoord?'

Hij liet de vijl op de werkbank vallen. 'Ik dacht dat ik een schuld had vereffend, toen Davey werd geboren,' zei hij, haar vraag nog steeds negerend, 'maar nu zie ik dat die nog steeds openstaat.'

'Wat bedoel je?'

Nu draaide hij zich eindelijk om. Zijn ogen waren bloeddoorlopen, en hij had zich in dagen niet geschoren. 'Een leven voor een leven,' zei hij. 'Ga nu maar weg.'

Ze pakte nog wat kleren in, legde die in de auto en vertrok weer. Er vielen nog allerlei praktische zaken te regelen...

Ze was kalm, sterk – sterker dan ze zich ooit had kunnen voorstellen dat ze zijn zou. Zonder ook maar één keer te huilen, praatte ze met Hannah over Reuben alsof hij niet meer dan een oude vriend was geweest. Toen Hannah vroeg: 'Zal mr. Catherwood het niet vervelend vinden dat u niet thuis bent?' antwoordde ze kortaf: 'Het enige wat ertoe doet, is wat Reuben van me gewild zou hebben.'

Ze was praktisch, efficiënt. Ze regelde alles voor de begrafenis, wikkelde de zaken af met Greaves and Son, waar Reubens testament lag, ging met Hannah naar de directeur van Barclay's bank. Alles met zo'n vanzelfsprekend gezag dat Hannah zich geen ogenblik afvroeg waarom ze zo aardig was.

Reubens begrafenis vond de volgende woensdag plaats. Alf Tindall was met de Humber gearriveerd om hen het kleine eindje de heuvel op te rijden. Ze wilden juist in de auto stappen, toen het geluid hen ter plekke deed verstarren. Hannah keek Rose op dat moment net aan en ze zag bij dat enkele geweerschot de kleur uit haar gezicht wegtrekken. Maar ze gaf geen krimp, hielp Hannah bij het instappen, schoof naast haar op de bank en zei Alf weg te rijden.

Afgezien van Rose, Hannah, Walter en Zuster Catherine, woonden alleen de eerwaarde Glasswell, Ellie Haskins die de gezangen op het orgel begeleidde, en een handvol nieuwsgierigen de uitvaart bij. Niemand vond het vreemd dat Henry Catherwood er niet was; al sinds voor de oorlog was hij niet meer in de kerk van Nettlebed geweest, en iedereen wist dat de beide mannen nooit met elkaar overweg hadden gekund.

Het was Walter die hem laat die avond vond. Hij had zich door het kreupelhout een weg gebaand naar de open plek midden in

Marsh Hill Spinney, de loop in zijn mond gestoken, en de trekker overgehaald. Hij had een briefje voor Rose vastgespeld aan zijn jack, opdat het zeker zou worden gevonden, maar de lijkschouwer kreeg het niet te zien. Zelfs bij het gerechtelijk onderzoek kwam het niet ter sprake, omdat Walter het al in zijn zak had gestoken voordat hij hulp ging halen. Hij leverde de dichtgeplakte envelop de volgende morgen op Waterslain bij Rose af, en ze opende hem na zijn vertrek zittend aan de keukentafel.

Een leven voor een leven stond er. Ze las het twee keer, verfrommelde toen het vel papier tot een prop en gooide die in het vuur.

51

Ze liet Walter de kippen meenemen, pakte Lala en een voorraad schilder- en tekenbenodigdheden in, en ging toen met Hannah terug naar Holly Farm. Ze had nu een tweede begrafenis te regelen (Henry's dood, loog ze tegen het verbijsterde kind, had hoegenaamd niets met die van Reuben te maken) en wilde het meisje niet in haar eentje achterlaten.

Ze stond er zelf verbaasd van hoe ze de gestage stroom bezoekers hanteerde. Omdat Henry door de jaren heen met praktisch iedereen in het dorp ruzie had gekregen, kwamen de meesten van hen meer voor stof voor een roddelpraatje dan om hun deelneming te betuigen. Ze zorgde ervoor dat Winifred bij Betty was voordat ze haar schoonmoeder de jobstijding bracht, en voerde een lang telefoongesprek met Alice. Het werd al snel duidelijk dat Alice niets wist van de gebeurtenissen die tot Henry's dood hadden geleid. Ze wist alleen dat Davey hem had verteld dat hij de boerderij niet over wilde nemen, en dat Reuben door een ongelooflijke samenloop van omstandigheden slechts enkele dagen daarvoor was verdronken.

'Rosie, liefje,' zei ze telkens weer met haar wonderlijke accent, 'je hoeft jezelf niets te verwijten. Iedereen weet dat Henry nooit meer goed is geweest nadat hij uit de oorlog was teruggekomen. Jij hebt alles gedaan wat je maar had kunnen doen, veel meer dan ik zou hebben gedaan, om de boel op de rails te houden. Naar mijn idee is hij dit al maanden van plan geweest, en is het niet typerend voor de egoïst die hij was, dat hij daar nou net de dag van de begrafenis van die arme ouwe Reuben voor moest uitzoeken? Naar mijn idee kunnen we alleen maar dankbaar zijn dat Davey er niet was... Brad heeft een theorie,' zei ze nog net voordat ze ophing, 'dat Henry zijn reisje opzettelijk heeft georganiseerd om hem uit de weg te hebben voordat hij het deed. In dat geval kunnen we de arme sufkop nog nageven dat hij *dat* tenminste goed geregeld heeft.'

Deze keer gaf het hele dorp bij de dienst acte de présence – de herinnering aan John Catherwood leefde nog in ieders hart. In de gesprekken viel hetzelfde gevoelen te beluisteren als Alice in het gesprek met Rose had verwoord. 'Hij was nooit nie meer goed na de oorlog,' merkte Ida Partridge na afloop tegen Betty op, 'vanwege die lilleke Japanners zekers,' en: 'we moeten dankbaar zijn dat hij tenminste gezorgd heeft dat Davey uit de buurt was voordat hij zijn daad pleegde,' zei mrs. Glasswell op warme toon, 'want wie kan zeggen wat zoiets met een gevoelige jongen doet?'

Davey was met geen stok naar huis te krijgen voor de begrafenis, zei Alice verontschuldigend tegen Rose, en zij kwam ook maar niet. 'Het is veel te ver om voor zoiets over te komen,' had Rose haar ook al over de telefoon voorgehouden, 'en bovendien heb ik daar meer aan je, omdat je Davey dan kunt opvangen.'

Hij hield zich zo goed als te verwachten viel, vertelde Alice: 'Ik moedig hem aan om vooruit te kijken in plaats van achterom, om na te denken over wat hij met de rest van zijn leven wil. Hij zou het leuk vinden om te leren vliegen, zegt hij, wel heel wat anders dan boeren, huh? Ik heb hier en daar geïnformeerd, maar het is onbetaalbaar duur. Hij zegt dat hij geen cent van zijn vaders geld wil...' Toen Rose haar vertelde van de ruim tweeduizend pond op zijn rekening bij Barclay's was Alice opgetogen. 'Ha, eindelijk eens goed nieuws. Hij is nu even weg met Brad en de jongens, maar ik zal het hem zeggen zodra ze terug zijn. Gek trouwens, hij vraagt maar steeds naar mijn haar, of het mijn eigen kleur is...'

Henry werd gecremeerd en zijn as uitgestrooid boven Bailey's Pond, waar Bess begraven lag. Betty hield zich opmerkelijk goed onder de slag, maar zij was het type dat tegenspoed hanteert door die te negeren...

Reubens as, die Alf Tindall twee dagen voor Henry's begrafenis in een houten kistje kwam brengen, bleef bij Rose. Zij was bang dat als ze er zelf iets mee deed, Hannah haar dat later zou verwijten. Zijn testament was simpel en eenduidig: alles werd aan Hannah nagelaten, met één uitzondering: de zwanenkist, die hij zonder enige toelichting aan Rose had gelegateerd.

'Wat voor zwanenkist?' vroeg Hannah. En toen Rose met haar naar Waterslain ging en de kist onder Reubens bed vandaan sleepte, riep Hannah uit: 'Die heb ik nog nooit gezien. Waarom heeft hij die aan u nagelaten?'

'Hij en ik waren vroeger goede vrienden,' zei Rose naar waarheid, 'al lang voordat ik met Henry trouwde, en het is het allereerste wat hij gemaakt heeft, toen mijn vader nog leefde.' Toen liep ze er gauw mee weg, voordat Hannah kon vragen of ze erin mocht kijken, het moment uitstellend waarop ze haar de feiten rond Davey zou moeten vertellen. Hannah vroeg voortdurend naar hem, wilde schrijven, opbellen, zelfs naar Canada reizen om hem te zien, omdat ze maar niet van Rose kon aannemen dat hij zich even definitief van haar had losgemaakt als van zijn eigen moeder.

Henry's testament, opgesteld net voordat hij in 1940 in het leger was gegaan, was nog eenvoudiger dan dat van Reuben: al zijn wereldlijke bezittingen, met inbegrip van Holly Farm, gingen naar Rose.

Toen Rose later Alice opbelde en haar smeekte Davey over te halen aan de telefoon te komen, zodat ze met hem over de erfenis kon praten, weigerde hij categorisch. Alice klonk ook wat vreemd, niet onvriendelijk, alleen *behoedzaam*. Aan het eind van het gesprek gooide ze er plotseling uit: 'Hoor eens, Rosie, ik moet je zeggen dat ik... dat ik alles weet.'

'Alles?' stotterde Rose, opeens slap in de knieën.

'Ik vond Davey gisteravond in de tuin. Het arme kind zat te snikken alsof zijn hart zou breken. Het hele verhaal kwam eruit. Is het waar, Rosie? Is Reuben eigenlijk Daveys vader?'

Rose leunde tegen de muur en sloot haar ogen. 'Alice,' begon ze, 'als ik je alles vertel, beloof je me dan er nooit tegen iemand met een woord over te reppen?'

'Rosie, liefje,' zei Alice droogjes, 'ik heb de hele oorlog bij de inlichtingendienst gewerkt. Ik ben de discretie zelve.'

De opluchting ten langen leste haar hart te kunnen luchten was onvoorstelbaar...

Elke dag dienden zich nieuwe problemen aan. George zou voorlopig voor de koeien zorgen, maar de andere werkzaamheden liepen al snel vertraging op. Toen George langskwam met zijn jongste zoon Eddie, die met zijn gezin terug wilde komen naar zijn geboortedorp, greep Rose de kans met beide handen aan. Ze nam hem onmiddellijk aan om de dagelijkse leiding over de boerderij op zich te nemen. Voorlopig kon Eddie met zijn vrouw en drie kinderen in Silverlea gaan wonen, maar met de mogelijkheid van iets beters over enkele maanden, beloofde Rose.

Het was Zuster Catherine die Hannahs helingsproces op gang bracht door twee dagen voor Kerstmis onverwacht te verschijnen in een taxi. Ze had een berg schoolwerk bij zich en spoorde haar aan 'goed in gedachten te houden, kindlief, dat je vader het *niet* prettig zou vinden als je al die jaren van studie zou vergooien met je eindexamen in zicht...'

Sinds Henry's begrafenis hadden Rose en Walter elkaar vermeden; de oude man voelde zich al even schuldig als zij, vermoedde Rose, over de rol die hij bij Reubens dood had gespeeld. En zij had nog steeds de moed niet gevonden om hem van Daveys ware afstamming te vertellen. In stilzwijgende erkenning van een openstaande schuld nodigde ze hem op Holly Farm uit voor het kerstdiner. Hij sloeg de invitatie af – hij had de afgelopen dertig jaar allenig gezeten, zei hij, en hij had nooit een enkele reden gezien om van die gewoonte af te wijken, dus waarom nou wel.

In januari verscheen Zuster Catherine opnieuw in Alfs taxi. Ze kwam Hannah om een gunst verzoeken. Ze had een ontwerp voor een kaart nodig met het embleem erop van Our Lady's: witte lelies die zich om het Kruis slingerden, en een stuk of wat engelen op de achtergrond. Haar verzoek, dat als een wondermiddel werkte om Hannah op te vrolijken, herinnerde Rose aan Alice' opmerking over Davey: 'Ik moedig hem aan om vooruit te kijken... om te bedenken wat hij met de rest van zijn leven wil.' Ze haastte zich opnieuw naar Waterslain om Hannahs hele oeuvre op te halen. Daar waren haar eerste kindertekeningen: Reuben met zijn stok als extra been; bibberige paarden die woonwagens trokken, rijk versierd met vrolijk gekleurde bloemen; vogels, katten, kippen. Ze vond schetsboeken vol gedetailleerde schetsen, fijn uitgewerkte aquarellen van wilde bloemen, paddestoelen, mossen, en een hele serie verbluffende waskrijttekeningen: een afgeleefde keukenstoel, een gebarsten leren paardenhoofdstel aan een spijker, het uitzicht op de kerk van Nettlebed op de heuvel. Alles was liefdevol door Reuben bewaard in een speciaal voor dat doel gemaakte grenenhouten kist met de woorden *Hannah Leck* op het deksel.

'Mooi,' zei ze bij haar terugkeer op resolute toon tegen Hannah, 'laten we nou eens kijken of we dit talent van jou niet ten nutte kunnen maken.'

Ze zocht vier bloemenstudies uit, liet er op eigen kosten twee dozijn van drukken, en haalde de man van de kiosk in de hoofdstraat van Market Needing over ze in de verkoop te nemen. Binnen een week kwam hij om meer. Ze ging met een straatgezichtje van Nettlebed naar een religieuze boekhandel in Ipswich en kwam zegevierend thuis met een bestelling voor ansichtkaarten met afbeeldingen van plaatselijke kerken erop. 'Denk je toch eens in,' zei ze tegen Hannah,' als je je eindexamen haalt, kun je misschien wel naar een kunstacademie!'

De eerste dag na de voorjaarsvakantie zette ze haar beschermelingetje op school af en reed daarop door naar Waterslain. Toen ze daar in de schuur stond, omringd door Reubens onvoltooide houtsnijwerk, kon ze eindelijk huilen; om haar zoon, van wie ze met Kerstmis niets gehoord had, en om Reuben, een wond zo diep dat ze het gevoel had dat hij nooit zou helen. Voor Henry voelde ze alleen medelijden – om wat hij uiteindelijk was geworden, om wat hij had kunnen zijn als alles anders was geweest – vermengd met schuldgevoelens, omdat hij door haar toedoen tot zijn laatste gewelddaad was gekomen... Toen reed ze de heuvel weer op naar Holly Farm om een theemaaltijd in elkaar te flansen voor Hannah die van school thuiskwam. Het hielp om iemand te hebben om voor te zorgen...

Met Pasen ging het oneindig veel beter dan met Kerstmis. Hannah had het nog nauwelijks over Davey, en het hevige verdriet om haar vaders dood leek zich eindelijk wat te verzachten. Maar toen Rose het idee lanceerde om na haar examens in juni weer naar Waterslain terug te gaan, voelde ze daar niet veel voor. Ze had nog steeds nachtmerries over de verdrinkingsdood van haar vader, zei ze, en ze dacht er niet tegen te zullen kunnen om daar alleen te zitten. 'Al weet ik wel dat ik al veel te lang bij u gebleven ben,' voegde ze er verontschuldigend aan toe.

'Nee,' zei Rose, 'ik bedoelde dat we er allebei heen zouden verhuizen.'

Hannah staarde haar verbluft aan. 'Maar waarom zou u op Waterslain willen gaan wonen?'

'Omdat...' begon Rose. Omdat ik een verhouding met je vader had? Omdat die tien zalige jaren heeft geduurd, en ik ernaar *snak* om terug te zijn op de plek waar ik samen met hem ben geweest... '...Omdat het onnozel is om hier met ons tweeën in dit immense huis rond te dolen,' voltooide ze zwakjes, 'terwijl Eddie Partridge met zijn vrouw en drie kinderen in Silverlea gepropt zit.'

'O,' zei Hannah, 'kan *ik* dan niet beter naar Silverlea verhuizen? Dan zou ik dichter bij de bushalte zitten, zodat u me niet zoveel rond zou hoeven rijden, en ik zou u huur kunnen betalen van wat ik verdien.' De briefkaarten waren een geweldig succes geweest, en de kioskhouder had bij zijn vaste bestelling om kaarten met nieuwe afbeeldingen gevraagd.

'Doe niet zo mal,' zei Rose, 'je bent nog niet oud genoeg om alleen te wonen.'

'Ik word binnenkort zestien, en ik kan toch niet eeuwig bij u blijven wonen?'

'Waarom niet? Je weet toch hoe heerlijk ik het vind je hier te hebben.' Rose had gemerkt hoe snel Hannah aan alle comfort op Holly Farm gewend was geraakt; ze lag uren in het bad te weken en liet overal in huis het licht branden. 'Moet je horen,' zei ze, haar toevlucht nemend tot omkoperij, 'als ik nou eens het een en ander aan Waterslain liet doen. Je weet wel, elektriciteit, warm en koud stromend water, een echte wc met spoelbak in plaats van die vreselijke oude buitenplee, er is vast ook wel ruimte voor een badkamer, we zouden zelfs televisie kunnen nemen?'

'Ik weet niet...'

'Hoor nou even,' pleitte Rose, 'ik moet die ouwe boel vandaag of morgen toch moderniseren. Zelfs als ik besloot te verkopen, zou er tegenwoordig niemand meer naar een huis zonder badkamer komen kijken. En je hoeft niks te beslissen voordat het af is.' Pas toen Hannahs ogen zich met tranen vulden, besefte Rose hoe graag ze zelf wilde dat het meisje 'ja' zou zeggen.

'Ik weet niet hoe ik het u ooit moet terugbetalen,' begon Hannah, 'u bent zo goed voor me geweest...'

Rose stak haar hand uit en kneep zachtjes in Hannahs arm. 'Ik had het zonder jou niet gered,' zei ze. 'We zijn vriendinnen, jij en ik, ja toch?'

En toen een stralende glimlach Hannahs gezichtje op deed lichten, besefte ze dat dat waar was. Reubens zigeunerdochter, het kind dat hij bij een andere vrouw had verwekt, was haar even dierbaar geworden alsof ze haar eigen dochter was...

Het duurde langer dan verwacht om het karwei te klaren, maar begin september bezat Waterslain in elke kamer elektrische verlichting. Er was een nieuwe septic tank, een toilet met waterspoeling, plus een badkamer met een wastafel en een gietijzeren bad. En dan hadden ze ook nog een boiler gekregen, en zelfs een telefoon, die gevaarlijk dicht bij de hoek op het buffet in de keuken stond.

Inmiddels had Hannah bij haar eindexamen prachtige cijfers behaald, die haar van een plaats hadden verzekerd op de kunstacademie van Norwich. Rose zag de verhuizing naar Waterslain met angst en beven tegemoet. Die gevoelens werden slechts een heel klein beetje verzacht door de verjaarskaart die ze in juli had gekregen: een magnifiek panorama van besneeuwde bergtoppen en hoog oprijzende sparren, met binnenin de voorgedrukte tekst *Happy Birthday*, en dwars daaroverheen gekrabbeld *Davey*.

Alf Tindalls verhuisbusje zou morgen komen en ze was bijna zover. Terwijl ze door de slaapkamer rondliep en zorgvuldig de wulp inpakte, de uil met zijn gemene klauwen, de Canadese gans, het petieterige muisje liet ze haar gedachten gaan over het afgelopen jaar en hoe afstand en tijd Hannahs wonden hielpen helen.

'Als je eens een kop thee voor ons maakte,' opperde ze, toen Hannah verscheen, 'dan kom ik zo, als ik hier klaar ben.'

'Oké.' Hannah slenterde naar de deur. 'Geroosterd brood en jam?'

'Mm. Nog deze laatste paar dingetjes, dan is het gebeurd.'

Ze richtte zich op, wreef over haar rug. Haar vingers waren traag van vermoeidheid, of misschien had ze haar hoofd er niet goed bij. Hoe het ook zij, toen ze over de toilettafel naar een stuk krantenpapier reikte, stootte ze tegen de hoek van de zwanenkist. Die wankelde even, kantelde toen langzaam om en kletste tegen de vloer.

Het kistje was stevig in elkaar gezet, en de schade was gering, goddank, afgezien van de onderkant, die van binnen los scheen te zijn geschoten. Toen Rose eraan trok, wilde hij niet meegeven, maar toen ze de kist op zijn kant zette en er een klap op gaf, klonk er wat gekletter en een licht schurend geluid. Toen zag ze het, een valse bodem. Het plaatje hout naar buiten wrikkend zag ze een envelop, helemaal platgedrukt en met gevlekte randen. Met een schokje van opwinding pakte ze hem uit de kist. Wat kon dit zijn, dat Reuben zoveel moeite had genomen om het te verstoppen. Een liefdesbrief? Een laatste boodschap alleen voor haar ogen bestemd? Ze opende de envelop en haalde de inhoud er uit: twee vellen papier, het ene in het ander gevouwen, en vouwde ze open.

Het eerste was Hannahs geboortebewijs. *Naam van de moeder: Nina Wajs*; *Naam van de vader: Reuben Leckitovski*, verkeerd gespeld, zag Rose, *Plaats en datum van de geboorte*: *Purley Cottage Hospital, Croydon, 5 September 1948...*

Het andere stuk papier was een rekening, uitgeschreven in Reubens slordige hanenpoten, een lijst van diverse houten dierfiguurtjes waarvoor hij betaling had ontvangen: *1 gevlekte kwikstar*, hij had echt nooit behoorlijk leren spellen, *1 geit, 1 vos, 1 pard, 2 dozijn diverse waskneipers*. De rekening was gedateerd *12 Setember 1947*, en onderaan had hij *Betaalt* gezet. Op de achterkant was een berekening gekrabbeld: een serie data: *14 Setember, 5 juni = 9 maanden ongeveer. 14 Setember, 5 Setember = 12 maanden.*

Daaronder had hij in dik onderstreepte hoofdletters geschreven KAN NIET.

14 September 1947. Hoe had ze dat kunnen vergeten? Nina was in september 1947 op Holly Farm verschenen en had haar Reubens houtsnijwerkjes te koop aangeboden. Rose had de gevlekte kwikstaart willen kopen, maar die had Nina niet kwijt gewild onder het voorwendsel dat Reuben die speciaal voor haar had gemaakt. De volgende dag had Rose hen samen de liefde zien bedrijven in de schuur...

Ze pakte het geboortebewijs weer op, bekeek het nauwkeuriger, las de woorden hardop. 'Plaats en datum van geboorte: Purley Cottage Hospital, Croydon, 5 September 1948.' Maar Hannahs verjaardag was in juni, twee dagen na Coronation Day... Hoewel... niet dus. En als Hannah in september was geboren, drie maanden later dan Reuben altijd had gezegd, *kon Reuben onmogelijk haar vader zijn.*

Toen Hannah haar kwam zoeken, zat ze in de op één na beste slaapkamer in het raamkozijn over het snel donker wordende erf uit te staren naar Waterslain.

'Uw thee is koud geworden,' beklaagde Hannah zich, 'en het geroosterd brood is helemaal soppig. Komt u niet beneden?'

'Sorry.' Rose schrok op en knipperde met haar ogen. 'Ik zit weer eens te dagdromen.' Ze zwaaide haar benen op de vloer en volgde Hannah de helder verlichte overloop op. Toen Hannah omkeek, zag ze dat ze huilde. 'Is er wat?' vroeg ze ongerust.

Rose tastte naar haar zakdoek, snoot haar neus. 'Nee, niks,' zei ze, 'niks aan de hand. Ik was alleen lekker nostalgisch bezig, da's alles...'

Ze wachtte tot Hannah in bed lag en belde toen Alice. 'Je hebt toch geen woord van wat ik je verteld heb losgelaten, hè?' vroeg ze gespannen.

'Natuurlijk niet!' Alice was oprecht verontwaardigd. 'Ik heb zelfs niks tegen Brad gezegd.'

'Godzijdank,' zei Rose, en ze vertelde Alice over Hannahs geboortebewijs en de falsificatie die Reuben tot aan zijn dood in stand had gehouden.

'Wauw,' zei Alice, 'is me dat even wat! Waarom zou Reuben zoiets hebben gedaan?'

Rose had daar toen vier uur over na kunnen denken. 'Omdat hij *wilde* dat ze zijn dochter was. Omdat hij verlangde naar iemand van zichzelf om van te houden, omdat hij dacht dat hij mij voor altijd kwijt was en hij net had ontdekt dat hij een zoon had die hij nooit als de zijne kon erkennen. Hannah verscheen juist ten tonele, toen hij haar nodig had. Het is een fijne gedachte dat Nina voor één keertje in haar leven bewust iets goeds heeft gedaan, dat ze Reuben heeft uitgekozen, omdat ze wist dat hij een goede vader voor haar kind zou zijn. Wat ga je tegen Davey zeggen?'

'Ah,' zei Alice, 'da's een fluitje van een cent. Vergeet niet dat Davey met de obsessies van zijn arme vader is opgegroeid. Ik zal hem zeggen dat je het hele verhaal hebt verzonnen om hem bij Hannah uit de buurt te houden; dat gelooft hij toch al half en half. Hij is net een hond met een bot, blijft er maar op knagen. Hij móét een Catherwood zijn, zegt hij, vanwege zijn lengte en zijn haar en alles.' Opeens grinnikte ze van plezier. 'Gelukkig herinnert alleen zijn haar me aan mijn goeie ouwe Ma, anders had ik hem op het eerste het beste vliegtuig naar je terug moeten sturen!'

Rose lachte plichtmatig. 'Alice, heeft Davey je verteld wat er is gebeurd in de nacht dat Reuben verdronk?'

'Alleen maar dat het water zo snel steeg dat het hem ondersteboven spoelde en dat hij zijn vader zag proberen Reuben eruit te halen. Wie weet, misschien heeft Henry nog geprobeerd Reuben het leven te redden?'

'Wie weet?' herhaalde Rose. 'Alice, voordat je ophangt, er is nog één ding dat je voor me moet doen. Het is wel een heel grote gunst...'

Nadat ze had neergelegd, bleef ze nog een tijdje in de keuken het plan zitten overpeinzen dat ze samen met Alice had gesmeed. Ze vroeg zich af of zij er goed aan deden. Wat kon het tenslotte voor kwaad om Davey te laten denken dat Henry toch zijn vader was? Ondanks al Henry's fouten had Davey eens van hem gehouden, net zoals zij van haar eigen onvolmaakte vader had gehouden.

Even na elven liep Rose de trap op om naar bed te gaan, maar het licht in Hannahs kamer brandde nog. Ze roffelde zachtjes met haar knokkels op de deur.

Hannah zat rechtop in bed. Haar haar hing als een grote zwarte wolk los om haar gezichtje, haar ogen schitterden en haar huid glansde van jeugd en gezondheid. Rose bleef in de deuropening staan en glimlachte haar toe.

'Hannah,' begon ze, 'als ik je nou eens liet kiezen, naar de academie gaan of naar Canada vliegen om Davey op te zoeken. Wat zou je dan doen...?'

52

De reis was niet zo snel georganiseerd als ze had gedacht. De aanvraag van Hannahs paspoort had nogal wat voeten in de aarde vanwege de noodzaak van een geboortebewijs, bij het verkrijgen waarvan heel wat leugentjes plus een gelukje kwamen kijken.

'Hoe spel je dat?' vroeg de schrijver op Somerset House.

'L-e-c-h-i-t-o-w-s-k-i.'

'Ah. Hier hebben we hem, Lechitowski R., in 1940 genaturaliseerd tot Brits onderdaan, is 'm dat? Hij is dus de vader? Het is u bekend dat het strafbaar is om de geboorte van een kind niet aan te geven? En ze zullen extra bewijs willen hebben: bankrekeningen, schoolrapporten, dat soort dingen.'

Vervolgens moest Hannahs ticket worden geboekt, met een open terugreisdatum voor het geval dat het bezoekje toch niet goed uitpakte. Ook kreeg ze nieuwe kleren voor haar verblijf, dat net zo lang mocht duren tot de jonge mensen er uit waren of er echt meer dan vriendschap tussen hen bestond. Toen Rose Hannah eindelijk in Alf Tindalls taxi zette, was het al november, en woonden ze al bijna acht weken op Waterslain. 'Je schrijft me wel, hè?' liet ze Hannah beloven. 'Om me te laten weten hoe het allemaal gaat?' Toen ze haar in een laatste omhelzing sloot, wist ze absoluut zeker dat ze voor de verandering eens het juiste besluit had genomen.

De volgende dag ging ze de foto van Reubens familie met een schaar te lijf, gewoon voor alle zekerheid, en verbrandde het grootste deel ervan, samen met Hannahs oorspronkelijke geboortebewijs. Daarna reed ze de heuvel op om Eddie te vertellen dat ze weer op de boerderij kwam werken. 'Ik ben nog maar eenenveertig,' verklaarde ze, toen hij haar twijfelend aankeek, 'ik ken de boerderij vanbinnen en vanbuiten, en bovendien moet ik toch iets met de rest van mijn leven doen...'

53

*H*annah Catherwood draaide de groene huurauto het laantje op en reed de heuvel af naar Waterslain. Dit was haar tiende bezoek aan Suffolk sinds Rose haar in 1964 had uitgewuifd bij haar vertrek naar Canada. Acht keer was ze alleen overgekomen, en twee keer met Alice. De eerste keer voor Betty Catherwoods begrafenis in 1972 en daarna nog eens in 1980, toen Walter was gestorven op de mooie leeftijd van tweeënnegentig jaar. Maar dit was voor het eerst dat Davey haar op de lange vermoeiende reis over de Atlantische Oceaan had vergezeld.

Die eerste maanden in Canada waren gruwelijk moeilijk geweest. Geen van tweeën had zich zeker van de ander gevoeld, en meer dan eens was ze in de verleiding gekomen van haar open retourtje gebruik te maken. Toch hadden ze met vallen en opstaan alle dieptepunten overleefd, en toen ze in 1967 trouwden, was hun band sterker dan ooit. Het enige wat haar had verdriet, was dat Rose er geen getuige van was. Davey, die zich nog altijd schuldig voelde over zijn vaders dood, was nog in staat geweest zijn moeder te zien. De eerste twee jaar van hun huwelijk had Hannah voor hen beiden de kost verdiend in het nieuwe restaurant van het kamp. Ze vergaarde extra inkomsten door de verkoop van haar schilderijen aan de toeristen, totdat Davey in 1969 als tweeëntwintigjarige zijn vliegbrevet haalde en in het familiebedrijf werd opgenomen. Met behulp van het geld dat Poppa Hannah had nagelaten, toen al aangegroeid tot zesduizend pond, huurde hij een afgeschreven Comanche om sightseeingtochtjes mee te organiseren. Sindsdien was het bedrijf blijven groeien tot het nu, bij het naderen van het millennium, zes Twin-Otters had en er tien piloten op de personeelslijst stonden.

Johnny, die in 1968 was geboren en naar zijn grootvader was vernoemd, werkte als computertechnicus en woonde met zijn vrouw en drie kinderen in Vancouver. Joe, de jongste, werkte als skileraar bij het bedrijf. Ze hadden voor- en tegenspoed gekend, maar hadden nu een goed bestaan en nog steeds een gelukkig huwelijk, en haar zoons waren haar grote trots.

Door de jaren heen was Davey met alle mogelijke excuses aan gekomen om niet met haar mee naar Engeland te hoeven: 'wanneer we getrouwd zijn misschien...' 'niet net nu mijn vliegexamens eraan komen...' 'wanneer we het bedrijf van de grond hebben...' Met het verstrijken van de jaren waren het andere excuses geworden: 'wie zorgt er dan voor de kinderen?' 'Joe moet nieuwe ski's hebben als hij met de cross-country van dit jaar mee wil doen...' 'we kunnen het ons niet veroorloven met Johnny op de universiteit...' 'het is midden in het toeristenseizoen...' 'De volgende keer misschien,' had hij haar beloofd, toen hij haar in 1998 naar het vliegveld reed, het jaar waarin Rose vijfenzeventig werd.

Rose had Holly Farm inmiddels verkocht en was met pensioen gegaan. Hannah had haar ertoe over kunnen halen om Ian Tindalls vrouw Iris twee keer per week de boodschappen en het strijkwerk voor haar te laten doen en om een oogje in het zeil te houden.

En toen was vorige week het telefoontje gekomen dat Hannah vreesde, net toen de millenniumviering zou beginnen. Iris had haar om drie uur 's ochtends opgebeld om te laten weten dat ze zich grote zorgen maakte over Rose' geestestoestand.

'Ze is de afgelopen paar weken hard achteruitgegaan,' had ze gezegd, 'ze is eerlijk gezegd een gevaar voor zichzelf. Ze vergeet het fornuis uit te draaien, laat haar eten half opgegeten overal in huis staan, of ze verstopt het onder stoelen en bedden totdat de maden over het bord kruipen; ze wast zich niet zo vaak als ze zou moeten, en soms valt ze en heeft dan de fut niet om weer overeind te komen. Als ik niet regelmatig bij haar ging kijken, zou ze dagen op de grond kunnen liggen zonder dat iemand d'r iets van wist. En *nou* heeft ze plotseling in d'r hoofd gekregen dat ze gaat verhuizen en verkoopt ze al haar spullen...'

'Ik kom zo gauw ik het kan regelen,' had Hannah haar beloofd. Toen Davey, knorrig omdat hij wakker was gemaakt, haar zijn rug toekeerde met een mopperig: 'Wat moest dat nou verdorie allemaal?' had ze pardoes haar koude voeten tegen zijn blote billen geduwd en op boze toon gezegd: 'Je moeder gaat dood en als je nu niet met me meegaat, zul je te laat zijn!'

Dus waren ze nu hier, drie dagen nadat de nieuwe eeuw begonnen was. Hannah reed met dikke ogen van de slaap door het mistroostige platteland van Suffolk. Davey verschanste zich in een Travel Inn vijf kilometer verderop, nog steeds bezig moed te verzamelen voor de ontmoeting met zijn moeder na een scheiding van zesendertig jaar.

·

Rose viel haar met een stralend gezicht van blijdschap om de hals. 'Ik zit al de hele morgen op je te wachten, liefje,' zei ze.

Je bent gekrompen, dacht Hannah, geschrokken door de verandering binnen nog geen anderhalf jaar. Je bent nog maar vel over been, en je ruikt... *oud*.

'Kom gauw mee naar binnen,' vervolgde Rose. 'Ik heb je zoveel te vertellen. Ik ben wat aan het opruimen geweest...'

Op de keukentafel stond een stapel kartonnen dozen. 'Nu,' begon Rose, ze een voor een aantikkend, 'hierin zit het houtsnijwerk van je vader, hierin zitten je schetsboeken, en deze doos is voor Davey. Laat me gauw een lekker kopje thee zetten, dan kijken we ze daarna even door.'

Hannah plofte in de dichtstbijzijnde stoel neer. Ze hadden dit al een keer eerder gedaan, toen ze in 1995 op bezoek kwam. In verband met de vijftigste verjaardag van de Japanse capitulatie was in dat jaar een stroom van publicaties en programma's losgekomen over mannen die in Japanse krijgsgevangenschap hadden gezeten en over hoe zwaar ze het hadden gehad. Rose had haar toen een bundeltje brieven voor Davey meegegeven, brieven die Henry haar had geschreven, toen hij in het leger zat. Ze begonnen optimistisch en eindigden vol heimwee, en ze hadden Rose opnieuw aan het denken gezet over de geestestoestand waarin Henry was thuisgekomen.

'Hoe noemen ze het tegenwoordig ook weer?' had ze gezegd. 'Posttraumatische zus of zo? En ze hebben nu al die hulpverleners – therapeuten, psychiaters, psychologen, artsen – om ze te helpen verwerken wat hun is overkomen. Het kon niemand wat schelen wat mannen als Henry hadden doorgemaakt,' had ze gezegd. 'Zolang ze maar levend met al hun armen en benen uit het kamp waren gekomen, ging iedereen er vanuit dat ze dus niks mankeerden. Dus kregen ze alleen maar te horen dat ze de draad weer op moesten pakken: stel je niet aan, je komt er heus wel overheen.'

'Je *moet* Davey duidelijk maken,' had ze Hannah toentertijd opgedragen, 'dat zijn vader een gewone fatsoenlijke man was die door onvoorstelbare verschrikkingen kapot is gemaakt. Daarom verdient hij medelijden in plaats van afkeer en haat. Hij verdiende ook een beter einde dan hij heeft gehad, en daar is niet Davey schuldig aan geweest, maar ik...'

De eerste doos – 'voor jou, liefje,' zei Rose – bevatte de brieven die Reubens moeder hem na zijn aankomst in Engeland had gestuurd, en de bevestiging van het Internationale Rode Kruis dat zijn ouders en zusters waren omgekomen. In de tweede doos zaten allerlei houtsnijwerkjes; de derde was gevuld met fotoalbums. Vanaf oktober 1947, enkele dagen na Daveys geboorte, met een abrupt einde in oktober 1963, net voordat Henry zichzelf het leven benam, was elk, maar dan ook elk kiekje, nauwgezet van datum en onderschrift voorzien. Al het materiaal was aan één enkele persoon gewijd: Davey. Het handschrift was dat van Henry Catherwood, de liefdevolle vader die de mijlpalen in het leven van zijn zoon markeerde, eerst in zwartwitfoto's, later in kleur. Een verslag van Daveys kindertijd, vanaf het baby'tje in de kanten doopjurk, via de peuter met het ronde gezichtje, de kleine jongen in zijn eerste schooluniform met scheefstaande pet, helemaal tot aan de knaap van zestien van wie Hannah op Long Tye afscheid had genomen op de dag dat Poppa stierf. Onder in de doos lag een ingelijste foto van Henry in zijn legeruniform, genomen net voor zijn vertrek om de oorlog in te gaan. 'Arme Henry,' zei Rose, meekijkend over Hannahs schouder, 'je vergeet zo gemakkelijk dat hij net achttien was toen hij in het leger ging, en nog maar drieëntwintig toen hij thuiskwam. Nu dan... ik heb een lijstje gemaakt van wat er allemaal moet worden geregeld.'

'Geregeld? Waarvoor?' vroeg Hannah.

'Voor mijn begrafenis natuurlijk,' zei Rose. 'Waarvoor anders?'

Ze had overal aan gedacht: geen overdreven gedoe, geen koffietafel na afloop, de eenvoudigst mogelijke dienst, en een crematie, geen begrafenis. In een bibberig oudedameshandschrift had ze zelfs een lijst opgesteld met de dingen die ze mee wilde nemen de vlammen in: de kleine houten laarsjes van bij de haard, de foto die Hannah haar een paar jaar geleden had gestuurd, van vier generaties Catherwoods: Alice en Brad met hun kroost, Hannah, Davey, Johnny (met hetzelfde kastanjerode haar als dat van Davey), Joe (donker als zijn moeder), de schoonzoons en -dochters, en alle kleinkinderen. Waar Hannah echter het meest van opkeek, was de doodskist van dik karton die op een tweetal schragen in de schuur geparkeerd stond, in afwachting van het moment waarop Hannah hem zou beschilderen. Rose had zelfs verf in allerlei kleuren gekocht. 'Ik dacht dat je misschien meteen zou kunnen beginnen,' zei ze hoopvol. 'Hoe lang blijf je deze keer?'

In de slaapkamers, waaruit al het meubilair verdwenen was, stonden nog veel meer dozen met allerlei spullen die een zuinige moeder bewaart: Daveys eerste kleuterkrabbels, schoolrapporten, zelfgemaakte kerstkaarten. En in de nette kamer stonden alleen nog maar het bed met de oude lappendeken erover, en de tafel. Toen Hannah vroeg wat er met de naaimachine was gebeurd, met de linnenpers op de overloop, het buffet, de ijzeren ledikanten uit de slaapkamers boven, zei Rose monter: 'O, ik heb iemand uit de Gouden Gids opgebeld die ze allemaal op is komen halen. Hij heeft me er zelfs nog twintig pond voor gegeven!' Het was alsof ze haar hele leven opruimde, dacht Hannah.

Op Rose' aandringen laadde Hannah de auto tot de nok toe vol met dozen, stroopte daarop haar mouwen op en zette zich in de klam-koude schuur aan het werk. Anders, merkte Rose op, 'is het licht weg en krijg je het nooit meer klaar voordat je terugvliegt.'

Ze werkte uit de vrije hand, grote vlakken vullend met kleur, heel anders dan haar gebruikelijke priegelig-nauwgezette manier van schilderen. Ze bedekte de boven- en zijkanten met een zomerse weide, zoals ze die uit haar kindertijd herinnerde: een feest van knalrode klaprozen, fel paars-roze bolderik, kobaltblauwe korenbloemen, bleekroze koekoeksbloemen. Ze gaf Rose trilgras en vrouwenbedstro onder haar voeten, een wolkeloze blauwe hemel boven haar hoofd. Tijdens het werk tuurde Rose over haar schouder mee en kwam met suggesties: 'Wat zou je denken van wat wilde goudsbloemen in dit hoekje...?' 'Dat knoopkruid is een ietsje donker, vind je niet...?' 'Heelkruid zou daar aardig staan...' Een paar zwanen, zou dat kunnen...?'

Hannah werkte door totdat het bijna donker was, en Rose haar binnenriep voor een kop thee en een plakje cake. Daar nam ze de details nog eens met haar door, omdat ze er zeker van wilde zijn dat Hannah precies wist wat ze bij de begrafenis moest doen.

Hannah had Poppa's as vergeten die bij haar vertrek naar Canada was blijven staan, Nu bracht Rose het onderwerp ter sprake. 'Je zult natuurlijk,' zei ze bescheiden, 'wel je eigen plannen met je vaders stoffelijke resten hebben, maar het leek mij wel fijn als hij bij de rest van mijn spulletjes in mijn zwanenkist kon. Hij hield zo van de uiterwaarden. En ik *moet* je de bus voor mijn as even laten zien, hij is werkelijk schitterend...'

Pas toen ze alle bijzonderheden minstens twee keer hadden besproken, mocht Hannah Rose een afscheidskus geven en óp van vermoeidheid wegrijden. Ze had er niets over gezegd dat Davey maar een paar kilometer verderop logeerde, voor het geval dat hij op het laatste ogenblik besloot de confrontatie met Rose niet aan te kunnen. Dat zou té wreed zijn...

Ze reed langzaam Marsh End voorbij, dat na Walters dood vliegensvlug door een projectontwikkelaar onder handen was genomen en als weekendhuisje was verkocht aan een Londense effectenhandelaar.

Ook Holly Farm was in andere handen overgegaan, doordat Eddie Partridges zoon Andrew, die het van Rose had gekocht toen zij met pensioen ging, in grote problemen was gekomen door de gekkekoeienziekte. De enige dieren die nu op Top Field graasden, waren de rij- en jachtpaarden die de huidige eigenaar in pension had.

Davey wachtte al een tijd op haar, ongeduldig heen en weer lopend door de kamer. 'Wat heb je in godsnaam al die tijd uitgevoerd?' vroeg hij geprikkeld. 'Ik heb me de grootste zorgen gemaakt.'

'Ik heb een doodskist beschilderd,' zei Hannah, met een kus op zijn wang zijn boosheid sussend. 'Kom me nu maar even helpen al die dozen naar binnen te dragen.'

'Kunnen we nou gaan eten?' vroeg ze, toen ze klaar waren. 'Ik *sterf* van de honger.'

'Tuurlijk,' zei Davey. 'Ga jij maar vast naar beneden, ik kom er zo aan.' Maar nog geen tien seconden later was hij totaal verdiept in zijn verleden. Hij had een fotoalbum gevonden met daarin een foto van hemzelf, *Zomervakantie, augustus 1958*. De avondzon scheen in zijn ogen en hij keek met half dichtgeknepen ogen in de camera. Hij had een blauw T-shirt aan en een grijze korte broek, zijn kastanjerode haar stond rechtop. Eenenveertig jaar geleden, besefte hij, had hij voor die foto geposeerd, maar hij herinnerde het zich zo levendig dat het net zo goed eenenveertig minuten geleden kon zijn geweest. Het was namelijk de dag geweest dat hij Hannah ontmoette. Hij sloeg de bladzijde om. Daar had je hem met zijn moeder, diezelfde middag. Hij stond breed te glimlachen, vol dankbaarheid voor haar hulp bij het binnenslepen van zijn vrije morgen, genietend van het geheim van zijn nieuwe vriendschap. Hij rommelde wat verder in de doos, tilde er de andere albums uit, legde ze op volgorde en begon bij het begin. Halverwege het derde album werd het hem allemaal te veel. Hij keek de kamer rond en zag de sleutels van de huurauto liggen op het bed waar Hannah ze had neergegooid. Hij pakte ze op, krabbelde een kort berichtje voor haar neer, greep zijn jack en haastte zich naar het parkeerterrein.

54

$\mathcal{H}$et was donker toen hij het erf van Waterslain opreed, en de temperatuur daalde snel. Er brandde licht in de keuken, maar op zijn kloppen kwam geen antwoord. Toen hij de deur openduwde, was het vertrek leeg. Hij bleef even staan en probeerde zich te herinneren wat Hannah over het huis had gezegd; raar eigenlijk dat zijn moeder zo'n groot deel van haar leven op Waterslain had doorgebracht, en hij er nooit, zelfs niet één keer, binnen was geweest. Er was een nette kamer, herinnerde hij zich – Rose sliep beneden, had Hannah hem verteld.

Om zich heen kijkend liep hij naar de deur aan de overkant van de gang.

Ook de nette kamer was leeg, en het was er steenkoud. Door een wijd openstaande deur achterin stroomde de nachtlucht naar binnen.

'Hannah?' kwam haar stem van buiten, 'ben jij dat liefje?'

Hij stapte de hof op en daar zat ze op een bank, dik ingepakt in een warme jas en een shawl. Ze zat met haar rug tegen de gevelmuur, met een tamelijk omvangrijk voorwerp tegen zich aan geklemd. Terwijl Davey nog stond te aarzelen omdat hij niet wist wat hij zeggen moest, draaide ze haar hoofd om, zodat haar gezicht plotseling baadde in de gele gloed die door de deuropening naar buiten viel. Verbijsterd staarde ze hem aan.

'Dag Mam,' zei hij prozaïsch.

Ze knipte met haar ogen, hapte naar adem. En toen glansde haar gezicht op in een innig gelukkige glimlach. 'Davey,' murmelde ze, 'je bent toch gekomen...'

Hij stapte naar voren, maar toen hij haar hand wilde pakken, knakte haar hoofd voorover op haar borst.

'Mam?' zei hij, 'Mam, is het wel goed met je?' Maar ze gaf geen antwoord. Toen hij haar polsslag probeerde te controleren, kon hij die niet vinden.

Ze hield een kistje tegen zich aan. Het was van onbeholpen makelij en de verbindingen pasten slecht, maar het houtsnijwerk op het deksel – een koppel op het water drijvende zwanen wier halzen een hart vormden – had zoveel ingehouden energie dat de vogels elk moment hun vleugels uit leken te kunnen slaan en wegvliegen. In de kist lagen op een bed van grijze as een viertal uit hout gesneden dierfiguurtjes (een uil, een gans, een piepklein muisje, een wulp met een lange, sensueel gebogen snavel) naast een sepiakleurige foto van een klein jongetje, zo vol kreukels en vlekken dat zijn trekken onmogelijk meer te onderscheiden waren – Henry misschien, als kind? Ze was zo licht als een veertje toen hij haar optilde, en toen hij haar op het bed legde, zag hij dat ze nog iets anders in haar hand hield, nog een foto. Hij nam hem voorzichtig uit haar vingers. Het was een foto van hemzelf en Hannah, met Alice, Brad, zijn neefjes en nichtjes, Joe en John, alle kleinkinderen. Hij legde de foto in de zwanenkist, veegde zijn betraande ogen af, wroette in zijn jaszak naar zijn mobieltje, en belde zijn vrouw.

55

Rose Catherwoods begrafenis op vrijdag 21 januari 2000 was prachtig. De zon kwam even achter de wolken vandaan, de gemeente zong *U zij de glorie*, en psalm 23: *Hij zal mij leiden naar grazige weiden*. Het feit dat ze Davey naast zich had, hielp Hannah door de lastige stukjes heen. de dominee, die een vrij goede bariton had, zong uit volle borst zodat hij compenseerde wat er aan het gezang van de anderen mocht mankeren, en de kist ontlokte iedereen een glimlach. Toen Hannah buiten de kerk haar arm door die van haar echtgenoot stak, kwam de begrafenisondernemer even naast haar lopen om te vertellen dat het de leukste kist was die hij ooit had mogen dragen.

Aan Daveys strakke mond tijdens de dienst kon Hannah zien dat hij het moeilijk had. Anders dan het haar van Alice, nog steeds verdacht dieprood, was het zijne, dat hij heel kort droeg, al overwegend grijs. Zijn gezicht was bruinverbrand en verweerd na een heel leven in de buitenlucht en zijn tweeënvijftig jaren waren hem aan te zien. Het verblijf hier had alle nare herinneringen weer boven doen komen, vermoedde ze. In al die jaren van hun samenzijn had hij er nooit over gesproken: in bepaalde opzichten leek hij op zijn vader, zei Alice, hij hield zijn ellende voor zich. Maar toen ze achter de vrolijke kist het bleke winterzonnetje in stapten en Hannah haar hand in de zijne liet glijden, draaide hij zijn hoofd naar haar om en glimlachte, getroost door het gebaar.

Twee dagen later was hij alweer weg, verlangend thuis te zijn. Hannah bleef nog wat om haar belofte aan Rose te houden.

'Weet je wel heel zeker,' had Rose op gespannen toon gevraagd, 'dat je mee kunt gaan met wat ik heb bedacht. Je weet hoeveel je vader van Waterslain hield, en het lijkt op de een of andere manier gewoon zo passend. Alles zit al in de zwanenkist, dus die hoef je alleen maar op het laatste moment in de kist te stoppen...'

'Ja hoor,' had Hannah ingestemd, 'ik vind het een geweldig idee. Maar het zal nog jaren niet aan de orde zijn, dus kunnen we het alstublieft ergens anders over hebben?'

'Beloof me één ding,' had Rose er nog aan toegevoegd, toen ze Hannah het muisje, de wulp, de uil, en de Canadese gans liet zien, 'beloof me dat je niks tegen Davey zegt. Henry en Reuben konden niet met elkaar opschieten en het zou alleen maar allerlei vervelende herinneringen wakker maken...' En Hannah had heel kinderlijk 'Hand erop en erewoord' gezegd, wat Rose ontzaglijk leuk scheen te vinden.

Het was schitterend weer, toen ze voor de laatste keer het laantje afreed: een koude, heldere, en rustige dag. Ze zette de auto naast de stille schuur vol schaduwen, reikte naar haar waterlaarzen, en pakte dan het met voluptueuze gele rozen beschilderde koekblik, Rose' laatste privé-grapje, dat niet alleen haar eigen as bevatte en die van de zwanenkist met alle souvenirs erin, maar ook die van Poppa; alles op haar verzoek tezamen verbrand. Toen daalde Hannah langs de helling af naar het ondergelopen grasland.

Het water was maar enkeldiep, maar de bodem was verraderlijk, en ze bewoog zich behoedzaam voort tussen de onzichtbare dikke graspollen door. Na honderd meter bleef ze staan. De hemel was al donker, boven haar hoofd fonkelden de eerste sterren, en een tweetal zwanen hield haar op en neer deinend op de rivier in het oog. Ze trok het deksel van het blik, bracht haar arm naar achteren en smeet toen de inhoud met een brede zwaai over het water uit. Het fijne grijze poeder bleef een ogenblik in de lucht hangen en dwarrelde toen stil op het water neer. Nog even bleef ze staan, luisterend naar de stilte.

Ze had verwacht zich verdrietig te zullen voelen, maar toen ze langzaam haar weg terugzocht naar het droge, merkte ze dat ze liep te glimlachen om het passende van Rose' laatste gebaar.

Hoe, dacht ze toen ze boven aan de helling bleef staan om nog een laatste lange blik op de uiterwaarden te werpen, had ze Poppa's nagedachtenis beter kunnen eren dan door hem samen met Rose liggend in het gras, op te laten kijken naar de hemelen boven Waterslain...?

September 2000

$\mathcal{D}$e bouwvakkers zijn er al meer dan een halfjaar bezig en het werk is bijna gedaan. Het erf ligt vol rommel, maar aan de achterzijde verrijst een gloednieuwe aanbouw, met een rieten dak om bij het oorspronkelijke gedeelte aan te sluiten. Het huis staat zelfvoldaan te glunderen onder zijn nieuwe verflaag.

De nieuwe eigenaar heeft twee projectontwikkelaars overboden om het huis te krijgen, en flink wat boven de vraagprijs moeten gaan. Het is iemand uit de mediawereld die video's maakt voor rocksterren, maar hij is opgegroeid op een boerderij aan de andere kant van Market Needing en in Ipswich op school geweest. Met zijn verhuizing naar Waterslain komt hij als het ware gewoon weer naar huis, zegt hij.

Hij is aan het onderhandelen over de aankoop van Long Tye, waarmee hij zijn perceel tot zo'n zeseneenhalve hectare in totaal zal vergroten, voldoende om wat paarden op te laten lopen. Zijn vrouw, een boerendochter, wil wel eens een poging wagen met het fokken van schapen. Hij laat het grasland langs de rivier zoals het is (hoewel hij het wel gaat afrasteren tot de kinderen groter zijn), omdat het een van de weinige oude stukjes uiterwaard in Suffolk schijnt te zijn, en hij is van plan om de schuur te gebruiken voor het restaureren van oude auto's, een hartstocht die hij al jaren koestert maar waar hij door tijdgebrek nooit aan toe heeft kunnen geven. Hij zet de bouwvakkers onder druk om de boel in november klaar te hebben, vertelt hij de waard van The Bell wanneer hij rond lunchtijd een pintje in Nettlebed komt halen. Met kerst wil hij erin kunnen zitten. Hij wil dat zijn kinderen op net zo'n manier opgroeien als hijzelf is opgegroeid, zodat ze frisse lucht in hun longen krijgen en 's nachts de sterren kunnen zien.

De oude mevrouw Catherwood zou het er helemaal mee eens zijn, zegt de waard, terwijl hij een pint Best Bitter tapt. Rose was gek op het ouwe huis toen ze nog leefde.

Op dit moment is de rivier kalm, maar het heeft gisteren hard geregend en hij zal morgen wel overstromen. Een kleine meter van het water glanst en glimt iets in het lange gras, half bedolven in de klei. Het zilver is vlekkerig zwart verkleurd, maar het voorwerp is nog steeds herkenbaar als een ouderwets savonethorloge.

Er zit een deuk in de achterkant, en de wijzers zijn blijven staan op twee over drie.

Lees ook van Kitty Ray:

Ellis Jones is een intelligente, on-afhankelijke universiteitsdocente die, overmand door liefde en pas-sie, zwanger raakt van de jongere Joe, die ze nog maar pas kent. Ze vindt dat Joe niet aan het vader-schap toe is, en vertrekt uit zijn leven naar de cottage die ze van haar oudtante Nell heeft geërfd. Daar zal ze in alle rust haar kind ter wereld brengen.

In het huisje vindt ze een oud dagboek met haar naam erop. Het heeft toebehoord aan haar oudtante Nell. Ellis kan eerst niet geloven dat het voor haar ogen bestemd is, maar wanneer ze avond na avond in het dagboek leest, komt ze steeds meer te weten over Nells bijzondere leven en wordt haar ook duidelijk waarom haar tante hoopte dat zij het zou lezen.

Ademloos leest Ellis over Nells onbereikbare geliefde Laurence en over haar geheime kruidentuin, die haar troost bood in de onbe-schrijflijk donkere tijden die zouden volgen...

Door het dagboek komt Ellis tot de ontdekking dat de geschiedenis van haar familie anders is dan zij ooit heeft kunnen denken, maar ook dat zij haar toekomst en die van haar kind in eigen handen heeft.

In deze meeslepende roman weeft Kitty Ray de verhaallijnen uit het heden dooreen met die van zestig jaar terug. Op overtuigende wijze laat ze de verbondenheid zien tussen de twee sterke persoon-lijkheden Nell en Ellis.

Paperback, 400 blz., ISBN 90 325 0863 6